NOVELAS EJEMPLARES, II

clásicos castalia

COLECCIÓN FUNDADA POR
DON ANTONIO RODRÍGUEZ-MOÑINO

DIRECTOR
DON ALONSO ZAMORA VICENTE

Colaboradores de los volúmenes publicados:

J. L. Abellán. F. Aguilar Piñal. G. Allegra. A. Amorós. F. Anderson. R. Andioc. J. Arce. I. Arellano. E. Asensio. R. Asún. J. B. Avalle-Arce. F. Ayala. G. Azam. P. L. Barcia. G. Baudot. H. E. Bergman. B. Blanco González. A. Blecua. J. M. Blecua. L. Bonet. C. Bravo-Villasante. J. M. Cacho Blecua. M.ª J. Canellada. J. L. Cano. S. Carrasco. J. Caso González. E. Catena. B. Ciplijauskaité. A. Comas. E. Correa Calderón. C. C. de Coster. D. W. Cruickshank. C. Cuevas. B. Damiani. A. B. Dellepiane. G. Demerson. A. Dérozier. J. M.ª Díez Borque. F. J. Díez de Revenga. R. Doménech. J. Dowling. A. Duque Amusco. M. Durán. P. Elia. I. Emiliozzi. H. Ettinghausen. A. R. Fernández. R. Ferreres. M. J. Flys. I.-R. Fonquerne. E. I. Fox. V. Gaos. S. García. L. García Lorenzo. M. García-Posada. G. Gómez-Ferrer Morant. A. A. Gómez Yebra. J. González-Muela. F. González Ollé. G. B. Gybbon-Monypenny. R. Jammes. E. Jareño. P. Jauralde. R. O. Jones. J. M.ª Jover Zamora. A. D. Kossoff. T. Labarta de Chaves. M.ª J. Lacarra. J. Lafforgue. C. R. Lee. I. Lerner. J. M. Lope Blanch. F. López Estrada. L. López-Grigera. L. de Luis. F. C. R. Maldonado. N. Marín. E. Marini-Palmieri. R. Marrast. F. Martínez García. M. Mayoral. D. W. McPheeters. G. Mercadier. W. Mettmann. I. Michael. M. Mihura. J. F. Montesinos. E. S. Morby. C. Monedero. H. Montes. L. A. Murillo. R. Navarro Durán. A. Nougué. G. Orduna. B. Pallares. J. Paulino. M. A. Penella. J. Pérez. M. A. Pérez Priego. J.-L. Picoche. J. H. R. Polt. A. Prieto. A. Ramoneda. J.-P. Ressot. R. Reyes. F. Rico. D. Ridruejo. E. L. Rivers. E. Rodríguez Tordera. J. Rodríguez-Luis. J. Rodríguez Puértolas. L. Romero. J. M. Rozas. E. Rubio Cremades. F. Ruiz Ramón. C. Ruiz Silva. G. Sabat de Rivers. C. Sabor de Cortazar. F. G. Salinero. J. Sanchis-Banús. R. P. Sebold. D. S. Severin. D. L. Shaw. S. Shepard. M. Smerdou Altolaguirre. G. Sobejano. N. Spadaccini. O. Steggink. G. Stiffoni. J. Testas. A. Tordera. J. C. de Torres. I. Uría Maqua. J. M.ª Valverde. D. Villanueva. S. B. Vranich. F. Weber de Kurlat. K. Whinnom. A. N. Zahareas. A. Zamora Vicente. I. de Zuleta.

MIGUEL DE CERVANTES

NOVELAS EJEMPLARES, II

Edición,
introducción y notas
de
JUAN BAUTISTA AVALLE-ARCE

Madrid

Zurbano, 39 - 28010 Madrid - Tel. 319 58 57

Cubierta de Víctor Sanz

Impreso en España - Printed in Spain
Unigraf, S. A. Móstoles (Madrid)

I.S.B.N.: 84-7039-403-7 (Tomo II)
84-7039-392-8 (Obra Completa)
Depósito Legal: M. 24.507-1992

SUMARIO

INTRODUCCIÓN

I

La española inglesa, cuarta novela en la colección de 1613, retoma algunos de los temas de *El amante liberal,* la segunda de dichas novelas. Pero las variantes y enriquecimientos que afectan a dichos temas en su nuevo tratamiento novelístico son espectacular y literalmente ejemplares. Por lo pronto, en *El amante liberal* el tema del amor es central, pero por gran parte de la novela el de Ricardo es rechazado por Leonisa, si bien todo culmina con el matrimonio cristiano de ambos. El mar y las aventuras marítimas tienen lugar prominente en la acción y las luchas de religión, encarnadas por sicilianos y turcos, narran saqueos y capturas, todo esto en el Mediterráneo oriental, en un triángulo aproximado, cuyos ángulos serían Sicilia, Chipre y el norte de África.

La española inglesa se abre con un saqueo, el de Cádiz, por los ingleses en 1596, hecho tan histórico como la captura de Nicosia por los turcos, comienzo de *El amante liberal.*[1] El saqueo trae como fruto para el inglés Clotaldo la captura de la niña española Isabel (Isabela). Muy poco después entra en juego el tema del amor entre Ricaredo, hijo de Clotaldo, e Isabela. Las peripecias no-

[1] V. T. Hanrahan, "History in *La española inglesa*", *Modern Language Notes,* LXXXIII (1968), 267-71.

velísticas introducen el tema marítimo, combates navales y las guerras de religión, esta vez encarnadas en españoles (católicos) e ingleses (protestantes). Y luego de un número determinado de pruebas a que se ve sometido el amor de Ricaredo e Isabela, todo se corona con el matrimonio cristiano. La acción también tiene lugar en un triángulo aproximado, pero en el otro extremo de Europa. Los ángulos de dicho triángulo serán ahora Cádiz, Londres y Sevilla.

Pero no hay que ser muy lince para ver que cada punto de parecido entre ambos argumentos está empotrado en un mundo de diferencias. Porque la verdad sustancial es que Cervantes nunca volvió al mismo tema con intenciones de repetirlo y repetirse, sino, muy al contrario, con las intenciones de irisarlo en un juego de cambiantes perspectivas. *Eadem sed aliter* bien podría ser el lema del arte narrativo cervantino en algunas de sus más destacadas zonas.

Aquí, en *La española inglesa,* la forma más específica en que Cervantes empieza a apartarse de la superficialidad de aventuras marítimas, combates navales, capturas, etcétera, es por su habilísima intensificación del tema espiritual. Dicha intensificación es tan fuerte que se puede decir, sin temor a exageración, que *La española inglesa* constituye la novela con el ambiente de más tupida espiritualidad de las doce que forman la colección. Y, en consecuencia, nos presenta la prueba más palpable de la absorbente preocupación de Cervantes por la religión católica al entrar en los postreros años de su vida.[2] La espiritualización del argumento apunta ya, con claridad meridiana, al *Persiles y Sigismunda,* el libro póstumo de Cervantes pero que en opinión de su autor "ha de ser el más malo o el mejor que en nuestra lengua se haya com-

[2] Ruth S. El Saffar, *Novel to Romance. A Study of Cervantes's 'Novelas ejemplares'* (Baltimore, 1974), 158, observa atinadamente que "This is the religion which requires both self-purification and acceptance of life". Por cierto que El Saffar escribe siempre *Recaredo,* por distracción, seguramente.

puesto, quiero decir de los de entretenimiento; y digo que me arrepiento de haber dicho *el más malo* porque, según la opinión de mis amigos, ha de llegar al extremo de bondad posible", y esto en la dedicatoria del *Quijote* de 1615.

Los paralelos entre *La española inglesa* y el *Persiles* se dan a todo nivel. Por ejemplo, entre los temas mayores coinciden ambas novelas en aventuras marítimas, en el intenso y casto amor de los protagonistas, que se verá recompensado con el matrimonio cristiano, en la peregrinación a Roma, en la importancia insoslayable del tema de la religión en las dos. Algunas de las coincidencias entre los temas menores son la fealdad temporaria de ambas protagonistas inducida por un veneno, y como consecuencia, la vanidad de los hechizos. Y para redondear estos parecidos, conviene puntualizar que en *La española inglesa* la pareja de enamorados se da un plazo de dos años para casarse. Ricaredo, que había sido capturado por los piratas argelinos, llega a Sevilla el día en que se cumplía el plazo e Isabela estaba a punto de entrar en religión. Pero la imprevista llegada lo impide, y todo acaba con el feliz matrimonio de ambos. En el *Persiles,* libro I, capítulo X, se narra la trágica historia del portugués Manuel de Sosa Coitiño, quien se enamora de su vecina Leonora, pero al pedir su mano se le impone un plazo de dos años antes de obtenerla. Manuel va a África por ese período y cuando se cumple el día del plazo, ya de regreso en Lisboa, presencia, con el corazón destrozado, cómo Leonora entra en religión. La pena del enamorado portugués se resuelve con su muerte.[3]

Al llegar a este punto conviene recordar que en *La española inglesa,* con gesto insólito, Cervantes, en un acto final, apunta a la ejemplaridad allí contenida: "Esta novela nos podría enseñar cuánto puede la virtud y cuánto

[3] El regreso del protagonista el día que se cumple un plazo determinado pertenece al folklore universal y María Rosa Lida dio varias versiones de este motivo en *El cuento popular hispanoamericano y la literatura* (Buenos Aires, 1941), 11; ver también lo que digo en nota 92 de *La española inglesa.*

la hermosura" (v. *infra,* nota 127). La verdad del caso es perfectamente aplicable asimismo al *Persiles,* con lo que se terminan de estrechar los lazos que unen ambas novelas.[4] Creo que todo lo antecedente justifica ciertas afirmaciones que estampé hace años, en el prólogo a mi edición del *Persiles,* en esta misma colección: "Debido a estas características se puede decir que *La española inglesa* es una miniatura del *Persiles,* o bien, si miramos las cosas con 'la perspectiva de la otra orilla', como quería Valle-Inclán, el *Persiles* es una superfetación de *La española inglesa*" (p. 19).

Este nutrido sistema de aproximaciones al *Persiles,* argumentales e ideológicas, ha hecho suponer a la crítica más idónea que las fechas de redacción de ambas novelas serían relativamente próximas. Rafael Lapesa sopesó y aceptó el período 1609-1611, y yo, a mi vez, también acepté la fecha aproximada de 1611, ya que veía, y veo, a *La española inglesa* como uno de los últimos jalones hacia la redacción casi definitiva del *Persiles,* y digo *casi definitiva* porque la muerte arrancó a Cervantes de su novela tan querida. Pero hay atolondramientos cronológicos dentro del texto de *La española inglesa* (que se apuntan en notas a la novela), que siembran confusión en la determinación precisa de una fecha de redacción. Y, en consecuencia, la crítica se ha despachado con gusto y arbitrariedad, estableciendo posibles fechas de composición desde 1596 hasta 1611, y posteriores.[5]

[4] El punto de partida de estos careos debe ser el hermoso estudio de Rafael Lapesa, "En torno a *La española inglesa* y el *Persiles*", *Homenaje a Cervantes,* ed. F. Sánchez-Castañer, II (Valencia, 1950), 367-388.

[5] Buen resumen de los distintos tanteos cronológicos que han practicado diversos críticos se puede ver en la obra citada (nota 2) de Ruth S. El Saffar, pp. 150-151. Ella misma le da la más tardía fecha de composición, sin decidirse por el año, y le asigna el último lugar en la tarea de redacción. Con menos tino discurre sobre los problemas cronológicos Julio Rodríguez-Luis, *Novedad y ejemplo de las 'Novelas' de Cervantes,* I (Madrid, 1980), 30-33.

Luis Astrana Marín, que no hilaba muy fino, dictaminó: "*La española inglesa* se escribió aprisa desde abril a junio de 1612".[6] No hay nada en el texto de la novela que sustente una precisión tal, pero sí que es una novela de redacción tardía, e insisto en la fecha aproximada de 1611. Sí quedan en el cuerpo de *La española inglesa* algunas muestras de una redacción apresurada, o de poco castigo en la corrección. El botón de muestra de todo esto suele ser la habilidad lingüística que aduce Cervantes para algunos de sus personajes. Y de inmediato sale a relucir el caso de la reina Isabel I de Inglaterra. La primera vez que Isabela visita la corte inglesa se dirige a la reina Isabel en inglés, a lo cual ésta responde: "Habladme en español, doncella, que yo le entiendo bien, y gustaré de ello" (v. nota 8, al texto). Más tarde, cuando los padres de Isabela, españoles de Cádiz, aparecen en la corte inglesa y ocurre la anagnórisis folklórica (v. nota 81), la reina se dirige a la madre de Isabela: "Respondióle la reina que tenía razón, sirviéndole de intérprete, para que lo entendiese, Isabela". Que la reina Isabel tenía bien sentada fama de políglota es una cuestión.[7] Otra, y muy distinta, es que Cervantes le adjudique el conocimiento del español en un momento, y se lo niegue en otro.

Este descuido, y algún otro, si lo fueron, no acaba de embozar el hecho de que *La española inglesa* tiene una muy pensada y acabada estructura. A ello: el cuerpo de la novela nos narra la cantidad de obstáculos que los amantes tienen que superar para obtener el galardón

[6] *Vida ejemplar y heroica de Miguel de Cervantes Saavedra,* VII (Madrid, 1958), 46.

[7] Los historiadores ingleses adjudican a la reina Isabel pleno dominio de latín, griego, italiano y francés, v. Lawrence Stone, *The Family, Sex and Marriage in England, 1500-1800* (Nueva York, 1977), 203. Don Diego Guzmán de Silva fue embajador ante la corte inglesa de 1564 a 1570, y certifica su impecable uso del latín y del italiano en carta a Felipe II, v. *Colección de documentos inéditos para la historia de España,* LXXXIX (Madrid, 1887), 14.

del matrimonio cristiano.[8] Pero esas pruebas están dispuestas con una sutileza que hay que considerar despacio, para percibir algo de la profundidad intelectual y creativa que amparó la composición de esta novela. Porque la disposición de estas "pruebas de amor" dista mucho de cualquier azar idiosincrático. Esquematizo dichas pruebas para facilitar la intelección de la estructura novelística.[9] Con tales fines, considero que la bestial fealdad de Isabela es la culminación de la primera parte del argumento, que se divide así en dos secciones.

Sección I

1. Oposición de los padres de Ricaredo y planes de ellos para casarlo con Clisterna.
2. Separación de los amantes durante la navegación de Ricaredo en misión oficial.
3. Aparición del conde Arnesto como pretendiente de Isabela.
4. Enfermedad de Isabela y pérdida total de su belleza.

Sección II

1. Se renueva la oposición de los padres de Ricaredo y llegada de Clisterna.
2. Separación cuando Ricaredo marcha a Roma e Isabela a España.
3. Numerosos enamorados de Isabela.
4. Notificación de la muerte de Ricaredo.

[8] Uso el término *matrimonio cristiano* en el profundo sentido en que lo estudió Marcel Bataillon, "Cervantes y el 'matrimonio cristiano'", *Varia lección de clásicos españoles* (Madrid, 1964), 238-255; v. ahora también T. A. Pabón, "The symbolic Significance of Marriage in *La española inglesa*", *Hispanófila,* 63 (1978), 59-66, y el trabajo de Alban K. Forcione citado en *NE,* I, 23, nota 13.

[9] En la breve exposición que sigue me atengo a una brillante nota de Jennifer Lowe, "The Structure of Cervantes' *La española inglesa*", *Romance Notes,* IX (1968), 287-290.

Es de observar que en cada sección el primer obstáculo es afrontado por Ricaredo. Se refiere de inmediato, segundo obstáculo, a algo que afecta a los amantes al parigual, mientras que el tercero se refiere específica y directamente a Isabela. El último obstáculo de cada sección es el de mayor gravedad, y representa la *prueba* del más profundo ahínco de sinceridad y constancia por parte de Ricaredo, en primer lugar, y después de Isabela.

Todo esto ejemplifica una simetría de concepción y estructura en la que cada amante queda sometido a equivalente número de pruebas, y que, al sobrepasarlas, demuestran que se merecen el uno al otro en la más íntima medida. Y si se repasa el esquema anterior, con el argumento de la novela bien fresco en la memoria, se verá que los incidentes de la sección II son una intensificación de los correspondientes a la sección I. Y baste referirnos al apartado 3 de cada sección: a la singularidad del conde Arnesto como pretendiente de Isabela (sección I) corresponde la innumerabilidad de sus pretendientes en la sección II.

Algo más hay que agregar a todo esto. En el curso de la novela, si bien prima el ambiente espiritual, no es éste el único.[10] Para mantener el esquema anterior, *grosso modo,* se puede decir que en la sección segunda menudean las referencias al comercio, a la vida bancaria, a la economía en general.[11] Se puede comenzar por el hecho de

[10] Considero muy exagerada la afirmación de Joaquín Casalduero, *Sentido y forma de las 'Novelas ejemplares'* (Madrid, 1962), 192, de que nos hallamos aquí ante "los tres grados de la escala mística: *purgatio, illuminatio, unio*".

[11] Esto se ha explicado de diversas maneras. Agustín G. de Amezúa, *Cervantes, creador de la novela corta española,* II (Madrid, 1958), 136, lo ve como "reminiscencias de su tiempo de comisario", nueva muestra del desmedido afán de atar toda la obra de Cervantes a diversos episodios de su vida, para allí buscarles sentido. Harry Sieber, en su edición de las *Novelas ejemplares,* I (Madrid, 1980), 30, se declara perplejo: "¿Por qué tanta documentación? ¿Tantas cédulas, letras de crédito, cartas de aviso? En fin, ¿por qué todo este papel mercantil?" Julio Rodríguez-Luis, *op. cit.* (*supra,* nota 5), p. 46, se limita a observar que

que el padre de Isabela fue, hasta el momento del saqueo de Cádiz, un rico mercader (v. texto, nota 53). Esta nota, que se da en la sección primera (*ut supra*), sirve para introducir la cáfila de detalles bancarios que aparecen en la segunda sección. Por ejemplo, la partida de Isabela de la corte inglesa está acompañada de minuciosos detalles mercantiles (v. nota 93), que se repiten a su llegada a Sevilla (v. nota 99). La recuperación de la belleza por parte de Isabela se da al mismo paso que el crédito mercantil de su padre: "Volvió su padre a ejercitar su oficio de mercader, no sin admiración de los que sabían sus grandes pérdidas. En fin, en pocos meses fue restaurado su perdido crédito y la belleza de Isabela volvió a su ser primero". Y para no abundar en más detalles, que el curioso puede suplir con la relectura de la novela, piénsese en los detalles bancarios que proliferan en el viaje de Ricaredo a Roma, empezando por el cambio (v. nota 117) romano que le libró 1.600 ducados sobre Roqui, mercader florentino residente en Sevilla. Y es este propio mercader el que remata el problema de la identificación de Ricaredo, cuando éste llega a Sevilla "en hábito de los que vienen rescatados de cautivos".

Es obvio que Cervantes nunca pretendió escribir una novela mística, a lo que ni el propio *Persiles* apunta. Así pues, cuando sus crecientes preocupaciones religiosas le llevan a idear las diversas pugnas espirituales de *La española inglesa,* procede con cuidadoso tino a dotar a la acción de un denso ambiente de espiritualidad. Pero en la segunda mitad de la novela, antes de que se dé la solución final, perfecta y armónica del matrimonio cristiano, Cervantes procede a compensar, a equilibrar ese denso ambiente con una multiplicidad de detalles y referencias a la vida económica, y muy en particular a la vida bancaria. Eso se debe al hecho fundamental de que para Cervantes el matrimonio cristiano es el triunfo de la ortodoxia humana, como nos explicó Marcel Bataillon

el episodio de la partida de Isabela de Inglaterra "constituye un detallado episodio de carácter esencialmente económico".

(v. *supra,* nota 8). Y la ortodoxia humana está anclada en el *hic et nunc,* lo que queda claramente insinuado en el atropello de detalles materialistas y bancarios que circundan el matrimonio cristiano de Ricaredo e Isabela.

Un último detalle a destacar en esta breve introducción son los destellos autobiográficos de esta novela. Cuando Ricaredo narra sus aventuras ante el selecto público sevillano, hace hincapié en su captura en el golfo de León por piratas argelinos, su cautiverio y su redención por los trinitarios. De lejos, todo esto responde a episodios de la vida de Cervantes, pero muchos críticos han tropezado y caído en el error de confundir ficción y vida.[12] En mi trabajo sobre "La captura de Cervantes" (v. texto, nota 121) reaccioné contra este tipo de excesos y no insistiré en ello. Que el novelista revista su ficción con jirones de sus vivencias no puede extrañar a nadie, pero lo interesante es observar cómo procede Cervantes al actuar de dicha manera. Ricaredo se ha alejado de Inglaterra para sobreponerse a la tentación de la boda dispuesta por sus padres con la hermosa escocesa Clisterna, viaja a Roma, sufre gravísimo atentado, emprende navegación hacia España y es capturado por los piratas argelinos. Y aquí entran los jirones autobiográficos, que adquieren mayor validez vívida en cuanto están presentados en función del relato en primera persona de Ricaredo. Lo mismo ocurre con el relato del capitán cautivo, Ruy Pérez de Viedma, en el *Quijote* de 1605. En primera persona Ruy Pérez de Viedma nos relata sus actividades bélicas en Italia, en el Mediterráneo y en Lepanto, su captura, sus años de cautiverio en Argel, donde llega al extremo "historicista" de conocer a "un tal de Saavedra". Al repartir jirones vivenciales por su relato, Cervantes no concibe que el éxito de la ficción consista en su fun-

[12] Francisco Sánchez-Castañer, "Un problema de estética novelística como comentario a *La española inglesa* de Cervantes", *Estudios dedicados a Menéndez Pidal,* VII, 1 (Madrid, 1957), 357-386, después de pasar revista a la crítica sobre *La española inglesa,* usa esos destellos autobiográficos como el punto de partida de su propia interpretación.

damento autobiográfico, sino que su aceptación integral consiste en presentar éste en función de otra autobiografía, ésta ya paladinamente imaginada y ficticia. O sea que los trozos históricamente autobiográficos de la vida de Cervantes se disponen ahora en servidumbre de la estructura novelística, que en *La española inglesa* es una pequeña maravilla de sabiduría constructiva.

II

El licenciado Vidriera es la novela de un intelectual, como lo anuncia ya el título, pero de un intelectual que ha enloquecido como resultado de la ingestión de un filtro amoroso que lo lleva a las puertas de la muerte. En resumidas cuentas, es la novela de un loco intelectual. Y desde este punto de mira guarda estrecha analogía con la historia de otro loco intelectual a la que se había abocado Cervantes, la historia de don Quijote de la Mancha. Antes de su locura don Quijote era un intelectual, y sólo después de dicho accidente se dedica a la vida de acción, pero ahí queda como monumento a sus tareas intelectuales su espléndida biblioteca, que tan incruentamente desbaratarán cura y barbero, ama y sobrina. Bien es cierto que don Quijote es un intelectual autodidacta y el licenciado Vidriera es un intelectual profesional, graduado por Salamanca. Pero conviene observar las amplias proyecciones de ambas vidas para ver algo del contorno de las buscadas analogías.

Don Quijote es el intelectual que abandona ese tipo de vida para dedicarse de lleno a la actividad de la caballería andante. Pero en su nueva vida le quedan suficientes muestras de su antigua profesión como para que don Lorenzo de Miranda dictamine a su padre: "El es un entreverado loco lleno de lúcidos intervalos" (II, xviii). Pero el azar de las aventuras lleva a don Quijote a Barcelona y allí tiene el fatídico encuentro con el Caballero de la Blanca Luna. La sanción que aplica el victorioso Caballero de la Blanca Luna al despatarrado don Quijote es que éste debe abandonar el mundo de las caballerías, volver a su aldea, a su casa, a su biblioteca (II, lxiv). Don Quijote queda condenado a reintegrarse a la vida pasiva del intelectual. Esto se resuelve en la salvación del ex-caballero andante, que resulta en la muerte del forzado intelectual Alonso Quijano el Bueno.

Al comienzo de la novela *El licenciado Vidriera* el protagonista es un muchacho que va a estudiar a Salamanca. Azares de la fortuna le llevan a ingresar en la vida de la soldadesca y visita Italia y Flandes, pero entonces decide reingresar en la vida intelectual y se gradúa de licenciado en leyes. El intelectual diplomado enloquece, y este largo período de su vida es el que estudia con mayor detenimiento la novela. Recobra el juicio de manera fortuita y las circunstancias le impiden seguir adelante con las tareas del intelectual. Decide entonces reintegrarse a la vida activa de la soldadesca y encuentra allí su muerte y su salvación: "Dejando fama en su muerte de prudente y valentísimo soldado".

He esquematizado así ambas vidas para que resalten más claramente los puntos de analogía entre ambas. En las dos entran como elementos de excepción el intelecto y la locura, si bien los objetivos a que se asestan dichos elementos son diametralmente opuestos. Esto hace claro que Cervantes quiere analizar nuevos aspectos de la coyuntura de la locura intelectual en el mundo. Desde la época del *Encomium Moriae* de Erasmo, el intelectual europeo vive abocado a la problemática de la locura como ingrediente esencial de la realidad. No en balde Goya en sus *Caprichos* dictaminó que los sueños de la razón producen monstruos. La locura, como solidaria del intelecto, es lo que nos propone la vida de don Quijote y lo que ilustra cumplidamente la vida del licenciado Vidriera. No olvidemos que esta última novela se compone entre las dos partes del *Quijote.*[13] Esta última ob-

[13] He estudiado con más espacio la locura como ingrediente capital de la realidad en *Don Quijote como forma de vida* (Madrid, 1976), cap. iv, "La locura de vivir". Se debe consultar también el artículo de Otis H. Green, "*El licenciado Vidriera*: Its Relation to the *Viaje del Parnaso* and the *Examen de ingenios* of

servación debe hacer relucir con nitidez la obsesionante atención con que Cervantes escudriña los misterios del trinomio intelectual-locura-vida.

El desempeño de la vida del protagonista de *El licenciado Vidriera* nos lleva por nortes muy distintos a los de don Quijote, como acabo de decir. Dicho protagonista se perfila en su novela desde la adolescencia hasta su muerte en los campos de batalla de Flandes, y si mucho queda en oquedad es porque Cervantes despreció la biografía como menester novelístico, como se dirá en más de una ocasión a lo largo de estas introducciones. Consecuencia de todo esto es que don Quijote se nos aparezca en el mundo de su novela al entrar en el ocaso de su vida: "Frisaba la edad de nuestro hidalgo con los cincuenta años" (I, i). Pero el futuro licenciado Vidriera se nos aparece como "un muchacho de hasta edad de once años". A esto sigue de inmediato una voluntariosa anonimia, ya que el adolescente se niega a dar su nombre ni el de su patria, "hasta que yo pueda honrarlos a ellos y a ella", respuesta imantada por conceptos caballerescos (v. nota 3). Lo que nos presenta un nuevo punto de analogía con el caballero andante don Quijote de la Mancha, quien sale a la luz del mundo envuelto en confundidora polionomasia (Quijada, Quesada, Quejana), que bien hace las veces de la anonimia.

La vida de este anónimo muchacho pronto se encarrila por la vía de una polionomasia tan significativa como la de don Quijote: Caballero de la Triste Figura, Caballero de los Leones, pastor Quijotiz, etc. En el caso de *El licenciado Vidriera,* el período preformativo, cuando el adolescente todavía no ha encontrado su destino, ése es

---

Huarte", *Linguistic and Literary Studies in Honor of Helmut A. Hatzfeld,* ed. A. S. Crisafulli (Washington, 1964), 213-220. Julio Rodríguez-Luis, *Novedad y ejemplo de las 'Novelas' de Cervantes,* I (Madrid, 1980), 193, también hace hincapié en la intelectualidad del protagonista, pero se desentiende de su locura como la otra cara de la medalla. Consultar ahora el abonado estudio de Alban K. Forcione, "*El licenciado Vidriera* as a Satirical Parable: The Mystery of Knowledge", *Cervantes and the Humanist Vision: A Study of Four "Exemplary Novels"* (Princeton, 1982), 225-316.

el que se identifica con la anonimia.[14]. Pero rápidamente el muchacho halla su identidad en los estudios y comienza su período formativo, en el que, con toda propiedad, es estudiante en la Universidad de Salamanca. En este período embrionario el muchacho ya tiene nombre, como corresponde a su identificación con el destino: "Dijo el muchacho que se llamaba Tomás Rodaja". Obsérvese que Rodaja es el diminutivo de *rueda,* y que cerca del final de su vida, cuando el protagonista ha recobrado la cordura, pronuncia las siguientes palabras ante el pueblo de Valladolid: "Señores, yo soy el licenciado Vidriera, pero no el que solía: soy ahora el licenciado Rueda". O sea, que tenemos cuatro períodos claramente identificados con el nombre apropiado del protagonista. Cuando se asoma por primera vez a la vida sale el adolescente de la anonimia. Cuando halla su vocación y destino y comienza su adiestramiento de intelectual en la vida universitaria el protagonista se llama Tomás Rodaja. Este período formativo debe ampliarse para comprender los viajes del protagonista por Italia y Flandes, ya que, como apostilla el autor: "Las luengas peregrinaciones hacen a los hombres discretos". El protagonista *rueda* por Europa adquiriendo más amplio saber.

La vuelta del protagonista a Salamanca coincide con el conocimiento que traba con esa "dama de todo rumbo y manejo", que remata con el enloquecimiento del flamante licenciado. Aquí cambia todo el ritmo narrativo, y asimismo el nombre del protagonista, que ahora será conocido como *el licenciado Vidriera.* Vidriera, el licenciado loco, pierde todo en esta ocasión, menos su saber libresco, lo que dificulta o impide una actividad *agonista.* El licenciado Vidriera se marginaliza de la vida, y la

[14] Algo de todo esto adelanté hace años, y en inglés, en el prólogo a mi libro *Cervantes: Three Exemplary Novels* (Nueva York, 1964). Para los mismos años mi amigo Francisco García Lorca adelantaba una explicación parecida en "El licenciado Vidriera y sus nombres", *Revista Hispánica Moderna,* XXXI (1965), 156-158. Julio Rodríguez-Luis, *op. cit.* (nota 13, *supra*), 205-206, nos cita a los dos con aprobación.

observa, y con el bisturí de su cultura adquirida puede desenmascarar la realidad circunstante e identificarla por su propio nombre. Pero el saber libresco no le sirve, en absoluto, para plantearse los problemas de su propia sufriente humanidad, que antedata por mucho su reciente licenciatura. La desorientación en el rumbo vital impide la acción, en el plano novelesco y personal.[15] Por agentes totalmente alejados a su voluntad el licenciado recupera la cordura, y esto le lleva, nuevamente, a participar en la vida, a dejar su pasivo oficio de observador, y el ritmo narrativo refleja este cambio en un marcado *crescendo.* Nueva etapa, nueva vida, nuevo ritmo, nuevo nombre: el protagonista es el que se llama ahora *el licenciado Rueda,* Tomás Rueda. El saber libresco, tan útil con anterioridad, no le sirve ahora para nada. El intelectual tiene que optar ante la disyuntiva de su vida, la Y pitagórica en su más desnudo esquema. Y el licenciado Rueda abandona la cómoda postura de la vida como espectáculo y se zambulle en la vida como acción. En este momento su vida ha adquirido sentido pleno: no es más la anonimia inicial, su identidad no radica ya en un diminutivo de embrión (Tomás Rodaja), ni mucho menos un *alias* que alude a la transposición de la realidad (licenciado Vidriera). Ahora puede asumir, y asume, la forma plena y positiva de su nombre: el licenciado Tomás Rueda. Pero éste es el período más breve de todos, o casi, ya que Rueda muere en medio de las acciones escogidas. Pero como el maestre don Rodrigo Manrique, según canta dolorido su hijo, *dejar fama* es la forma óptima de garantizar una plus-vida.

La polionomasia característica del licenciado Vidriera se simboliza en las tres vueltas que da la *rueda* de su nombre: Tomás Rodaja-licenciado Vidriera-licenciado

[15] Ver Frank P. Casa, "The Structural Unity of *El licenciado Vidriera*", *Bulletin of Hispanic Studies,* XLI (1964), 242-246, quien ve este período con lente análoga a la mía: "By releasing him from any social responsibility, Cervantes could present a man absolutely free to say what he wished".

Rueda. Estos nombres captan con precisión el proceso vital del protagonista, y ninguna vida, como bien sabían nuestros abuelos, es ajena a las vueltas de la tornadiza *rueda* de la Fortuna. Además, los tres nombres se corresponden a tres etapas vitales radicalmente distintas en la vida del protagonista: el período formativo, crítico y activo. La formación universitaria, la crítica, que es una vidriera abierta a la realidad sustancial, y la actividad de la soldadesca, éstas son las tres etapas vitales de su héroe que Cervantes ha querido rescatar del olvido. [16]

En el primer período novelado el protagonista se nos aparece como libre de todo tipo de coordenadas determinantes. Al igual que el hidalgo manchego que de libérrima voluntad elige ser don Quijote de la Mancha, el protagonista de esta novelita esconde celosamente los nombres de sus padres o de su patria. El segundo período novelado corresponde al crítico espectador. Como la crítica, *per definitionem,* debe estar asestada a algo o alguien, se explica así, en forma natural, la característica dialogística de esta parte de la novela. El Yo crítico asesta su mono-diálogo al Tú criticado. El último período novelado es el más breve por su propia naturaleza. El protagonista ha identificado, por fin, su *yo mismo* y su destino, y cuando esto ocurre todo hombre puede entrar en la eternidad sin preaviso. Y así ocurre aquí, la muerte del licenciado Rueda en los campos de Flandes *dejó fama,* con lo que se traspone la cantidad temporal. [17]

[16] Acerca de la curiosa forma que adopta la locura del protagonista debe leerse la amplia información que recoge Alfred G. Engstrom, "The Man Who Thought Himself Made of Glass, and Certain Related Images", *Studies in Philology,* LXVII (1970), 390-405.

[17] Otras aproximaciones al meollo filosófico de la novela ejemplar se pueden leer en A. Oliver, "La filosofía en *El licenciado Vidriera", Anales cervantinos,* IV (1954), 227-238; S. Serrano Poncela, "*El licenciado Vidriera", Insula,* núm. 179 (octubre 1961); E. C. Riley, "Cervantes and the Cynics (*El licenciado Vidriera* and *El coloquio de los perros*)", *Bulletin of Hispanic Studies,* LIII (1976), 189-200.

De estas tres etapas vitales singularizadas por el novelista, la que más interesa a Cervantes, como que caracteriza el relato, es la intermedia, aquélla en que el protagonista, licenciado y loco, dicta cátedra *de omni re scibili*. Vidriera se caracteriza por su punzante ingenio y su formidable erudición. En ocasiones sus ingeniosidades parecen derivar del dicharachero folklore popular, como cuando apunta a los cristianos nuevos: "Esperad, Domingo, a que pase el Sábado". Claro está que todo esto está respaldado por el formidable ingenio de Cervantes, que bastaba para superar al de "todos los doce Pares de Francia y aun todos los nueve de la Fama" (*Quijote,* I, v). Inútil rastrear fuentes, en consecuencia. Pero muy distinto es el caso que nos plantean las repetidas muestras de erudición que brinda la conversación del licenciado Vidriera. Algunas son perfectamente plausibles, como las tres citas de Ovidio, en latín, acerca de los poetas, pero si pensamos que estas tres citas provienen de tres obras distintas de Ovidio, esto me hace sospechar la consulta de alguna enciclopedia temática de la época. Mis sospechas acrecen y arrecian al notar que entre estas citas de Ovidio, todas asestadas a un mismo blanco (*poetas*), Cervantes desliza una de Platón, que he podido identificar como del diálogo *Ion* (v. nota 82), asimismo apuntada al mismo blanco, *poetas*. Porque ocurre que el diálogo *Ion* no se conocía en español, y es muy significativo que Cervantes sume su autoridad a las citas de tres obras distintas de Ovidio, todo referido al mismo asunto. O bien recapacite el lector acerca de la diversidad y disparidad de fuentes que acumula Vidriera para apuntalar su ingeniosidad acerca de que la persona más dichosa del mundo es *Nemo.* [18] Como apunto en la

[18] El juego de palabras es folklórico y tradicional, v. Rudolph Schevill, "Cuatro palabras sobre *nadie*", *Revista Crítica Hispano Americana,* I (1915), 30-37, como bien atestigua el equívoco que usó Ulises para escapar de manos de Polifemo, al llamarse *oútis=nemo=nadie.* Pero no es éste el fin que persigo en el texto.

nota 136, estoy convencido de que Cervantes ha hecho suyo el consejo que dio el amigo al autor del *Quijote*:

> Vengamos ahora a la citación de los autores que los otros libros tienen, que en el vuestro os faltan. El remedio que esto tiene es muy fácil, porque no habeis de hacer otra cosa que buscar un libro que los acote todos, desde la A hasta la Z, como vos decís (prólogo de 1605)

Esto no es hablar en desmedro de Cervantes y su cultura, en absoluto. Dado el concepto imperante de *poesía como ciencia* (v. nota 80), tal tipo de aproximación a la creación literaria era inevitable. La práctica de Lope de Vega es en esto, como en tantas otras cosas, ejemplar para su época. Es sabido que Lope redacta la *Arcadia,* el *Isidro* y la *Jerusalén conquistada* con abundancia de notas marginales o finales donde nos endilga una apabullante retahila de fuentes y autoridades. También es bien sabido desde la época del gran lopista José F. Montesinos, que Lope, a pesar de sus múltiples y vanidosos despliegues de erudición, no era un sabihondo profesional, sino que la usaba como adorno y trampolín para alcanzar nuevas alturas poéticas. [19] Lope mismo, en el prólogo de sus *Rimas* (Lisboa, 1605), confirma todo lo dicho: "Usar lugares comunes como 'engaños de Ulises', 'salamandra', 'Circe' y otros, ¿por qué ha de ser prohibido, pues ya

[19] El trabajo hecho en este respecto es ejemplar, y servirá para orientarnos en búsquedas cervantinas, por ello cito, como lo más granado: José F. Montesinos, ed. de Lope, *Barlaán y Josaphat,* Teatro Antiguo Español, VIII (Madrid, 1935), 241-244; Edwin S. Morby, "Levinus Lemnius and Leo Suabius in *La Dorotea*", *Hispanic Review,* XX (1952), 108-122; *idem,* "Franz Titelmans in Lope's *Arcadia*", *Modern Language Notes,* LXXXII (1967), 185-197; *idem,* "Constantino Castriota in the *Arcadia*", *Homage to John M. Hill* (Indiana University, 1968), 201-215; y del mismo, sus eds. de *La Dorotea,* segunda ed. revisada (Madrid, 1968), y de la *Arcadia* (Madrid, 1975); Rafael Osuna, "El *Dictionarium* de Stephanus y *La Arcadia* de Lope", *Bulletin of Hispanic Studies,* XLV (1968), 265-269.

son como adagios y términos comunes, y el canto llano sobre que se fundan varios conceptos?".

Muchos son los manuales enciclopédicos que se produjeron por toda Europa en el paso del siglo XVI al XVII. En relación con la inmensa producción de Lope de Vega se han mencionado en diversas ocasiones, y estudiado, las obras de Ravisio Textor, Levinio Lemnio, Leo Suabio, Gribaldi, Spelta, Stephanus, Titelmans, Crinito y varios más. En relación con la obra de Cervantes no se ha mencionado ningún centón análogo, al menos dentro del cuadrante de mis conocimientos. Pero no me cabe duda de que cuando redactó *El licenciado Vidriera* Cervantes tenía sobre su mesa de trabajo algún manual enciclopédico parecido, quizá de alguno de los nombres mencionados con relación a la obra de Lope de Vega. Las muestras de erudición eran indispensables en la creación de ambiente y muy en particular del carácter del licenciado salmantino que enloqueció por la ingestión de un filtro amoroso. Puestos en tal brete creo yo que cualquiera de nosotros acudiría a un manual adecuado. Lo mismo tiene que haber hecho Cervantes, sólo que de momento no doy con el centón utilizado.

La polionomasia de que hace gala Cervantes en *El licenciado Vidriera* subraya la diversidad de la vida del protagonista. Pero hay otra forma de hacer resaltar la variedad en la unidad, y que Cervantes utiliza con maestría. Me refiero al uso que hace el novelista de la tradicional dicotomía entre Armas y Letras.[20] En el *Quijote* de 1605 había tenido majestuoso desarrollo dicho tema, y no me refiero solamente al entonado discurso de don Quijote al respecto (I, xxxvii-xxxviii), que sirve para introducir al *capitán* cautivo y a su hermano el *oidor,* sino que sobre el mismo tema se afirma la vida del protagonista.

[20] Gwynne Edwards, "Cervantes's *El licenciado Vidriera*: Meaning and Structure", *Modern Language Review,* LXVIII (1973), 559-568, tiene muy adecuado estudio del tema de las Armas y las Letras en nuestra novelita.

Algo semejante ocurre en *El licenciado Vidriera.* Al comienzo, Tomás Rodaja simboliza las Letras. Cuando sale de Málaga para volver a Salamanca, su encuentro con el capitán don Diego de Valdivia nos da la contraposición novelística entre Armas y Letras. Siguen los largos viajes de Tomás Rodaja por Italia y Flandes, intervalo novelístico en que las Armas predominan sobre las Letras. Luego tenemos el largo período de la locura del protagonista, con predominio neto de las Letras. Pero al recobrar la cordura el licenciado Rueda abandona con tristeza las Letras y abraza decididamente las Armas, y con ellas en la mano muere en los campos de Flandes. Y al llegar a este punto se puede ver que, como en el caso de don Quijote, la amalgama de Armas y Letras es la que cimenta el sentido íntimo de la vida del protagonista: "Esto dijo y se fue a Flandes, donde la vida que había comenzado a eternizar por las letras, la acabó de eternizar por las armas".

III

La fuerza de la sangre es un audaz experimento novelístico y un fracaso, al mismo tiempo. Y lo uno no es consecuencia de lo otro, según espero demostrar. La audacia experimental radica, justamente, en el tipo de comienzo que da Cervantes a su nueva novela. Porque la novela se inicia con la violación de Leocadia por Rodolfo, narrada con cuidado y lentitud, aunque no con el detallismo de la pornografía actual. Con tal tipo de comienzo quedamos abocados a un vendaval erótico, según la expresión de Américo Castro, que bien podría desembocar en un *Burlador de Sevilla,* pero que Cervantes evita cuidadosamente al quitar de la escena a Rodolfo hasta el final de la novela. [21] Pero iniciar una novela con

[21] Por cierto que la fecha de composición del *Burlador* a que se suelen atener los especialistas es bastante posterior a las *Novelas ejemplares,* v. Tirso de Molina, *El burlador de Sevilla y convidado de piedra,* ed. Gerald E. Wade (Nueva York, 1969), 12-13. Claro está que no pretendo, en absoluto, emular los desatinos de Blanca

un desnudo acto de violencia sexual tal como la violación de Leocadia, aunque la novela no siga por esa desatada senda, constituye un audaz experimento, en que Cervantes no contaba con modelos como, con otros motivos, ya lo anunciaba él a sus lectores en el Prólogo al volumen. Mas, evidentemente, no entraba en los planes cervantinos de composición escribir la primera novela erótica moderna, por eso Rodolfo abandona la escena y se marcha a Italia, donde permanece, ignorado, hasta casi el final de la acción. Lo que sí entraba en los planes de composición de Cervantes, en forma no menos evidente, es arrancar un atónito *cáspita* del distraído lector al leer tal comienzo, todavía arrullado por los juegos intelectuales del licenciado Vidriera.[22]

A este detonante comienzo le sigue una acción tan rápida como breve.[23] Esto está muy bien y acertado, y no cabría poner objeciones a *La fuerza de la sangre* si todo se desarrollase en medidas equiparables. Por desgracia, las cosas no son así.[24] Y aquí entra mi principal objeción

---

de los Ríos, cuando escribió: "En cuanto a las *Novelas ejemplares,* que, después del *Quijote,* son la obra más humana, personal y perennemente viva de Cervantes, ninguno de sus críticos y cometaristas, entre los cuales culminan Menéndez y Pelayo, Icaza y Rodríguez Marín, han señalado en ellas su sentido de hostilidad al bando de Lope, ni sospechado siquiera sus sátiras, burlas y sutilísimas ironías hacia el luchador paladín de aquel bando, Tirso", Introducción a Tirso de Molina (Fray Gabriel Téllez) (1584-1648), *Obras dramáticas completas,* I (Madrid, 1946), cxix.

[22] Aunque el tono es bastante exagerado y la originalidad escasa, se puede consultar el reciente libro de María Elisa Ciavarelli, *El tema de la fuerza de la sangre. Antecedentes europeos. Siglo de Oro español: Juan de la Cueva, Cervantes, Lope, Alarcón* (Washington, D. C., 1980). Por contrapartida es excelente el estudio de Alban K. Forcione, "Cervantes's Secularized Miracle: *La fuerza de la sangre*", *Cervantes and the Humanist Vision...,* 317-97.

[23] Ya lo había observado Joaquín Casalduero, *Sentido y forma de las 'Novelas ejemplares',* primera ed. (Buenos Aires, 43), 122, aunque, desgraciadamente, el agudo crítico insiste en estudiar la novelita en términos de una alegoría del pecado original.

[24] Ruth El Saffar, *Novel to Romance. A Study of Cervantes's 'Novelas ejemplares'* (Baltimore, 1974), 128, nos da una muy interesante lista de apologistas y detractores de *La fuerza de la*

y la razón por qué considero a esta novela un fracaso. Se trata de que Cervantes desatendió de triste manera la caracterización de sus personajes. Consideremos a la pareja de protagonistas. Rodolfo no llega ni siquiera a la categoría de un don Juan embrionario. [25] Casi se podría decir que su función única es violar a Leocadia, dado que de inmediato desaparece de la acción. Y cuando vuelve a aparecer, muy cerca del final, no puede haber la menor indicación de que haya habido algún cambio en esta suerte de semental toledano, ya que el foco narrativo lo ha abandonado y arrinconado en Italia.

Leocadia no sale mejor parada, y sus discursos instantes después de ser violada, son de todo punto inverosímiles. El comentario que me provocan es el mismo que provocó a Sancho el encendido discurso del supuesto suicida Basilio: "Para estar tan herido este mancebo..., mucho habla" (II, xxi). [26] Pero no en balde pasan siete años entre el principio y fin de *La fuerza de la sangre,* porque Leocadia ha madurado como personaje y sus discursos a la madre de Rodolfo son sensatos y verosímiles. Y claro está que cualquier defecto en su caracterización lo compensa ampliamente la teatralidad de su última aparición:

> Era Leocadia de gentil disposición y brío. Traía de la mano a su hijo, y delante de ella venían dos doncellas alumbrándola con dos velas de cera en dos candeleros de plata.

---

sangre, que se inicia con el disparate crítico de Jean Pierre Florian (1796), que la juzgaba como la mejor de las *Novelas ejemplares.*

25 El más reciente crítico de la novelita usa un crudo americanismo para caracterizar a Rodolfo; David M. Glitlitz, "Symmetry and Lust in Cervantes' *La fuerza de la sangre*", en *Studies in Honor of Everett W. Hesse,* eds. William C. McCrary y José A. Madrigal (Lincoln, Nebraska, 1981), 113: "We are left with the impression that Rodolfo is a libidinous S.O.B." Es censurable la crudeza del lenguaje en un trabajo profesional, pero no lo es la apreciación del personaje Rodolfo.

26 Estos discursos los compara Julio Rodríguez-Luis, *Novedad y ejemplo de las Novelas de Cervantes,* I, 57, a los de Preciosa en *La gitanilla,* lo cual no me parece acertado.

Ese hijo, Luisico, es producto de la violación de Leocadia por Rodolfo. No tiene el menor asomo de caracterización, pero se le apilan galas encima. Así y todo, cumple la más importante función dramática de toda la novelita, porque su accidental atropello por un caballo es el *deus ex machina* de la reconciliación final y la atropellada boda de sus padres. Como la boda es la compensación argumental por la violación inicial, Cervantes tiene mucho cuidado de hacerla evidente y explícita, pero como para la época en que escribía Cervantes tan acelerada boda era impensable, dados los decretos del Concilio de Trento (1545-1564), el novelista tiene que fingir que su historia transcurre antes de que dichos decretos se convirtiesen en leyes del reino por decreto de Felipe II (v. texto, nota 49).

Creo que es evidente el desinterés de Cervantes por la caracterización de sus personajes en *La fuerza de la sangre.* Pero no menos evidente es el enorme interés que se tomó por la perfecta simetría del desarrollo novelístico. La simetría estructural es característica bien propia del Renacimiento, y basta echar una rápida ojeada a las estructuras del *Lazarillo de Tormes* o la *Diana* de Jorge de Montemayor para no tener que acumular información ociosa. *La fuerza de la sangre* narra una violación y una reconciliación, separadas por un intervalo de siete años, en los cuales nace y crece Luisico, el producto de dicha violación. La violación tiene lugar en la alcoba de Rodolfo, en la casa de sus padres. Se llega a la reconciliación a través de la identificación de dicha alcoba por Leocadia en la casa de los padres de Rodolfo. En la escena de la violación Leocadia sustrae un crucifijo de Rodolfo. Para llegar a la reconciliación figura como instrumento descollante dicho crucifijo. La novela comienza con el violento rapto de Leocadia en una calle toledana. Luisico, el *deus ex machina* de la reconciliación, como queda dicho, es violentamente atropellado por un caballo en una calle toledana. Y para no andarme más por las ramas, el propio Cervantes se encarga de puntualizar la acabada simetría de que ha querido dotar a su novelita, así nadie se puede equivocar respecto a los efectos buscados por el novelista. Las penúltimas palabras habladas de la obra están puestas en boca de Leocadia, y son éstas: "Cuando yo recordé y volví en mí de otro desmayo me hallé, señor, en vuestros brazos sin honra; pero yo lo doy por bien empleado, pues al volver del que ahora he tenido, asimismo me hallé en los brazos de entonces, pero honrada. Y si esta señal no basta, baste la de una imagen de un crucifijo que nadie os la pudo hurtar sino yo". Sigue de inmediato la reconciliación, la cena y "fuéronse a acostar todos, quedó toda la casa sepultada en silencio", tal cual comienza la escena de la violación de Leocadia por Rodolfo, en la misma casa.[27]

Una última proyección a estudiar de *La fuerza de la sangre* es su posible relación con la famosa leyenda de José Zorrilla, *A buen juez, mejor testigo.* Como es bien sabido, esta leyenda tiene lugar en Toledo, donde Inés de Vargas hace jurar a Diego Martínez, ante el famoso Cristo de la Vega, que se casará con ella a su regreso de Flandes. A su vuelta, el ahora capitán Diego Martínez niega haberle prometido casamiento. Inés le lleva ante un juez y Diego persiste en su negativa. Inés apela entonces a su único testigo, el Cristo de la Vega. Todos se trasladan entonces ante la famosa imagen, y al ser interrogada ésta desclava su diestra descarnada y una voz sobrehumana responde: "Sí, lo juro".

Las proximidades entre ambos textos pueden partir por las semejanzas verbales. Cuando Leocadia, en *La fuerza de la sangre,* narra a sus padres su desdichada experiencia y el crucifijo que tiene como testimonio de todo ello, el padre observa: "Lo que has de hacer, hija, es guardarla y encomendarte a ella, que pues ella fue testigo de tu desgracia, permitirá que haya juez que vuelva por tu

[27] Más simetrías se pueden estudiar en el artículo citado en nota 25 de David M. Glitlitz. Todo esto se puede ampliar por la lectura de Robert V. Piluso, "*La fuerza de la sangre*: un análisis estructural", *Hispania,* XLVII (1964), 485-490, y R. P. Calcraft, "Structure, Symbol and Meaning in Cervantes's *La fuerza de la sangre*", *Bulletin of Hispanic Studies,* LVIII (1981), 197-203.

justicia". Y cuando más tarde Leocadia narra su desventura a la madre de Rodolfo, "sacó del pecho la imagen del crucifijo, que había llevado, a quien dijo: Tú, Señor, que fuiste testigo de la fuerza que se me hizo, sé juez de la enmienda que se me debe hacer". Y, efectivamente, la justicia que se hace a Leocadia se debe en forma exclusiva al silencioso testigo del crucifijo. Ambas obras tienen lugar en Toledo y comienzan en lo oscuro de la noche y en el medio de una calle. La protagonista cervantina se llama Leocadia, y la imagen del Cristo de la Vega se guarda en la iglesia de Santa Leocadia.[28] El crucifijo es esencial para el feliz desenlace de ambas obras, y si bien en la obra cervantina no hay milagro, esto queda contrapesado por la efectividad actuante del mudo crucifijo.

En su nota citada, John Jay Allen parece imaginar que tanto Cervantes como Zorrilla trabajan desde dentro de la misma tradición. Esto es posible, pero hoy quiero hacer hincapié en el hecho de que la inspiración del poeta José Zorrilla seguramente se vio reforzada por la lectura de *La fuerza de la sangre,* cuyo recuerdo fue el que dictó el título de su leyenda, *A buen juez, mejor testigo.*

Para terminar, creo que vale la pena insistir en el subido tono experimental de *La fuerza de la sangre,* bien consonante, por cierto, con la audaz declaración del prólogo al lector: "Yo soy el primero que he novelado en lengua castellana". Porque, bien mirado, el texto de esta novela ejemplar está dedicado a empujar la realidad hasta la última línea de retroceso. El nutrido cortejo de inverosimilitudes y coincidencias que desfila por el texto de la novela son otros tantos factores para acoquinar la realidad, para desentenderse de ella en la consecución de un determinado fin artístico. Este comienza por analizar la animalidad del hombre, de un empingorotado y diso-

[28] Hay otra iglesia de Santa Leocadia en la ciudad de Toledo, y Leocadia era una virgen y mártir toledana, lo cual justifica ampliamente la elección del nombre de la protagonista cervantina. John Jay Allen vislumbró algo de todo esto en su nota "*El Cristo de la Vega* and *La fuerza de la sangre*", *Modern Language Notes,* LXXXIII (1968), 271-275, pero no llegó a ninguna conclusión.

luto noble toledano, y termina por presentar a éste rendido abyectamente por el culto a la belleza. Y para subrayar todo esto el autor recurre a un desarrollo novelístico simétrico, que se abre y se cierra con vehementes llamadas a la historicidad del relato. Al abrirse la novela se pretende disimular el nombre del protagonista para evitar afrentas: "Por ahora, por buenos respetos, encubriendo su nombre, le llamaremos con el de Rodolfo". Y al final se lee que

> quedó toda la casa en silencio, en el cual no quedará la verdad de este cuento, pues no lo consentirán los muchos hijos y la ilustre descendencia que en Toledo dejaron, y ahora viven, estos dos venturosos desposados, que muchos y felices años gozaron de sí mismos, de sus hijos y de sus nietos, permitido todo por el cielo y por *la fuerza de la sangre.*

La inverosimilitud del relato queda respaldada por la historia, que es otra forma de decir que el arte vence a la realidad.

IV

El celoso extremeño es la novela del solipsismo. Un solipsismo de dimensiones tan fenomenales que para su libérrimo desempeño necesita crearse un foco de la novida, porque eso, precisamente, es lo que se crea Felipo de Carrizales en su casa sevillana. En su egoísmo metafísico Carrizales opera una disección total de la vida, apartando de sí, con meticulosidad, aquellos elementos capaces de infundir sospechas a su naturaleza celosa. Empieza por fabricarse un islote en plena ciudad del Guadalquivir, que lo separa completamente de ella: [29]

[29] Alguna idea que otra de las que desarrollo a continuación adelanté en *Nuevos deslindes cervantinos* (Barcelona, 1975), capítulo i.

> Compró [una casa] en doce mil ducados en un barrio principal de la ciudad, que tenía agua de pie y jardín con muchos naranjos. Cerró todas las ventanas que miraban a la calle y dióles vista al cielo, y lo mismo hizo de todas las otras de casa; en el portal de la calle, que en Sevilla llaman *casapuerta,* hizo una caballeriza para una mula, y encima de ella un pajar y apartamiento, donde estuviese el que había de curar de ella, que fue un negro viejo y eunuco; levantó las paredes de las azoteas de tal manera que el que entraba en la casa había de mirar al cielo por línea recta, sin que pudiese ver otra cosa; hizo torno que de la casapuerta respondía al patio ... compró, asimismo, cuatro esclavas blancas y herrólas en el rostro, y otras dos negras bozales ... Dígame ahora el que se tuviere por más discreto y recatado qué más prevenciones para su seguridad podía haber hecho el anciano Felipo, pues aun no consintió que dentro de su casa hubiese algún animal que fuese varón ... De día pensaba, de noche no dormía; él era la ronda y centinela de su casa y el Argos de lo que bien quería.

El tenaz empeño de Carrizales y su exacerbado solipsismo lo llevan a convertir su casa en un foco de anti-vida, ya que sus moradores o son la negación de lo vital (eunuco, esclavas), o representan sólo un aspecto parcial de la totalidad de la vida (animales únicamente del sexo femenino). La abstracción ha resultado perfecta. Felipo de Carrizales puede descansar en la creencia de que sus celosos esfuerzos son garantía suficiente de que las corrientes vitales pasarán de largo por su zaguán sin llegar a introducirse al interior de la casa, donde él podrá representar su hueca parodia de la vida, a la que lo ha llevado su egoísmo metafísico.

Estas encarnaciones de la no-vida, sobre las que Carrizales construye su castillo de naipes, reaccionan de manera imprevisible para él, pero comprensible para nosotros, al verse puestas en contacto con las fuerzas elementales. En el negro eunuco hay todavía la suficiente vitalidad para deleitarse en la música, y a la dueña Marialonso —la única que había gozado de una semblanza de vida— le queda la curiosidad vital necesaria para tratar de averiguar lo que sucede al otro lado de esas imponentes paredes. Al estructurar su solipsista teoría del vivir el vejete Carrizales no había contado con estos resquicios, que actúan como verdaderas minas de su castillo. Por ellos, precisamente, se desliza Loaysa, quien encarna la marejada vital que anega finalmente ese pobre islote del no-vivir y a su dueño. El teorizador del solipsismo cae así víctima de sus propias abstracciones.

La anécdota central de *El celoso extremeño* es el relato de las desmesuras a que conminan los celos al vejestorio Carrizales. Se ha creído ver la fuente de esta anécdota central en un cuento popular marroquí, que narra la historia de un hombre que cría a una niña en soledad e ignorancia absolutas para casarse con ella con todas las garantías de pureza, pero así y todo es engañado.[30] Es muy posible que haya algún tipo de relación folklórica entre la novela cervantina y el cuento popular marroquí. Pero me parece evidente que Cervantes adornó su anécdota central con detalles casi folklóricos, pero cuya área geográfica es el otro extremo del Mediterráneo. Me refiero a un tipo de información que circulaba en España desde el siglo XV respecto a los monasterios de monjes griegos en el monte Atos. Estos monasterios y toda la península eran famosos por haber eliminado a todas las mujeres y animales hembras, así como Carrizales aparta de su islote todo lo que pueda tener relación con lo masculino.[31] Esa curiosa característica de dichos monas-

[30] Ángel González Palencia, "Un cuento popular marroquí y *El celoso extremeño* de Cervantes", *Homenaje ofrecido a Menéndez Pidal,* I (Madrid, 1925), 417-423. Más reciente y más improbable es la filiación de Emilio Alarcos García, "Cervantes y Boccaccio", *Homenaje a Cervantes,* ed. F. Sánchez-Castañer, II (Valencia, 1950), 197-235, quien lo identifica con episodios del *Filocolo* boccaccesco.

[31] Estos reglamentos característicos perduran hoy en día en los monasterios del Monte Atos: "A curious rule of the Athonite monks forbids women, or even female animals, to set foot on the peninsula", *The Oxford Dictionary of the Christian Church,* segunda ed., F. L. Cross y E. A. Livingstone, eds. (Oxford, 1974), s.v. *Athos, Mount.*

terios ya la conocía Ruy González de Clavijo, cuya *Embajada a Tamorlán* es de comienzos del siglo XV, pero se imprimió en Sevilla, 1582, gracias a los esfuerzos de Gonzalo Argote de Molina. Y en la década 1580-1590 comienzan los largos y ajetreados años sevillanos de Cervantes. Y la misma información la conoce muy bien, y repite, el eminentísimo médico y erasmista Andrés Laguna, en su *Viaje a Turquía,* que es de mediados del siglo XVI. Para algunas de sus novelas, como *El amante liberal,* en esta misma colección, o *El capitán cautivo* en el *Quijote* de 1605, Cervantes recurrió a sus recuerdos de soldadesca acerca de cosas turcas y griegas, y al refrescar su memoria bien puede haber tropezado con este tipo de información, que con gracioso cambio de signo atribuye ahora al celoso Carrizales. Y este rasgo se convierte en algo tan definitorio de su islote sevillano como de los monasterios del Monte Atos. [32]

Claro está que el formidable tema de los celos nunca está muy alejado del epicentro de la novelística cervantina. Ahora sabemos que ésta está imantada por el doble polo magnético de la libertad y el amor. [33] En consecuencia, los celos, que obstaculizan ambas posibilidades (si es que no las niegan abiertamente), reciben esmerado tratamiento y cumplido desarrollo en las novelas de Cervantes. Y hasta en su propio teatro, en *La casa de los celos,* cuando éstos aparecen en escena se nos dice:

> Mas veslos salen; advierte
> que cuanto con ellos miras,

[32] Las citas de Clavijo y de Laguna se pueden leer en Luis Gil y Juan Gil, "Ficción y realidad en el *Viaje de Turquía.* (Glosas y comentarios al recorrido por Grecia", *Revista de Filología Española,* XLV (1962), 105-106.

[33] Acerca del tema de la libertad en Cervantes ya quedó en el primer tomo nota del libro de Luis Rosales. Ahora cumple agregar, con respecto al tema del amor (erotismo), el muy importante libro de Louis Combet, *Cervantès ou les incertitudes du désir. Une approche psychostructurale de l'oeuvre de Cervantès* (Lyon, 1980).

amenazan triste suerte,
ciertos y luengos pesares,
y al fin desdichada muerte.

Esto no es, ni más ni menos, que lo que noveliza en *El celoso extremeño.*

Pero no es sólo el tema de los celos, en su enfoque más amplio, el que tanto prima en la obra cervantina, sino el propio tema de *El celoso extremeño,* o algo muy afín, que concentra la atención creativa del novelista. Porque el mismo conflicto central que anima *El celoso extremeño* se nos presenta en más apretado haz en el entremés de *El viejo celoso.* Las relaciones entre ambas obras son íntimas, al extremo que el protagonista del entremés se llama ahora Cañizares, con claro eco del Carrizales anterior. El ambiente en que se desarrollará la acción también recrea, casi punto por punto, el de la casa de Carrizales. [34]. El pecado de Cañizares es el mismo de su *alter ego* novelístico: en ambos casos se trata de arrancarle a la vida todas aquellas características en desacuerdo con estas mentalidades de celoso solipsismo. Pero en el entremés las notas están dadas en tono menor, de abierta farsa, al punto que se evita ahora el desenlace trágico. Los personajes han descendido unas gradas de su original nivel artístico y actúan en un mundo de motivaciones sencillas —simplificaciones que en parte se pueden atribuir al diverso género literario que las presenta—. Los complejos volitivos que provocan nuestras acciones se desnudan aquí y aparecen con la simplicidad de objetivo propia de la caricatura. Porque Cañizares es eso, el contorno lineal (la versión bufonesca, más bien) de Carrizales. Y al extremar las líneas caricaturescas, Cervantes agudiza también las notas obscenas, que singularizan a este entremés dentro de la producción cervantina. Pero, claro está, en *El viejo celoso* se dirige a

[34] Francisco Ayala, "El nuevo arte de hacer novelas estudiado en un tema cervantino", *Experiencia e invención* (Madrid, 1960), se hace cargo de muchos de estos paralelos.

los mosqueteros de los corrales de comedias, mientras que las *Novelas ejemplares* están dedicadas a la Grandeza española. La adecuación de tonos novelísticos es la más ejemplar de las lecciones que nos imparte Cervantes.

El celoso extremeño, asimismo, roza y se enfrenta con el tema desarrollado en la novelita de *El curioso impertinente* (*Quijote,* I, xxxiii-v). Pero no creo sea ésta la oportunidad de desarrollar temas un poco alejados de este estudio preliminar, y que, por lo demás, ya traté con amplitud en alguna obra anterior (*Nuevos deslindes cervantinos, ut supra,* nota 29). Pero para no abandonar la brújula por donde miro ahora la producción cervantina, quiero recordar una escena de seducción análoga a la que efectúa Loaysa del ama del negro Luis a través de la música de sus endiabladas guitarra y coplas. Porque no es otro el camino que escoge don Clavijo, que "se halló una y muy muchas veces en la estancia de la por mí, y no por él, engañada Antonomasia, debajo del título de verdadero esposo" (*Quijote,* II, xxxviii), como recuerda acongojadamente la condesa Trifaldi, víctima ella, en primer lugar, de las músicas y serenatas de don Clavijo.

La novelita que es objeto de estos párrafos tiene la singularidad, junto con *Rinconete y Cortadillo,* de que a fines del siglo XVIII se descubrió en una versión manuscrita, anterior a la edición de 1613, que divergía considerablemente de lo que Cervantes decidió imprimir, mucho más que en el caso de *Rinconete.* Me refiero, claro está, al manuscrito de Francisco Porras de la Cámara (v. *NE,* I, 36-37). No pienso adentrarme mayormente en el estudio de ambas versiones y la motivación de las variantes, ya que no considero que tal sea mi cometido de hoy. Pero hay tres cambios tan tajantes entre versión manuscrita e impresa que no puedo por menos que aludir a ellos, ya que no estudiarlos a fondo. Considero que tal alusión es parte de mi responsabilidad editorial.

En la versión impresa en 1613, la mujer de Felipo de Carrizales se llama Leonora; en el manuscrito Porras su nombre es Isabela. ¿Por qué cambiar el nombre de la protagonista, inofensivo y, al parecer, carente de alusiones argumentales?[35] Pues, desde la época de don Américo Castro, la crítica ha repetido que el cambio está dado por las preferencias mentales de Cervantes y que no tiene nada que ver con el argumento. En el manuscrito Porras la pareja central se llama (según nuestras formas actuales) Felipe e Isabel. Pero esto puede ser incómodo recuerdo a la pareja real, muerta no hacía mucho, Felipe II e Isabel de Valois. Y don Américo desarrolló la idea del malestar que siempre sintió Cervantes ante el recuerdo de Felipe II. En consecuencia, Isabela tiene que cambiar su nombre a Leonora, con lo que se evita toda posibilidad de fastidiosos recuerdos.[36]

Cambio de muchísima mayor monta ocurre del manuscrito al impreso en lo que se refiere a la aventura amorosa de Loaysa y Leonora (Isabela). En la versión original del manuscrito Porras no cabe la menor duda de que el adulterio fue consumado: "Llegóse a esto el día y cogió a los adúlteros abrazados". Pero para 1613 Cervantes ha tenido un muy serio viraje intelectual, espiritual y artístico. El adulterio ya no es viable en los sentidos mencionados. Y, en consecuencia, viene un nuevo desenlace, que no ha dejado de serle criticado: "El valor de Leonora fue tal, que en el tiempo que más le convenía, le mostró contra las fuerzas villanas de su astuto engañador, pues no fueron bastantes a vencerla, y él se cansó en balde, y ella quedó vencedora, y entrambos dormidos".

La inverosimilitud de una situación tal, entre ardiente seductor y complaciente —hasta el momento— víctima ha salido a relucir en más de una ocasión, todo a desmedro de la integridad artística y moral de Cervantes, quien queda así condenado, una vez más, como "ingenio hipócrita". En más de una ocasión he roto lanzas contra tal

[35] Américo Castro, "*El celoso extremeño* de Cervantes", *Hacia Cervantes* (Madrid, 1957), ya se hizo cargo del significativo cambio de nombres de la protagonista.

[36] C. P. Otero, *Letras,* I Londres, 1966), 100, acepta la explicación de don Américo Castro de la revolución onomástica y agrega que el propio nombre de Leonora podría ser irónico: *Le honora.*

ilotismo crítico, y hoy me place volver a la estacada.[37] Se ha aducido que Cervantes, para la época del manuscrito Porras, escribía para sí, no para ningún patrono en particular, y que, en consecuencia, podía expresar, sin tapujos, su conciencia artística. Pero en 1613 se halla dialogando con la Grandeza de España (las *Novelas ejemplares* están dedicadas al conde de Lemos), y, por consiguiente, había que arriar velas, evitar situaciones escandalosas y totalmente inmorales al proyectarse hacia el más alto nivel de la sociedad española. Y todo esto explica la inverosímil e hipócrita pudibundez del texto. Pero esto no explica en absoluto el hecho de que las *Seis comedias y seis entremeses* de 1615, donde se imprime *El viejo celoso,* también está dedicado al conde de Lemos y este entremés es infinitamente más cochino que el timorato adulterio del manuscrito Porras.

Evidentemente, la explicación hay que buscarla por otro cuadrante. Desde una perspectiva radical, Isabela (manuscrito Porras) es la adúltera mujer de un marido bien poco ejemplar, lo que Cervantes hace más que evidente desde el primer párrafo de su novela. Carrizales coge a su mujer en *flagrante delicto,* la acusa de ello y muere fuera de religión. Esta solución es bien poco satisfactoria desde cualquier punto de vista, ya que los pecadillos de juventud y las excentricidades de vejez de Carrizales no se hombrean para condenarle *in aeterno.* Es para justificar este tipo de desenlace que Cervantes modifica la es-

[37] Marcel Bataillon, "Cervantes y el matrimonio cristiano", *Varia lección de clásicos españoles* (Madrid, 1964), 238-255, apuntó algo de la problemática del desenlace del *Celoso.* Muy brevemente se refirió a las dos versiones en oposición de nuestra novelita Frank Pierce, al editarla en *Two Cervantes Short Novels. 'El curioso impertinente' and 'El celoso extremeño'* (Oxford, 1970), 24. Por último, el estudio de mayor enjundia al respecto es el de Gwynne Edwards, "Los dos desenlaces de *El celoso extremeño* de Cervantes", *Boletín de la Biblioteca Menéndez Pelayo,* XLIX (1973), 281-291. Desde luego que Luis Astrana Marín, *Vida ejemplar y heroica de Miguel de Cervantes Saavedra,* V, 377-388, al considerar a la novela como histórica desenfoca las cosas por completo.

cena del adulterio cometido para convertirlo en un acto en potencia, pero nunca consumado. De esta manera, la acusación de Carrizales a Leonora (versión 1613) no sólo es falsa, sino que en sí es un pecado mortal, y ahora sí queda justificada la condena eterna de Carrizales al morir fuera de religión. El cambio no estriba en una hipocresía de mayor o menor monta por parte de Cervantes, sino que el cambio de culpa (ms. Porras) a inocencia (1613) implica un total nuevo enfoque en lo que se refiere al destino de dos criaturas literarias.

El último cambio del que me quiero hacer cargo hoy se refiere al destino de Loaysa. En el manuscrito Porras se nos dice: "El, desesperado y corrido, dicen que se fue a una famosa jornada que entonces contra infieles España hacía, donde se tuvo por nueva cierta que le mató un arcabuz que le reventó en las manos". Para 1613 Cervantes ha reenfocado tal tipo de terminante finalidad, y reescribe: "El, despechado y corrido, se pasó a las Indias". Los dos distintos finales captan dos completamente distintos conceptos de novela, y nos permiten un atisbo al proceso de maduración de un genio, del máximo genio de nuestra lengua. Porque en el manuscrito Porras la novela queda perfectamente cerrada: Carrizales muerto, su mujer en un convento (muerte metafórica), y Loaysa asimismo muerto. No hay posibilidad alguna de continuación. No se puede imaginar final más categórico. No cabe duda: la novela no es como la vida. Pero para 1613 Cervantes ve las cosas desde la otra orilla, y para notificarnos de algo de lo que ahora ve, impone a la vida de Loaysa un cambio mínimo, pero de capital importancia artística. Loaysa no sólo no muere, sino que ahora es despachado a las Indias. Como un segundo Carrizales va al Nuevo Mundo para olvidar los reveses de fortuna sufridos en la madre patria. Y, la vida, siendo lo que es, Loaysa bien podría haber vuelto a España, como otro Carrizales, cargado de oro y de años, abocado a las mismas posibilidades vitales que su víctima, con lo que las posibles proyecciones de la novela, permisibles por su forma abierta, han dado un círculo completo. Y lo mismo da el concepto que Cervantes ha desarrollado de la novela: la verdadera novela, la nueva, la que él está fraguando, debe ser como la vida. Y si la vida se desarrolla *more cyclico,* lo mismo debe hacer *su* novela, vale decir, la novela moderna.

JUAN BAUTISTA AVALLE-ARCE

BIBLIOGRAFÍA SELECTA

Ésta se refiere sólo a las novelas contenidas en el presente volumen. La bibliografía selecta de orden general se hallará en el primer volumen de esta colección. No se repiten títulos.

La española inglesa

Asensio, José María, "Sobre *La española inglesa*", *Cervantes y sus obras* (Barcelona, 1902), pp. 261-66.

Hanrahan, T., "History in *La española inglesa*", *Modern Language Notes,* LXXXIII (1968), pp. 267-71.

Pabón, T. A., "The Symbolic Significance of Marriage in *La española inglesa*", *Hispanófila,* 63 (1978), pp. 59-66.

Sánchez-Castañer, Francisco, "Un problema de estética novelística como comentario a *La española inglesa* de Cervantes", *Estudios dedicados a Menéndez Pidal,* VII, 1 (Madrid, 1957), pp. 357-86.

Singleton, Mack, "The Date of *La española inglesa*", *Hispania,* XXX (1947), pp. 329-35.

El licenciado Vidriera

Edwards, Gwynne, "Cervantes's *El licenciado Vidriera:* Meaning and Structure", *Modern Language Review,* LXVIII (1973), pp. 559-68.

Engstrom, Alfred E., "The Man Who Thought Himself Made of Glass, and Certain Related Images", *Studies in Philology,* LXVII (1970), pp. 390-405.

Friedman, Edward H., "Conceptual Proportion in Cervantes's *El licenciado Vidriera*", *South Atlantic Bulletin,* XXXIX (1974), pp. 51-59.

Garasa, Delfín L., "Apuntaciones sobre *El licenciado Vidriera*", *Boletín de Literaturas Hispánicas,* 7 (1967), pp. 41-45.

García Lorca, Francisco, "*El licenciado Vidriera* y sus nombres", *Homenaje a Ángel del Río, Revista Hispánica Moderna,* XXXI (1965), pp. 159-68.

Jones, C. A., "Tirso de Molina's *El melancólico* and Cervantes's *El licenciado Vidriera.* A common Link in Huarte's *Examen de ingenios?*", *Studia Iberica. Festschrift für Hans Flasche,* ed. K.-H. Körner y K. Rühl (Berna-Munich, 1973), pp. 295-305.

Oliver, A., "La filosofía en *El licenciado Vidriera*", *Anales Cervantinos,* IV (1954), pp. 227-38.

Selig, Karl-Ludwig, "*Persiles* (Book III, chapters xx-xxi) and *El licenciado Vidriera*", *Studia Hispanica in Honorem R. Lapesa,* II (Madrid, 1972), pp. 593-94.

Serrano Poncela, S., "El licenciado Vidriera", *Insula,* 179 (octubre, 1961).

La fuerza de la sangre

Allen, John Jay, "*El Cristo de la Vega* and *La fuerza de la sangre*", *Modern Language Notes,* LXXXIII (1968), pp. 271-275.

Calcraft, R. P., "Structure, Symbol and Meaning in Cervantes's *La fuerza de la sangre*", *Bulletin of Hispanic Studies,* LVIII (1981), pp. 197-203.

Levisi, Margarita. "La función de lo visual en *La fuerza de la sangre*", *Hispanófila,* 49 (1973), pp. 59-67.

Pabón, T. A., "Secular Resurrection Through Marriage in Cervantes's *La señora Cornelia* and *La fuerza de la sangre*", *Anales Cervantinos,* XVI (1977), pp. 109-24.

Selig, Karl-Ludwig, "Some Observations on *La fuerza de la sangre*", *Modern Language Notes,* LXXXVII (1972), páginas 121-25.

El celoso extremeño

Alarcos García, Emilio, "Cervantes y Boccaccio", *Homenaje a Cervantes,* ed. F. Sánchez-Castañer, II (Valencia, 1950), pp. 197-235.

Ayala, Francisco. "El nuevo arte de hacer novelas estudiado en un tema cervantino", *Experiencia e invención* (Madrid, 1960), pp. 109-19.

Castro, Américo, "*El celoso extremeño* de Cervantes", *Hacia Cervantes* (Madrid, 1957), pp. 301-27.

Criado de Val, Manuel, *Análisis verbal del estilo. Indices verbales de Cervantes, de Avellaneda y del autor de 'La tía fingida'* (Madrid, 1953).

Edwards, Gwynne, "Los dos desenlaces de *El celoso extremeño* de Cervantes", *Boletín de la Biblioteca Menéndez Pelayo,* XLIX (1973), 281-91.

Febres, E. J., "*El celoso extremeño:* Estructura y otros valores estéticos", *Hispanófila,* 57 (1976), pp. 7-21.

García Antezana, Jorge, "Variantes estructurales en la *Novela del zeloso estremeño", Anales cervantinos,* XVIII (1979-1980), 151-62.

González Palencia, Angel, "Un cuento popular marroquí y *El celoso extremeño* de Cervantes", *Homenaje ofrecido a Menéndez Pidal,* I (Madrid, 1925), pp. 417-23.

Lambert, A. F., "The Two Versions of Cervantes's *El celoso extremeño*: Ideology and Criticism", *Bulletin of Hispanic Studies,* LVII (1980), 219-31.

Mas, Amédée, "Quelques réflexions au sujet de *El celoso extremeño", Bulletin Hispanique,* LVI (1954), pp. 396-407.

Pierce, Frank, ed., *Two Cervantes Short Novels. 'El curioso impertinente' and 'El celoso extremeño'* (Oxford, 1970).

Rodríguez Marín, Francisco, *El Loaysa de 'El celoso extremeño'. Estudio histórico-literario* (Sevilla, 1901).

NOVELAS

EXEMPLARES DE MIGVEL DE Ceruantes Saauedra.

DIRIGIDO A DON PEDRO FERNAN-
dez de Caſtro, Conde de Lemos, de Andrade, y de Villalua,
Marques de Sarria, Gentilhombre de la Camara de ſu
Mageſtad, Virrey, Gouernador, y Capitan General
del Reyno de Napoles, Comendador de la En-
comienda de la Zarça de la Orden
de Alcantara.

Año  1613.

Cõ priuilegio de Caſtilla, y de los Reynos de la Corona de Aragõ.

EN MADRID, Por Iuan de la Cueſta.

Vendeſe en caſa de Frãciſco de Robles, librero del Rey nr̃o Señor.

Portada facsímile de la primera edición de las *Novelas ejemplares*, *Juan de la Cuesta*, 1613.

NOVELA DE
LA ESPAÑOLA INGLESA

La española inglesa: "—¿Conócesme, Isabela? Mira que yo soy Ricaredo, tu esposo.
—Sí conozco —dijo Isabela—, si ya no eres fantasma que viene a turbar mi reposo."

Entre los despojos que los ingleses llevaron de la ciudad de Cádiz,[1] Clotaldo, un caballero inglés, capitán de una escuadra de navíos, llevó a Londres una niña de edad de siete años, poco más o menos, y esto contra la voluntad y sabiduría del conde de Leste,[2] que con gran diligencia hizo buscar la niña para volvérsela a sus padres, que ante él se quejaron de la falta de su hija, pidiéndole que, pues se contentaba con las haciendas y dejaba libres las personas, no fuesen ellos tan desdichados que, ya que quedaban pobres, quedasen sin su hija, que era la lumbre de sus ojos y la más hermosa criatura que había en toda la ciudad.

Mandó el conde echar bando[3] por toda su armada que, so pena de la vida, volviese la niña cualquiera que la tu-

[1] *Cádiz*: el saco de Cádiz por los ingleses ocurrió en julio de 1596. La flota estaba bajo el mando del almirante Howard y las tropas de tierra estaban comandadas por el conde de Essex. Se apoderaron con facilidad de la casi indefensa ciudad y la incendiaron y abandonaron al no recibir el rescate exigido. Se ha atribuido a Cervantes un burlesco soneto ("Vimos en julio otra Semana Santa") dirigido al tragicómico suceso.

[2] *Conde de Leste*: Cervantes trabuca nombres ingleses. El primer conde de Leicester había muerto en 1588, y el segundo no sería creado conde de Leicester hasta 1618, y ninguno de los dos tuvo que ver con Cádiz. Cervantes confunde al conde de Leicester con el conde de Essex.

[3] *Bando*: "Edicto, ley o mandato solemnemente publicado de orden superior", *Dicc. Aut.*

viese; mas ningunas penas ni temores fueron bastantes a que Clotaldo la[4] obedeciese, que la tenía escondida en su nave, aficionado, aunque cristianamente, a la incomparable hermosura de Isabel, que así se llamaba la niña. Finalmente, sus padres se quedaron sin ella, tristes y desconsolados, y Clotaldo, alegre sobre modo, llegó a Londres y entregó por riquísimo despojo a su mujer a la hermosa niña.

Quiso la buena suerte que todos los de la casa de Clotaldo eran católicos secretos[5], aunque en lo público mostraban seguir la opinión de su reina. Tenía Clotaldo un hijo llamado Ricaredo, de edad de doce años, enseñado de sus padres a amar y temer a Dios y a estar muy entero en las verdades de la fe católica. Catalina, la mujer de Clotaldo, noble, cristiana y prudente señora, tomó tanto amor a Isabel,[6] que como si fuera su hija la criaba, regalaba e industriaba; y la niña era de tan buen natural que con facilidad aprendía todo cuanto le enseñaban. Con el tiempo y con los regalos fue olvidando los que sus padres verdaderos le habían hecho; pero no tanto que dejase de acordarse y suspirar por ellos muchas veces; y aunque iba aprendiendo la lengua inglesa, no perdía la española, porque Clotaldo tenía cuidado de traerle a casa secretamente españoles que hablasen con ella. De esta manera, sin olvidar la suya, como está dicho, hablaba la lengua inglesa como si hubiese nacido en Londres.

[4] *La obedeciese*: no hay falta de concordancia; hay que sobreentender *proclama* o *ley*.

[5] *Católicos secretos*: Isabel I había sido educada en el anglicanismo, y no bien ascendió al trono inglés en 1558 restableció dicho culto y proscribió la religión católica.

[6] *Isabel*: no deja de ser significativa la onomástica. Para hacer de su protagonista una verdadera *española inglesa* Cervantes le da a Cádiz como patria y el nombre de la reina de Inglaterra. A Catalina, la católica secreta, le da el nombre de Catalina de Aragón, la católica mujer de Enrique VIII, que involuntariamente provocó la separación de la iglesia de Inglaterra de la Iglesia de Roma.

Después de haberle enseñado todas las cosas de labor que puede y debe saber una doncella bien nacida, la enseñaron a leer y escribir más que medianamente; pero en lo que tuvo extremo[7] fue en tañer todos los instrumentos que a una mujer son lícitos, y esto con toda perfección de música, acompañándola con una voz que le dio el cielo tan extremada, que encantaba cuando cantaba.[8]

Todas estas gracias, adquiridas y puestas sobre la natural suya, poco a poco fueron encendiendo el pecho de Ricaredo, a quien ella, como a hijo de su señor, quería y servía. Al principio le salteó amor con un modo de agradarse y complacerse de ver la sin igual belleza de Isabel y de considerar sus infinitas virtudes y gracias, amándola como si fuera su hermana, sin que sus deseos saliesen de los términos honrados y virtuosos. Pero como fue creciendo Isabel, que ya cuando Ricaredo ardía tenía doce años, aquella benevolencia primera y aquella complacencia y agrado de mirarla se volvió en ardentísimos deseos de gozarla y de poseerla; no porque aspirase a esto por otros medios que por los de ser su esposo, pues de la incomparable honestidad de Isabela —que así la llamaban ellos— no se podía esperar otra cosa, ni aun él quisiera esperarla aunque pudiera, porque la noble condición suya y la estimación en que a Isabela tenía no consentían que ningún mal pensamiento echase raíces en su alma.

[7] *Extremo*: "Vale también excesso y esmero sumo en la execución de las operaciones del ánima y voluntad", *Dicc. Aut.*, s.v.

[8] *Cantaba*: la educación clásica de la mujer tuvo breve floración hacia mediados del siglo XVI, al socaire de las ideas reformadoras de humanistas y pedagogos como Erasmo y Juan Luis Vives, y el mejor ejemplo de esto lo constituye la educación de la propia reina Isabel I de Inglaterra. Pero por lo demás, la educación femenina se mantiene, por muchas generaciones, al pedestre nivel de la educación de Isabel en el texto, v. Felipe Picatoste, *Estudios sobre la grandeza y decadencia de España. Los españoles en Italia,* I (Madrid, 1887), cap. VII, "Educación e ilustración de la mujer".

Mil veces determinó manifestar su voluntad a sus padres, y otras tantas no aprobó su determinación porque él sabía que le tenían dedicado para ser esposo[9] de una muy rica y principal doncella escocesa, asimismo secreta cristiana como ellos; y estaba claro, según él decía, que no habían de querer dar a una esclava —si este nombre se podía dar a Isabela— lo que ya tenían concertado de dar a una señora. Y así, perplejo y pensativo, sin saber qué camino tomar para venir al fin de su buen deseo, pasaba una vida tal, que le puso a punto de perderla. Pero pareciéndole ser gran cobardía dejarse morir sin intentar algún género de remedio a su dolencia, se animó y esforzó a declarar su intento a Isabela.

Andaban todos los de la casa tristes y alborotados por la enfermedad de Ricaredo, que de todos era querido, y de sus padres con el extremo posible, así por no tener otro, como porque lo merecía su mucha virtud y su gran valor y entendimiento. No le acertaban los médicos la enfermedad,[10] ni él osaba ni quería descubrírsela. En fin, puesto en romper por las dificultades que él se imaginaba, un día que entró Isabela a servirle, viéndola sola, con desmayada voz y lengua turbada le dijo:

—Hermosa Isabela, tu valor, tu mucha virtud y grande hermosura me tienen como me ves; si no quieres que deje la vida en manos de las mayores penas que pueden imaginarse, responda el tuyo a mi buen deseo, que no es otro que el de recibirte por mi esposa a hurto de[11] mis padres, de los cuales temo que, por no conocer lo que yo conozco que mereces, me han de negar el bien que tanto

[9] *Ser esposo*: la autoridad de los padres en la política matrimonial era absoluta, sobre todo en las clases acomodadas, de allí la novedad total que plantea la creación cervantina de personajes que tratan el amor con voluntad propia y diferenciada, como Gelasia (*Galatea*) o Marcela (*Quijote*).

[10] *La enfermedad*: el amor como enfermedad es tema que recorre el folklore universal, v. Stith Thompson, *Motif-Index of Folk-Literature,* T24.1. *Love Sickness.*

[11] *A hurto de*: "Modo adverbial que vale lo mismo que a escondidas, sin saberlo ni entenderlo nadie", *Dicc. Aut.,* s.v. *hurto.*

me importa. Si me das la palabra de ser mía, [12] yo te la doy, desde luego, como verdadero y católico cristiano, de ser tuyo; que puesto que no llegue a gozarte, como no llegaré, hasta que con bendición de la Iglesia y de mis padres sea, aquel imaginar que con seguridad eres mía será bastante para darme salud y a mantenerme alegre y contento hasta que llegue el feliz punto que deseo.

En tanto que esto dijo Ricaredo, estuvo escuchándole Isabela, los ojos bajos, mostrando en aquel punto que su honestidad se igualaba a su hermosura, y a su mucha discreción su recato. Y así, viendo que Ricaredo callaba, honesta, hermosa y discreta, le respondió de esta suerte:

—Después que quiso el rigor o la clemencia del cielo, que no sé a cuál de estos extremos lo atribuya, quitarme a mis padres, señor Ricaredo, y darme a los vuestros, agradecida a las infinitas mercedes que me han hecho, determiné que jamás mi voluntad saliese de la suya; y así, sin ella tendría no por buena, sino por mala fortuna la inestimable merced que quereis hacerme. Si con su sabiduría fuere yo tan venturosa que os merezca, desde aquí os ofrezco la voluntad que ellos me dieren; y en tanto que esto se dilatare o no fuere, entretengan vuestros deseos saber que los míos serán eternos y limpios en desearos el bien que el cielo puede daros.

Aquí puso silencio Isabela a sus honestas y discretas razones, y allí comenzó la salud de Ricaredo y comenzaron a revivir las esperanzas de sus padres, que en su enfermedad muertas estaban.

Despidiéronse los dos cortésmente: él, con lágrimas en los ojos; ella, con admiración en el alma de ver tan ren-

[12] *Palabra de ser mía*: el matrimonio por palabras de presente tuvo validez hasta el Concilio de Trento (1545-1564) que en su *Decretum de reformatione matrimonii* decretó, entre otras muchas reformas: "Qui aliter, quam praesentibus parocho, et duobus vel tribus testibus contrahit, invalide contrahit". Por eso las salvedades que de inmediato hace Ricaredo ("hasta que con bendición..."), aunque mantuvo esporádico uso literario, como el de don Fernando y Dorotea, *Quijote,* I, xxviii, v. *La fuerza de la sangre,* nota 49.

dida a su amor la de Ricaredo, el cual, levantado del lecho, al parecer de sus padres por milagro, no quiso tenerles más tiempo ocultos sus pensamientos. Y así, un día se los manifestó a su madre, diciéndole en el fin de su plática, que fue larga, que si no le casaban con Isabela, que el negársela y darle la muerte era todo una misma cosa. Con tales razones, con tales encarecimientos subió al cielo [13] las virtudes de Isabela, Ricaredo, que le pareció a su madre que Isabela era la engañada en llevar a su hijo por esposo. Dio buenas esperanzas a su hijo de disponer a su padre a que con gusto viniese en lo que ya ella también venía; y así fue; que diciendo a su marido las mismas razones que a ella había dicho su hijo, con facilidad le movió a querer lo que tanto su hijo deseaba, fabricando excusas que impidiesen el casamiento que casi tenía concertado con la doncella de Escocia.

A esta razón tenía Isabela catorce [14] y Ricaredo veinte años, y en esta tan verde y tan floridad edad su mucha discreción y conocida prudencia los hacía ancianos. [15] Cuatro días faltaban para llegarse aquél en el cual sus padres de Ricaredo querían que su hijo inclinase el cuello al yugo santo del matrimonio, [16] teniéndose por prudentes y dichosísimos de haber escogido a su prisionera por su hija, teniendo en más la dote de sus virtudes que la mucha riqueza que con la escocesa se les ofrecía. Las galas estaban ya a punto, los parientes y los amigos convidados, y no faltaba otra cosa sino hacer a la reina sa-

[13] *Subió al cielo*: exaltación máxima.

[14] *Isabela catorce*: el rigor cronológico no es menester novelístico, pero vale la pena recordar que si en 1596 Isabela tenía siete años, nos hallamos ahora en el de 1603, que fue el año de la muerte de Isabel I, con lo cual se descabala la cronología de la novela, pero no debemos andar con rigorismos historicistas.

[15] *Hacía ancianos*: es el tópico inmemorial de *puer-senex*.

[16] *Yugo santo del matrimonio*: esta novela, en particular, es un verdadero loor del matrimonio cristiano, que tan brillantemente estudió Marcel Bataillon, “Cervantes y el ‘matrimonio cristiano’”, *Varia lección de clásicos españoles* (Madrid, 1964), ahora complementado por Robert V. Piluso, *Amor, matrimonio y honra en Cervantes* (Nueva York, 1967), y el estudio de Alban K. Forcione citado en II, 12, nota 8.

bedora de aquel concierto, porque sin su voluntad y consentimiento entre los de ilustre sangre no se efectúa casamiento alguno; pero no dudaron de la licencia, y así, se detuvieron en pedirla. Digo, pues, [17] que, estando todo en ese estado, cuando faltaban los cuatro días hasta el de la boda, una tarde turbó todo su regocijo un ministro de la reina, que dio un recado [18] a Clotaldo que su Majestad mandaba que otro día por la mañana llevasen a su presencia a la prisionera, la española de Cádiz. Respondióle Clotaldo que de muy buena gana haría lo que su Majestad le mandaba. Fuese el ministro, y dejó llenos los pechos de turbación, de sobresalto y miedo.

—¡Ay —decía la señora Catalina—, si sabe la reina que yo he criado a esta niña a la católica, y de aquí viene a inferir que todos los de esta casa somos cristianos!; pues si la reina le pregunta qué es lo que ha aprendido en ocho años que ha que es prisionera, ¿qué ha de responder la cuitada que no nos condene, por más discreción que tenga?

Oyendo lo cual, Isabela le dijo:

—No le dé pena alguna, señora mía, ese temor, que yo confío en el cielo que me ha de dar palabras en aquel instante, por su divina misericordia, que no sólo no os condenen, sino que redunden en provecho vuestro.

Temblaba Ricaredo, casi como adivino de algún mal suceso. Clotaldo buscaba modos que pudiesen dar ánimo a su mucho temor, y no los hallaba sino en la mucha confianza que en Dios tenía y en la prudencia de Isabela, a quien encomendó mucho que por todas las vías que pudiese excusase el condenarlos por católicos: que puesto que estaban prontos con el espíritu a recibir martirio, todavía la carne enferma rehusaba su amarga carrera. Una y muchas veces les aseguró Isabela estuviesen seguros que por su causa no sucedería lo que temían y sospechaban, porque aunque ella entonces no sabía lo que había de res-

[17] *Digo, pues*: irrupción subjetiva del autor, v. *La gitanilla*, nota 98.

[18] *Recado*: 1613, *recaudo*.

ponder a las preguntas que en tal caso le hiciesen, tenía tan viva y cierta esperanza que había de responder de modo que, como otra vez había dicho, sus respuestas les sirviesen de abono.

Discurrieron aquella noche en muchas cosas, especialmente en que si la reina supiera que eran católicos no les enviara recado tan manso, por donde se podía inferir que sólo quería ver a Isabela, cuya sin igual hermosura y habilidades habría llegado [19] a sus oídos, como a todos los de la ciudad; pero ya en no habérsela presentado se hallaban culpados, de la cual hallaron sería bien disculparse con decir que desde el punto que entró en su poder la escogieron y señalaron para esposa de su hijo Ricaredo. Pero también en esto se culpaban, por haber hecho el casamiento sin licencia de la reina, aunque esta culpa no les pareció digna de gran castigo.

Con esto se consolaron, y acordaron que Isabela no fuese vestida humildemente, como prisionera, sino como esposa, pues ya lo era de tan principal esposo como su hijo. Resueltos en esto, otro día vistieron a Isabela a la española, con una saya entera [20] de raso verde acuchillada y forrada en rica tela de oro, tomadas las cuchilladas con unas eses de perlas, y toda ella bordada de riquísimas perlas; collar y cintura de diamantes, y con abanico a modo de las señoras damas españolas; sus mismos cabellos, que eran muchos, rubios y largos, entretejidos y sembrados de diamantes y perlas, le servían de tocado. Con este adorno riquísimo y con su gallarda disposición y milagrosa belleza se mostró aquel día a Londres sobre una hermosa carroza, llevando colgados de su vista las almas y los ojos de cuantos la miraban. Iban con ella Clotaldo y su mujer y Ricaredo, en la carroza, y a caballo, muchos ilustres parientes suyos. Toda esta honra quiso hacer Clotaldo a su prisionera, por obligar a la reina la tratase como a esposa de su hijo.

[19] *Habría llegado*: en el español clásico, cuando sustantivos abstractos eran los sujetos del verbo éste iba en singular.

[20] *Saya entera*: "la que tiene falda larga", *Dicc. Aut.*, s.v. *saya.*

Llegados, pues, a palacio y a una gran sala donde la reina estaba, entró por ella Isabela, dando de sí la más hermosa muestra que pudo caber en una imaginación. Era la sala grande y espaciosa, y a dos pasos se quedó el acompañamiento, y se adelantó Isabela; y como quedó sola, pareció lo mismo que parece la estrella o exhalación [21] que por la región del fuego en serena y sosegada noche suele moverse, o bien así como rayo del sol que al salir del día por entre dos montañas se descubre. Todo esto pareció, y aun cometa que pronosticó el incendio de más de un alma de los que allí estaban, a quien Amor abrasó con los rayos de los hermosos soles de Isabela, la cual, llena de humildad y cortesía, se fue a poner de hinojos ante la reina y en lengua inglesa le dijo:

—Dé Vuestra Majestad las manos a esta su sierva, que desde hoy se tendrá más por señora, pues ha sido tan venturosa que ha llegado a ver la grandeza vuestra.

Estúvola la reina mirando por un buen espacio, sin hablarle palabra, pareciéndole, como después dijo a su camarera, que tenía delante un cielo estrellado, cuyas estrellas eran las muchas perlas y diamantes que Isabela traía, su bello rostro, y sus ojos el sol y la luna, y toda ella una nueva maravilla de hermosura. Las damas que estaban con la reina quisieran hacerse todas ojos, [22] por que no les quedase cosa por mirar en Isabela: cuál alababa [23] la viveza de sus ojos, cuál la color del rostro, cuál la gallardía del cuerpo y cuál la dulzura del habla, y tal hubo que, de pura envidia, dijo:

—Buena es la española; pero no me contenta el traje.

Después que pasó algún tanto la suspensión de la reina, haciendo levantar a Isabela, le dijo:

[21] *Exhalación*: 1613, *exalación*, “estrella fugaz”.

[22] *Todas ojos*: “Estar solícito y atento para conseguir o executar alguna cosa que se desea, o para verla y examinarla”, *Dicc. Aut.*, s.v. *ojo*.

[23] *Alababa*: 1613, *acababa*.

—Habladme en español, doncella, que yo le entiendo bien, y gustaré de ello.[24]

Y volviéndose a Clotaldo, dijo:

—Clotaldo, agravio me habeis hecho en tenerme este tesoro tantos años ha encubierto; mas él es tal que os haya movido a codicia: obligado estais a restituírmele, porque de derecho es mío.

—Señora —respondió Clotaldo—, mucha verdad es lo que Vuestra Majestad[25] dice: confieso mi culpa, si lo es haber guardado este tesoro a que estuviese en la perfección que convenía para parecer ante los ojos de Vuestra Majestad, y ahora que lo está, pensaba traerle mejorado pidiendo licencia a Vuestra Majestad para que Isabela fuese esposa de mi hijo Ricaredo y daros, alta Majestad, en los dos, todo cuanto puedo daros.

—Hasta el nombre me contenta —respondió la reina—: no le faltaba más sino llamarse Isabela *la Española,* para que no me quedase nada de perfección que desear en ella; pero advertid, Clotaldo, que sé que sin mi licencia la teníades prometida a vuestro hijo.

—Así es verdad, señora —respondió Clotaldo—; pero fue en confianza que los muchos y relevados servicios que yo y mis pasados[26] tenemos hechos a esta corona alcanzarían de Vuestra Majestad otras mercedes más dificultosas que las de esta licencia: cuanto más que aún no está desposado mi hijo.

—Ni lo estará —dijo la reina— con Isabela hasta que por sí mismo lo merezca. Quiero decir que no quiero que para esto le aprovechen vuestros servicios ni de sus pasados: él por sí mismo se ha de disponer a servirme y a

[24] *Gustaré de ello*: Isabel I leía y hablaba con fluidez latín, griego, francés e italiano, pero no español; acerca de su educación sintomática de un período histórico, v. nota 8.

[25] *Vuestra Majestad*: 1613, "*V. Magestad*", y siguen diversas soluciones y abreviaciones. Como todo fue labor de los cajistas de turno, sin la menor injerencia cervantina, resuelvo todo y lo uniformizo en nuestro moderno *Vuestra Majestad.*

[26] *Pasados*: "antepasados".

merecer por sí esta prenda, que yo la estimo como si fuese mi hija.

Apenas oyó esta última palabra Isabela, cuando se volvió a hincar de rodillas ante la reina, diciéndole en lengua castellana:

—Las desgracias que tales descuentos [27] traen, serenísima señora, antes se han de tener por dichas que por desventuras; ya Vuestra Majestad me ha dado nombre de hija: sobre tal prenda, ¿qué males podré temer o qué bienes no podré esperar?

Con tanta gracia y donaire decía cuanto decía Isabela, que la reina se le aficionó en extremo y mandó que se quedase en su servicio, y se la entregó a una gran señora, su camarera mayor, para que la enseñase el modo de vivir suyo.

Ricaredo, que se vio quitar la vida en quitarle a Isabela, estuvo a pique de perder el juicio; y así temblando y con sobresalto, se fue a poner de rodillas ante la reina, a quien dijo:

—Para servir yo a Vuestra Majestad no es menester incitarme con otros premios que con aquellos que mis padres y mis pasados han alcanzado por haber servido a sus reyes, pero pues Vuestra Majestad gusta que yo la sirva con nuevos deseos y pretensiones, querría saber en qué modo y en qué ejercicio podré mostrar que cumplo con la obligación en que Vuestra Majestad me pone.

—Dos navíos —respondió la reina— están para partirse en corso, [28] de los cuales he hecho general al barón de Lansac: [29] del uno de ellos os hago a vos capitán, por-

[27] *Descuentos*: "Una fórmula ordinaria ay quando viene algún trabajo y desmán a alguno, llevarlo en paciencia, diziendo: Vaya en descuento de mis pecados", Covarrubias, s.v. *descuento.*

[28] *Corso*: "andar en corso, andar robando por la mar, de donde se dixo corsario y, perdida la R, cosario", Covarrubias, s.v. Modernizo *cosario* a *corsario* con la misma regularidad con que fue impreso.

[29] *Barón de Lansac*: 1613, "varón de Lansac". No quiero, debo, ni puedo exigirle precisiones históricas al novelista, por lo cual ni me asomo al problema de la posible historicidad de este personaje de comparsa.

que la sangre de do venís me asegura que ha de suplir la falta de vuestros años. Y advertid a la merced que os hago, pues os doy ocasión en ella a que, correspondiendo a quien sois, sirviendo a vuestra reina, mostreis el valor de vuestro ingenio y de vuestra persona y alcanceis el mejor premio que a mi parecer vos mismo podeis acertar a desearos. Yo misma os seré guarda de Isabela, aunque ella da muestras que su honestidad será su más verdadera guarda. Id con Dios, que pues vais enamorado, como imagino, grandes cosas me prometo de vuestras hazañas. Feliz fuera el rey batallador que tuviera en su ejército diez mil soldados amantes que esperan que el premio de sus victorias había de ser gozar de sus amadas. Levantaos, Ricaredo, y mirad si teneis o quereis decir algo a Isabela, porque mañana ha de ser vuestra partida.

Besó las manos Ricaredo a la reina, estimando en mucho la merced que le hacía, y luego se fue a hincar de rodillas ante Isabela, y queriéndola hablar no pudo, porque se le puso un nudo en la garganta que le ató la lengua, y las lágrimas acudieron a los ojos, y él acudió a disimularlas lo más que le fue posible. Pero con todo esto no se pudieron encubrir a los ojos de la reina, pues dijo:

—No os afrenteis, Ricaredo, de llorar, ni os tengais en menos por haber dado en este trance tan tiernas muestras de vuestro corazón, que una cosa es pelear con los enemigos y otra despedirse de quien bien se quiere. Abrazad, Isabela, a Ricaredo y dadle vuestra bendición, que bien lo merece su sentimiento.

Isabela, que estaba suspensa y atónita de ver la humildad y dolor de Ricaredo, que como a su esposo le amaba, no entendió lo que la reina le mandaba, antes comenzó a derramar lágrimas, tan sin pensar lo que hacía y tan sesga [30] y tan sin movimiento alguno, que no parecía sino que lloraba una estatua de alabastro. Estos afectos de los dos amantes, tan tiernos y tan enamorados, hicieron verter lágrimas a muchos de los circunstantes, y

[30] *Tan sesga*: "sosegada, tranquila, calmada", de *sesgar* por *sosegar,* Corominas, s.v.

sin hablar más palabra Ricaredo, y sin le haber hablado alguna a Isabela, haciendo Clotaldo y los que con él venían una reverencia a la reina, se salieron de la sala, llenos de compasión, de despecho y de lágrimas.

Quedó Isabela como huérfana que acaba de enterrar sus padres, y con temor que la nueva señora quisiese que mudase las costumbres en que la primera la había criado. En fin, se quedó, y de allí a dos días Ricaredo se hizo a la vela, combatido, entre otros muchos, de dos pensamientos que le tenían fuera de sí: era el uno el considerar que le convenía hacer hazañas que le hiciesen merecedor de Isabela, y el otro, que no podía hacer ninguna, si había de responder a su católico intento, que le impedía no desenvainar la espada contra católicos; y si no la desenvainaba, había de ser notado de cristiano o de cobarde, y todo esto redundaba en perjuicio de su vida y en obstáculo de su pretensión. Pero, en fin, determinó posponer al gusto de enamorado el que tenía de ser católico, y en su corazón pedía al cielo le deparase ocasiones donde, con ser valiente, cumpliese con ser cristiano, dejando a su reina satisfecha y a Isabela merecida.

Seis días navegaron los dos navíos, con próspero viento, siguiendo la derrota [31] de las islas Terceras, [32] paraje donde nunca faltan o naves portuguesas de las Indias orientales o algunas derrotadas [33] de las occidentales. [34] Y al cabo de los seis días les dio de costado un recísimo [35] viento que en el mar Océano tiene otro nombre que en el Mediterráneo, donde se llama mediodía, el cual viento fue tan durable y tan recio, que sin dejarles tomar las

[31] *Derrota*: "rumbo de la mar, que siguen en su navegación las embarcaciones". *Dicc. Aut.*, s.v.

[32] *Islas Terceras*: islas Azores.

[33] *Derrotadas*: "*Derrotar*. Sacar o arrojar el viento u tempestad a la embarcación del rumbo que llevaba", *Dicc. Aut.*

[34] *Occidentales*: las Indias orientales eran portuguesas por las bulas alejandrinas, y eran parte del inmenso subcontinente de la India actual. Las Indias occidentales eran las Indias españolas, la América de hoy.

[35] *Recísimo*: 1613, "rezijssimo".

islas les fue forzoso correr a España; y junto a su costa, a la boca del estrecho de Gibraltar, descubrieron tres navíos, uno poderoso y grande, y los dos pequeños. Arribó la nave de Ricaredo a su capitán, para saber de su general si quería embestir a los tres navíos que se descubrían; y antes que a ella llegase, vio poner sobre la gavia mayor[36] un estandarte negro, y llegándose más cerca, oyó que tocaban en la nave clarines y trompetas roncas, señales claras o que el general era muerto o alguna otra principal persona de la nave. Con este sobresalto llegaron a poderse hablar, que no lo habían hecho después que salieron del puerto. Dieron voces de la nave capitana diciendo que el capitán Ricaredo pasase a ella, porque el general la noche antes había muerto de una apoplejía. Todos se entristecieron, si no fue Ricaredo, que le alegró, no por el daño de su general, sino por ver que quedaba él libre de mandar en los dos navíos, que así era la orden de la reina, que faltando el general lo fuese Ricaredo, el cual con presteza se pasó a la capitana, donde halló que unos lloraban por el general muerto y otros se alegraban con el vivo. Finalmente, los unos y los otros le dieron luego la obediencia y le aclamaron por su general con breves ceremonias, no dando lugar a otra cosa dos de los tres navíos que habían descubierto, los cuales, desviándose[37] del grande, a las dos naves se venían.

Luego conocieron ser galeras, y turquescas, por las medias lunas que en las banderas traían, de que recibió gran gusto Ricaredo, pareciéndole que aquella presa, si el cielo se la concediese, sería de consideración, sin haber ofendido a ningún católico. Las dos galeras turquescas llegaron a reconocer los navíos ingleses, los cuales no traían insignias de Inglaterra, sino de España, por desmentir a quien llegase a reconocerlos, y no los tuviese por navíos

[36] *Gavia mayor*: "en una sinificación vale el cesto o castillejo, texido de mimbres, que está en lo alto del mástil de la nave", Covarrubias, s.v.

[37] *Desviándose*: "*Desviar*. Apartar, sacar de la vía del camino", Covarrubias, s.v.

de corsarios. Creyeron los turcos ser naves derrotadas de las Indias y que con facilidad las rendirían. Fuéronse entrando poco a poco, y de industria [38] los dejó llegar Ricaredo hasta tenerlos a gusto de su artillería, la cual mandó disparar a tan buen tiempo, que con cinco balas dio en la mitad de una de las galeras, con tanta furia, que la abrió por medio toda. Dio luego a la banda [39] y comenzó a irse a pique sin poderse remediar. La otra galera, viendo tan mal suceso, con mucha prisa le dio cabo, [40] y le llevó a poner debajo del costado del gran navío; pero Ricaredo, que tenía los suyos prestos y ligeros, y que salían y entraban como si tuvieran remos, mandando cargar de nuevo toda la artillería, los fue siguiendo hasta la nave, lloviendo sobre ellos infinidad de balas. [41]. Los de la galera abierta, así como llegaron a la nave, la desampararon, y con prisa y celeridad procuraban acogerse a la nave. Lo cual visto por Ricaredo y que la galera sana se ocupaba con la rendida, cargó sobre ella con sus dos navíos, y sin dejarla rodear [42] ni valerse de los remos la puso en estrecho, que los turcos se aprovecharon asimismo del refugio de acogerse a la nave, no para defenderse en ella, sino para escapar las vidas por entonces. Los cristianos de quien venían armadas las galeras, arrancando las brancas [43] y rompiendo las cadenas, mezclados con los turcos,

[38] *Industria*: "Es la maña, diligencia y solercia con que alguno hace qualquier cosa con menos trabajo que otro. Hazer una cosa de industria, hazerla a sabiendas y adrede, para que de allí suceda cosa que para otro sea a caso y para él de propósito", Covarrubias, s.v.

[39] *Dio luego a la banda*: "lo mismo que dar al través o perderse", *Dicc. Aut.*, s.v.

[40] *Dio cabo*: "dar cabo al baxel que no puede caminar con los demás y viene çorrero, es echarle una maroma y traerle con ella a jorro", Covarrubias, s.v.

[41] *Balas*: en todas estas maniobras navales y combate hablan elocuentemente los cinco años de experiencia militar del veterano Cervantes.

[42] *Sin dejarla rodear*: "*Rodear.* Vale asimismo hacer dar vuelta a alguna cosa en redondo, o volverla", *Dicc. Aut.*

[43] *Brancas*: 1613, "branças". "La argolla a que iba asegurada la cadena de los forzados; es errata por BRANCA. tomado del

también se acogieron a la nave, y como iban subiendo por su costado, con la arcabucería de los navíos los iban tirando como a blanco; a los turcos no más, que a los cristianos mandó Ricaredo que nadie los tirase. De esta manera, casi todos los más turcos fueron muertos, y los que en la nave entraron, por los cristianos que con ellos se mezclaron, aprovechándose de sus mismas armas, fueron hechos pedazos: que la fuerza de los valientes, cuando caen, se pasa a la flaqueza de los que se levantan. Y así, con el calor que les daba a los cristianos pensar que los navíos ingleses eran españoles, hicieron por su libertad maravillas. Finalmente, habiendo muerto casi todos los turcos, algunos españoles se pusieron a borde del navío, y a grandes voces llamaron a los que pensaban ser españoles entrasen a gozar el premio del vencimiento.

Preguntóles Ricaredo en español que qué navío era aquél. Respondiéronle que era una nave que venía de la India de Portugal, cargada de especería, y con tantas perlas y diamantes, que valía más de un millón de oro, y que con tormenta había arribado a aquella parte, toda destruida y sin artillería, por haberla echado a la mar la gente, enferma y casi muerta de sed y de hambre, y que aquellas dos galeras eran del corsario Arnaute Mamí,[44] el día antes la habían rendido, sin haberse puesto en defensa, y que, a lo que habían oído decir, por no poder pasar tanta riqueza a sus dos bajeles, la llevaban a jorro[45] para meterla en el río de Larache,[46] que estaba allí cerca.

---

it. id., propiamente 'garra de una fiera', que viene del lat. tardío BRANCA 'pata' la. doc.: 1613", Corominas, s.v. *branza.*

[44] *Arnaute Mamí*: era el capitán de los corsarios que capturaron a Cervantes en 1575, y el novelista le recuerda en otras ocasiones, e.g. *Quijote,* I, xli; sobre todo esto v. mis *Nuevos deslindes cervantinos* (Barcelona, 1975), cap. viii, "La captura (Cervantes y la autobiografía)".

[45] *A jorro*: "llevar una cosa a jorro es sacarla y tirarla con guindaleta, arrastrando, ora sea del agua, ora sea de la tierra", Covarrubias, s.v.

[46] *Río de Larache*: se llama Lukkus o Lucus. La ciudad de Larache, sobre la costa atlántica marroquí, fue conquistada por España en 1610.

Ricaredo les respondió que si ellos pensaban que aquellos dos navíos eran españoles se engañaban, que no eran sino de la señora reina de Inglaterra, cuya nueva dio que pensar y temer a los que la oyeron, pensando, como era razón que pensasen, que de un lazo habían caído en otro. Pero Ricaredo les dijo que no temiesen algún daño, y que estuviesen ciertos de su libertad, con tal que no se pusiesen en defensa.

—Ni es posible ponernos en ella —respondieron—, porque, como se ha dicho, este navío no tiene artillería ni nosotros armas: así que nos es forzoso acudir a la gentileza y liberalidad de vuestro general; pues será justo que quien nos ha librado del insufrible cautiverio de los turcos lleve adelante tan gran merced y beneficio, pues le podrá hacer famoso en todas las partes, que serán infinitas, donde llegare la nueva de esta memorable victoria y de su liberalidad, más de nosotros esperada que temida.

No le parecieron mal a Ricaredo las razones del español, y llamando a consejo los de su navío, les preguntó cómo haría para enviar todos los cristianos a España sin ponerse a peligro de algún siniestro suceso, si el ser tantos les daba ánimo para levantarse. Pareceres hubo que los hiciese pasar uno a uno a su navío, y así como fuesen entrando debajo de cubierta, matarle y de esta manera matarlos a todos, y llevar la gran nave a Londres, sin temor ni cuidado alguno.

A eso respondió Ricaredo:

—Pues que Dios nos ha hecho tan gran merced en darnos tanta riqueza, no quiero corresponderle con ánimo cruel y desagradecido, ni es bien que lo que puedo remediar con la industria lo remedie con la espada. Y así, soy de parecer que ningún cristiano católico muera; no porque los quiero bien, sino porque me quiero a mí muy bien, y querría que esta hazaña de hoy ni a mí ni a vosotros, que en ella me habeis sido compañeros, nos diese, mezclado con el nombre de valientes, el renombre de crueles, porque nunca dijo bien la crueldad con la valentía. Lo que se ha de hacer es que toda la artillería de un navío de estos se ha de pasar a la gran nave portuguesa, sin dejar en el navío otras armas ni otra cosa más del bastimento, y no alejando [47] la nave de nuestra gente, la llevaremos a Inglaterra, y los españoles se irán a España.

Nadie osó contradecir lo que Ricaredo había propuesto, y algunos le tuvieron por valiente y magnánimo y de buen entendimiento. Otros le juzgaron en sus corazones por más católico que debía. Resuelto, pues, en esto Ricaredo, pasó con cincuenta arcabuceros a la nave portuguesa, todos alerta y con las cuerdas encendidas. Halló en la nave casi trescientas personas, de las que habían escapado de las galeras. Pidió luego el registro de la nave, y respondiéndole aquel mismo que desde el borde le habló la vez primera, que el registro le había tomado el corsario de los bajeles, que con ellos se había ahogado. Al instante puso el torno [48] en orden, y acostando su segundo bajel a la gran nave, con maravillosa presteza y con fuerza de fortísimos cabestrantes [49] pasaron la artillería del pequeño bajel a la mayor nave. Luego, haciendo una breve plática a los cristianos, les mandó pasar al bajel desembarazado, donde hallaron bastimento en abundancia para más de un mes y para más gente; y así como se iban embarcando dio a cada uno cuatro escudos de oro españoles, que hizo traer de su navío, para remediar en parte su necesidad cuando llegasen a tierra, que estaba tan cerca, que las altas montañas de Abila y Calpe [50] desde allí se parecían [51]. Todos le dieron infinitas gracias por la merced que les

[47] *Alejando*: 1613, "lexando".

[48] *Torno*: "se llama cualquier máchina con rueda, que se mueve sobre el exe, y sirve, según sus diversas formas, para varios usos", *Dicc. Aut.*, s.v.

[49] *Cabestrante*: "torno de madera gruesso con que se cogen las áncoras y los cabos para tirar e izar las velas, subir o baxar maderos u otra cosa de peso en los navíos", *Dicc. Aut.*, s.v.

[50] *Abila y Calpe*: las columnas de Hércules, el fin del mundo de la Antigüedad, o sea, el estrecho de Gibraltar. El lado africano era Abila (Abyle), el Djebel Musa de hoy, el lado español-europeo era Calpe, hoy Gibraltar.

[51] *Se parecían*: "Parecerse algún lugar de lexos, descubrirse", Covarrubias, s.v. *parecer*.

hacía, y el último que se iba a embarcar fue aquel que por los demás había hablado, el cual le dijo:

—Por más ventura tuviera, valeroso caballero, que me llevaras contigo a Inglaterra que no me enviaras a España, porque aunque es mi patria y no habrá sino seis días que de ella partí, no he de hallar en ella otra cosa que no sea de ocasiones de tristeza y soledades mías. Sabrás, señor, que en la pérdida de Cádiz, que sucedió habrá quince años,[52] perdí una hija que los ingleses debieron llevar a Inglaterra, y con ella perdí el descanso de mi vejez y la luz de mis ojos, que, después que no la vieron, nunca han visto otra cosa que de su gusto sea. El grave descontento en que me dejó su pérdida y la de la hacienda, que también me faltó, me pusieron de manera que ni más quise ni más pude ejercitar la mercancía, cuyo trato me había puesto en opinión de ser el más rico mercader[53] de toda la ciudad. Y así era la verdad, pues fuera del crédito, que pasaba de muchos centenares de millares de escudos, valía mi hacienda dentro de las puertas de mi casa más de cincuenta mil ducados. Todo lo perdí, y no hubiera perdido nada como no hubiera perdido a mi hija. Tras esta general desgracia, y tan particular mía, acudió la necesidad a fatigarme, hasta tanto que, no pudiéndola resistir, mi mujer y yo, que es aquella triste que está allí sentada, determinamos irnos a las Indias, común refugio de los pobres generosos.[54] Y habiéndonos embarcado en

[52] *Quince años*: teniendo en cuenta que el saco de Cádiz ocurrió en 1596, esto daría una fecha de 1611, mucho después de la muerte de Isabel I. Insisto, por consiguiente, en que la cronología novelística no está en ninguna servidumbre de la historia. El anacronismo histórico puede apuntar a una posible fecha de composición de esta novela, y no más.

[53] *El más rico mercader*: el desarrollo y auge de esta clase social caracteriza, en muchos sentidos, la Sevilla del Siglo de Oro, v. Ruth Pike, *Aristocrats and Traders. Sevillian Society in the Sixteenth Century* (Ithaca-Londres, 1972).

[54] *Pobres generosos*: "refugio y amparo de los desesperados de España", llamará Cervantes a las Indias en *El celoso extremeño,* aunque allí ya adquiere las dimensiones de un apóstrofe, v. nota 3.

un navío de aviso [55] seis días ha, a la salida de Cádiz dieron con el navío estos dos bajeles de corsarios, y nos cautivaron, donde se renovó nuestra desgracia y se confirmó nuestra desventura. Y fuera mayor si los corsarios no hubieran tomado aquella nave portuguesa, que los entretuvo hasta haber sucedido lo que él había visto.

Preguntóle Ricaredo cómo se llamaba su hija. Respondióle que Isabel. Con esto acabó de confirmarse Ricaredo en lo que ya había sospechado, que era que el que se lo contaba era el padre de su querida Isabela. Y sin darle algunas nuevas de ella, le dijo que de muy buena gana llevaría a él y a su mujer a Londres, donde podía ser hallasen nuevas de las que deseaban. Hízolos pasar luego a su capitana, poniendo marineros y guardas bastantes en la nao portuguesa.

Aquella noche alzaron velas, y se dieron prisa a apartarse de las costas de España, porque el navío de los cautivos libres —entre los cuales también iban hasta veinte turcos, a quien también Ricaredo dio libertad, por mostrar que más por su buena condición y generoso ánimo se mostraba liberal que por forzarle amor que a los católicos tuviese— rogó a los españoles que en la primera ocasión que se ofreciese diesen entera libertad a los turcos, que asimismo se le mostraron agradecidos.

El viento, que daba señales de ser próspero y largo, comenzó a calmar un tanto, cuya calma levantó gran tormenta de temor en los ingleses, que culpaban a Ricaredo y a su liberalidad, diciéndole que los libres podían dar aviso en España de aquel suceso, y que si acaso había galeones de armada en el puerto podían salir en su busca y ponerlos en aprieto, y en término de perderse. Bien conocía Ricaredo que tenían razón; pero venciéndolos a

[55] *Navío de aviso*: "el que se despacha por el Consejo Supremo de Indias con órdenes y despachos del Rey para el gobierno de aquellos reinos, y vuelve a España y trahe noticias del estado en que se hallan. También se llama assí el que viene despachado en derechura por el Virrey; y porque llevan y trahen noticias y avisos se llaman navíos de aviso, u absolutamente avisos", *Dicc. Aut.*, s.v. *aviso.*

todos con buenas razones, los sosegó; pero más los quietó el viento, que volvió a refrescar de modo que, dándole en todas las velas, sin tener necesidad de amainarlas ni aun de templarlas, dentro de nueve días se hallaron a la vista de Londres, y cuando en él, victoriosos, volvieron, habría treinta que de él faltaban.

No quiso Ricaredo entrar en el puerto con muestras de alegría, por la muerte de su general, y así mezcló las señales alegres con las tristes; unas veces sonaban clarines regocijados; otras, trompetas roncas; unas tocaban los tambores[56] alegres y sobresaltadas armas,[57] a quien con señas tristes y lamentables respondían los pífaros; de una gavia colgaba, puesta al revés, una bandera de medias lunas sembrada; en otra se veía un luengo estandarte de tafetán negro, cuyas puntas besaban el agua. Finalmente, con estos tan contrarios extremos entró en el río de Londres con su navío, porque la nave no tuvo fondo en él que la sufriese, y así, se quedó en la mar a lo largo.

Estas tan contrarias muestras y señales tenían suspenso el infinito pueblo que desde la ribera les miraba. Bien conocieron por algunas insignias que aquel navío menor era la capitana del barón de Lansac,[58] mas no podían alcanzar cómo el otro navío se hubiese cambiado con aquella poderosa nave que en la mar se quedaba; pero sacólos de esta duda haber saltado en el esquife, armado de todas armas, ricas y resplandecientes, el valeroso Ricaredo, que a pie, sin esperar otro acompañamiento que aquel de un innumerable vulgo que le seguía, se fue a palacio, donde ya la reina, puesta a unos corredores, estaba esperando le trajesen la nueva de los navíos.

Estaba con la reina y con las otras damas Isabela, vestida a la inglesa, y parecía tan bien como a la castellana. Antes que Ricaredo llegase, llegó otro que dio las nuevas

[56] *Tambores*: 1613, "atambores".

[57] *Sobresaltadas armas*: "Tocar al arma. Es tocar a prevenirse los soldados, y acudir a algún puesto. Oy se dice también tocar un arma", *Dicc. Aut.*, s.v. *arma.* Hoy hemos sustantivado *alarma, alarmas.*

[58] *Barón de Lansac*: 1613, "varón de Lansac", v. nota 29.

a la reina de cómo Ricaredo venía. Alborozóse Isabela oyendo el nombre de Ricaredo, y en aquel instante temió y esperó malos y buenos sucesos de su venida.

Era Ricaredo alto de cuerpo, gentil hombre y bien proporcionado. Y como venía armado de peto, espaldar, gola y brazaletes y escarcelas, con unas armas milanesas de once vistas,[59] grabadas y doradas, parecía en extremo bien a cuantos le miraban; no le cubría la cabeza morrión alguno, sino un sombrero de gran falda, de color leonado, con mucha diversidad de plumas terciadas a la valona;[60] la espada, ancha; los tiros,[61] ricos; las calzas, a la esguízara.[62] Con este adorno, y con el paso brioso que llevaba, algunos hubo que le compararon a Marte, dios de las batallas, y otros, llevados de la hermosura de su rostro, dicen que le compararon a Venus,[63] que para hacer alguna burla a Marte de aquel modo se había disfrazado. En fin, él llegó ante la reina. Puesto de rodillas le dijo:

[59] *Armas milanesas de once vistas*: las armas fabricadas en Milán gozaban de justificada y amplia fama, como demuestra elocuentemente la nota de Joseph E. Gillet, en su edición de la *Propaladia* de Torres Naharro, III (Bryn Mawr, 1951), 172-173. Lo de *once vistas* es más engorroso. Schevill-Bonilla dan a *vistas* como sinónimo de *piezas* de la armadura, y recuerdan que las armaduras constaban, precisamente, de once piezas. Lo que no me termina de satisfacer es que no puedo documentar *vista* como sinónimo de "pieza de la armadura". La acepción antigua "Vista. Antiguamente dábase este nombre a la visera y también a la hendedura horizontal que en los yelmos quedaba a la altura de los ojos y servía para ver" (Espasa-Calpe, *Enciclopedia Universal Ilustrada,* s.v. *vista*), no cuadra con el uso del texto cervantino.

[60] *A la valona*: los cortesanos de Valonia que vinieron con Carlos V introdujeron gregüescos y cuellos *a la valona,* y seguramente, también introdujeron sombreros con plumas terciadas a la valona.

[61] *Los tiros*: "los pendientes de que cuelga la espada por estar tirantes", Covarrubias, s.v.

[62] *A la esguízara*: a la suiza, v. *Rinconete* (1613), nota 194.

[63] *Le compararon a Venus*: estos pareceres opuestos se enlazan con el gran tema cervantino de *la verdad oscilante,* la relatividad de la verdad humana, que estudié largamente en *Nuevos deslindes cervantinos* (Barcelona, 1975), cap. i, "Conocimiento y vida en Cervantes".

—Alta Majestad, en fuerza de vuestra ventura y en consecución de mi deseo, después de haber muerto de una apoplejía el general de Lansac, quedando yo en su lugar, merced a la liberalidad vuestra, me deparó la suerte dos galeras turquescas que llevaban remolcando aquella gran nave que allí se parece. Acometíla, pelearon vuestros soldados como siempre, echáronse a fondo los bajeles de los corsarios; en el uno de los nuestros, en vuestro real nombre, di libertad a los cristianos que del poder de los turcos escaparon; sólo traje conmigo a un hombre y a una mujer españoles, que por su gusto quisieron venir a ver la grandeza vuestra. Aquella nave es de las que vienen de la India de Portugal, la cual por tormenta vino a dar en poder de los turcos, que con poco trabajo, por mejor decir sin ninguno, la rindieron, y según dijeron algunos portugueses de los que en ella venían, pasa de un millón de oro el valor de la especería y otras mercancías de perlas y diamantes que en ella vienen. A ninguna cosa se ha tocado, ni los turcos habían llegado a ella, porque todo lo dedicó el cielo, y yo lo mandé guardar, para Vuestra Majestad, que con una joya sola que se me dé quedaré en deuda de otras diez naves; la cual joya ya Vuestra Majestad me la tiene prometida, que es a mi buena Isabela. Con ella quedaré rico y premiado, no sólo de este servicio, cual él se sea, que a Vuestra Majestad he hecho, sino de otros muchos que pienso hacer por pagar alguna parte del todo casi infinito que en esta joya Vuestra Majestad me ofrece.

—Levantaos, Ricaredo —respondió la reina—, y creedme que si por precio [64] os pudiera dar a Isabela, según yo la estimo, no la pudiérades pagar ni con lo que trae esa nave ni con lo que queda en las Indias. Dóyosla porque os la prometí y porque ella es digna de vos y vos lo sois de ella; vuestro valor solo la merece. Si vos habeis guardado las joyas de la nave para mí, yo os he guardado la joya vuestra para vos. Y aunque os parezca que no hago mucho en volveros lo que es vuestro, yo sé que os

[64] *Precio*: "premio", v. *La gitanilla*, nota 123.

hago mucha merced en ello: que las prendas que se compran a deseos y tienen su estimación en el alma del comprador, aquello valen que vale un alma, que no hay precio en la tierra con que apreciarla. Isabela es vuestra, veisla allí; cuando quisiéredes podeis tomar su entera posesión, y creo que será con su gusto, porque es discreta y sabrá ponderar la amistad que le haceis,[65], que no la quiero llamar merced, sino amistad, porque me quiero alzar con el nombre de que yo sola puedo hacerle mercedes. Idos a descansar y venidme a ver mañana, que quiero más particularmente oír de vuestras hazañas; y traedme esos dos que decís que de su voluntad han querido venir a verme, que se lo quiero agradecer.

Besóle las manos Ricaredo por las muchas mercedes que le hacía. Entróse la reina en una sala, y las damas rodearon a Ricaredo, y una de ellas, que había tomado grande amistad con Isabela, llamada la señora Tansi,[66] tenida por la más discreta, desenvuelta y graciosa de todas, dijo a Ricaredo:

—¿Qué es esto, señor Ricaredo, qué armas son éstas? ¿Pensábades por ventura que veníades a pelear con vuestros enemigos? Pues en verdad que aquí todas somos vuestras amigas, si no es la señora Isabela, que como española está obligada a no teneros buena amistad.

—Acuérdese ella, señora Tansi, de tenerme alguna, que como yo esté en su memoria —dijo Ricaredo—, yo sé que la voluntad será buena, pues no puede caber en su mucho valor y entendimiento y rara hermosura la fealdad de ser desagradecida.

A lo cual respondió Isabela:

—Señor Ricaredo, pues he de ser vuestra, a vos está tomar de mí toda la satisfacción que quisiéredes para re-

[65] *La amistad que le hacéis*: Aristóteles había dictaminado: "Las formas de la amistad son compañía, intimidad y parentesco", *Retórica,* libro 2, 4.1381b33-34.

[66] *Señora Tansi*: creo tan inútil buscarle posibles modelos históricos a esta señora Tansi como al barón de Lansac.

compensaros de las alabanzas que me habeis dado y de las mercedes que pensais hacerme.

Estas y otras honestas razones pasó Ricaredo con Isabela y con las damas, entre las cuales había una doncella de pequeña edad, la cual no hizo sino mirar a Ricaredo mientras allí estaba. Alzábale las escarcelas,[67] por ver qué traía debajo de ellas, tentábale la espada, y con simplicidad de niña quería que las armas le sirviesen de espejo, llegándose a mirar de muy cerca en ellas; y cuando se hubo ido, volviéndose a las damas, dijo:

—Ahora, señoras, yo imagino que debe de ser cosa hermosísima la guerra,[68] pues aun entre mujeres parecen bien los hombres armados.

—¿Y cómo si parecen? —respondió la señora Tansi—; si no, mirad, a Ricaredo, que no parece sino que el sol se ha bajado a la tierra y en aquel hábito va caminando por la calle.

Rieron todas del dicho de la doncella y de la disparatada semejanza de Tansi, y no faltaron murmuradores que tuvieron por impertinencia el haber venido armado Ricaredo a palacio, puesto que halló disculpas en otros, que dijeron que, como soldado, lo pudo hacer para demostrar su gallarda bizarría.

Fue Ricaredo de sus padres, amigos, parientes y conocidos con muestras de entrañable amor recibido. Aquella noche se hicieron generales alegrías en Londres por su buen suceso. Ya los padres de Isabela estaban en casa de Clotaldo, a quien Ricaredo había dicho quién eran,[69] pero que no les diesen nueva ninguna a Isabela hasta que él mismo se la diese. Este aviso tuvo la señora Cata-

[67] *Las escarcelas*: "el armadura que cae desde la cintura al muslo", Covarrubias, s.v.

[68] *Cosa hermosísima la guerra*: Aristóteles había escrito: "Como la naturaleza no hace nada imperfecto ni en vano, se concluye naturalmente que ha hecho todas estas cosas para el hombre. Por esta razón el arte de la guerra se puede considerar como parte del arte de la adquisición", *Política,* libro 1, 8.1256b20.

[69] *Quién eran*: en su doble valor de singular y plural, propio del español clásico.

lina, su madre, y todos los criados y criadas de su casa. Aquella misma noche, con muchos bajeles, lanchas y barcos, y con no menos ojos que lo miraban, se comenzó a descargar la gran nave, que en ocho días no acabó de dar la mucha pimienta y otras riquísimas mercaderías que en su vientre encerradas tenía.

El día que siguió a esta noche fue Ricaredo a palacio, llevando consigo al padre y madre de Isabela, vestidos de nuevo [70] a la inglesa, diciéndoles que la reina quería verlos. Llegaron todos donde la reina estaba en medio de sus damas, esperando a Ricaredo, a quien quiso lisonjear y favorecer con tener junto a sí a Isabela, vestida con aquel mismo vestido que llevó la vez primera, mostrándose no menos hermosa ahora que entonces. Los padres de Isabela quedaron admirados y suspensos de ver tanta grandeza y bizarría junta. Pusieron los ojos en Isabela, y no la conocieron, aunque el corazón, presagio del bien que tan cerca tenían, les comenzó a saltar en el pecho, no con sobresalto que les entristeciese, sino con un no sé qué [71] de gusto, que ellos no acertaban a entenderle. No consintió la reina que Ricaredo estuviese de rodillas ante ella; antes le hizo levantar y sentar en una silla rasa, [72] que para sólo esto allí puesta tenían, inusitada merced para la altiva condición de la reina, y alguno dijo a otro:

—Ricaredo no se sienta hoy sobre la silla que le han dado, sino sobre la pimienta que él trajo.

Otro acudió y dijo:

—Ahora se verifica lo que comúnmente se dice, que

[70] *Vestidos de nuevo*: conviene recordar que *de nuevo* en español clásico quería decir "por primera vez", como expliqué largamente en mi edición de *La Galatea*, I (Madrid, 1961), 133-134.

[71] *Un no sé qué*: la inefabilidad se resuelve con esta fórmula, justamente elogiada por Juan de Valdés en su *Diálogo de la lengua*: "El *no sé qué* tiene gracia, y muchas vezes se dize a tiempo que significa mucho." Y muchísimo, por cierto, dice aquel verso de San Juan de la Cruz: "Un no sé qué que quedan balbuciendo", *Cántico espiritual*, v. mi ed. de *La Galatea*, I, 81.

[72] *Silla rasa*: "Banco o taburete raso. El que no tiene respaldar", *Dicc. Aut.*, s.v. *raso*.

dádivas quebrantan peñas,[73] pues las que ha traído Ricaredo han ablandado el duro corazón de nuestra reina.

Otro acudió y dijo:

—Ahora que está tan bien ensillado, más de dos se atreverán a correrle.[74]

En efecto, de aquella nueva honra que la reina hizo a Ricaredo tomó ocasión la envidia para nacer en muchos pechos de aquellos que mirándole estaban; porque no hay merced que el príncipe haga a su privado que no sea una lanza[75] que atraviesa el corazón del envidioso. Quiso la reina saber de Ricaredo menudamente cómo había pasado la batalla con los bajeles de los corsarios. Él la contó de nuevo, atribuyendo la victoria a Dios y a los brazos valerosos de sus soldados, encareciéndolos a todos juntos y particularizando algunos hechos de algunos que más que los otros se habían señalado, con que obligó a la reina a hacer a todos merced, y en particular a los particulares; y cuando llegó a decir la libertad que en nombre de su Majestad había dado a los turcos y cristianos, dijo:

—Aquella mujer y aquel hombre que allí están —señalando a los padres de Isabela— son los que dije ayer a Vuestra Majestad que, con deseo de ver vuestra grandeza, encarecidamente me pidieran los trajese conmigo. Ellos son de Cádiz, y, de lo que ellos me han contado, y de lo que en ellos he visto y notado, sé que son gente principal y de valor.

Mandóles la reina que se llegasen cerca. Alzó los ojos Isabela a mirar los que decían ser españoles, y más de

[73] *Dádivas quebrantan peñas*: "dádivas kebrantan peñas, i hazen venir a las greñas", Correas, 309b.

[74] *A correrle*: "Correrse vale afrentarse, porque le corre la sangre al rostro. Corrido, el confuso y afrentado", Covarrubias, s.v., *correr*.

[75] *Una lanza*: el símil de la *lanza* Cervantes lo usa con más frecuencia aplicado a los celos, como ocurre con *La ilustre fregona* ("como quien se halla traspasado el corazón de la rigurosa lanza de los celos", nota 78b), o bien con *El celoso extremeño* (1613) ("siéndole cada palabra o caricia que le hacía una lanzada que le atravesaba el alma", nota 126b).

Cádiz, con deseo de saber si por ventura conocían a sus padres. Así como[76] Isabela alzó los ojos, los puso en ella su madre y detuvo el paso para mirarla más atentamente, y en la memoria de Isabela se comenzaron a despertar unas confusas noticias que le querían dar a entender que en otro tiempo ella había visto aquella mujer[77] que delante tenía. Su padre estaba en la misma confusión, sin osar determinarse a dar crédito a la verdad que sus ojos le mostraban. Ricaredo estaba atentísimo a ver los afectos y los movimientos que hacían las tres dudosas y perplejas almas,[78] que tan confusas estaban entre sí y el no de conocerse. Conoció la reina la suspensión de entrambos, y aun el desasosiego de Isabela, porque la vio trasudar y levantar la mano muchas veces a componerse el cabello.

En esto deseaba Isabela que hablase la que pensaba ser su madre: quizá los oídos la sacarían de la duda en que sus ojos la habían puesto. La reina dijo a Isabela que en lengua española dijese a aquella mujer y a aquel hombre le dijesen qué causa les había movido a no querer gozar de la libertad que Ricaredo les había dado, siendo la libertad la cosa más amada,[79] no sólo de la gente de razón, más aún de los animales que carecen de ella.

Todo esto preguntó Isabela a su madre, la cual, sin responderle palabra, desatentadamente[80] y medio trope-

[76] *Así como*: "tan pronto como"; *La ilustre fregona*: "Así como dejó puesto a caballo a Pedro Alonso, volvió a contar de lo que les sucedió", nota 47.

[77] *Visto aquella mujer*: la *a* embebida es de uso casi universal en la época.

[78] *Perplejas almas*: los movimientos del alma fue tema que puso para siempre en el tapete intelectual de Occidente Aristóteles: "En primer lugar, el alma es la más grande causa de movimiento, ya que ella se mueve a sí misma", *De ánima,* 1.5.409b18.

[79] *La libertad la cosa más amada*: v. *La gitanilla,* nota 111.

[80] *Desatentadamente*: "Tiento. Vale moderación y recato en lo que se va haziendo; y assí dezimos yr con tiento. Sin tiento, vale lo contrario, proceder sin consideración ni discurso, y al que esto haze llamamos desatentado", Covarrubias, s.v.

zando, se llegó a Isabela, y sin mirar a respecto, temores ni miramientos cortesanos, alzó la mano a la oreja derecha de Isabela, y descubrió un lunar negro que allí tenía, la cual señal [81] acabó de certificar su sospecha. Y viendo claramente ser Isabela su hija, abrazándose con ella dio una gran voz, diciendo:

—¡Oh, hija de mi corazón! ¡Oh, prenda cara del alma mía! —y sin poder pasar adelante se cayó desmayada en los brazos de Isabela.

Su padre, no menos tierno que prudente, dio muestras de su sentimiento no con otras palabras que con derramar lágrimas, que sesgamente [82] su venerable rostro y barbas le bañaron. Juntó Isabela su rostro con el de su madre, y volviendo los ojos a su padre, de tal manera le miró que le dio a entender el gusto y el descontento que de verlos allí su alma tenía. La reina, admirada de tal suceso, dijo a Ricaredo:

—Yo pienso, Ricaredo, que en vuestra discreción se han ordenado estas vistas, y no se os diga que han sido acertadas, pues sabemos que así suele matar una súbita alegría como mata una tristeza. —Diciendo esto, se volvió a Isabela y la apartó de su madre, la cual, habiéndole echado agua en el rostro, volvió en sí, y estando un poco más en su acuerdo, puesta de rodillas delante de la reina, le dijo:

—Perdone Vuestra Majestad mi atrevimiento, que no es mucho perder los sentidos con la alegría del hallazgo de esta amada prenda.

Respondióle la reina que tenía razón, sirviéndole de intérprete, [83] para que lo entendiese, Isabela, la cual, de la manera que se ha contado, conoció a sus padres, y sus padres a ella, a los cuales mandó la reina quedar en palacio, para que despacio [84] pudiesen ver y hablar a su hija y

[81] *La cual señal*: este tipo de identificación pertenece al folklore universal, v. Stith Thompson, *Motif-Index of Folk-Literature,* H51.1. *Recognition by birthmark.*

[82] *Sesgamente*: v. nota 30.

[83] *Intérprete*: 1613, "inteprete".

[84] *Despacio*: 1613, "de espacio".

regocijarse con ella, de lo cual Ricaredo se holgó mucho, y de nuevo pidió a la reina le cumpliese la palabra que le había dado de dársela, si es que acaso la merecía; y de no merecerla, le suplicaba desde luego le mandase ocupar en cosas que le hiciesen digno de alcanzar lo que deseaba. Bien entendió la reina que estaba Ricaredo satisfecho de sí mismo y de su mucho valor, que no había necesidad de nuevas pruebas para calificarle; y así, le dijo que de allí a cuatro días le entregaría a Isabela, haciendo a los dos la honra que a ella fuese posible.

Con esto se despidió Ricaredo, contentísimo con la esperanza propincua que llevaba de tener en su poder a Isabela sin sobresalto de perderla, que es el último deseo de los amantes.

Corrió el tiempo, y no con la ligereza que él quisiera: que los que viven con esperanzas de promesas venideras siempre imaginan que no vuela el tiempo, sino que anda sobre los pies de la pereza misma. Pero en fin llegó el día, no donde pensó Ricaredo poner fin a sus deseos, sino de hallar en Isabela gracias nuevas que le moviesen a quererla más, si más pudiese. Mas en aquel breve tiempo, donde él pensaba que la nave de su buena fortuna corría con próspero viento hacia el deseado puerto, la contraria suerte levantó en su mar tal tormenta, que mil veces temió anegarle.

Es, pues, el caso que la camarera mayor de la reina, a cuyo cargo estaba Isabela, tenía un hijo de edad de veintidós años, llamado el conde Arnesto. Hacíanle la grandeza de su estado, la alteza de su sangre, el mucho favor que su madre con la reina tenía; hacíanle, digo, [85] estas cosas más de lo justo arrogante, altivo y confiado. Este Arnesto, pues, se enamoró de Isabela tan encendidamente, que en la luz de los ojos de Isabela tenía abrasada el alma; y aunque, en el tiempo que Ricaredo había estado ausente, con algunas señales le había descubierto su deseo, nunca de Isabela fue admitido. Y puesto que la repugnancia y los

[85] *Digo*: irrupción subjetiva del autor, v. *La gitanilla,* nota 98.

desdenes en los principios de los amores suelen hacer desistir de la empresa a los enamorados, en Arnesto obraron lo contrario los muchos y conocidos desdenes que le dio Isabela, porque con su celo ardía y con su honestidad se abrasaba. Y como vio que Ricaredo, según el parecer de la reina, tenía merecida a Isabela, y que en tan poco tiempo se le había de entregar por mujer, quiso desesperarse; [86] pero antes que llegase a tan infame y tan cobarde remedio habló a su madre, diciéndole pidiese a la reina le diese a Isabela por esposa; donde no, que pensase que la muerte estaba llamando a las puertas de su vida. Quedó la camarera admirada de las razones de su hijo, y como conocía la aspereza de su arrojada condición y la tenacidad con que se le pegaban los deseos en el alma, temió que sus amores habían de parar en algún infeliz suceso. Con todo eso, como madre, a quien es natural desear y procurar el bien de sus hijos, prometió al suyo de hablar a la reina, no con esperanza de alcanzar de ella el imposible de romper su palabra, sino por no dejar de intentar cómo en salir desahuciada de los últimos remedios.

Y estando aquella mañana Isabela vestida por orden de la reina tan ricamente que no se atreve la pluma a contarlo, y habiéndole echado la misma reina al cuello una sarta de perlas de las mejores que traía la nave, que las apreciaron en veinte mil ducados, y puéstole un anillo de un diamante, que se apreció en seis mil ducados, y estando alborozadas las damas por la fiesta que esperaban del cercano desposorio, entró la camarera mayor a la reina, y de rodillas le suplicó suspendiese el desposorio de Isabela por otros dos días; que con esta merced sola que su Majestad le hiciese se tendría por satisfecha y pagada de todas las mercedes que por sus servicios merecía y esperaba.

Quiso saber la reina primero por qué le pedía con tanto ahinco aquella suspensión, que tan derechamente iba contra la palabra que tenía dada a Ricaredo; pero no se la

[86] *Desesperarse*: "suicidarse", como dejé ampliamente documentado en *Nuevos deslindes cervantinos,* cap. iii, "Grisóstomo y Marcela (Cervantes y la verdad problemática)".

quiso dar la camarera hasta que le hubo otorgado que haría lo que le pedía, tanto deseo tenía la reina de saber la causa de aquella demanda. Y así, después que la camarera alcanzó lo que por entonces deseaba, contó a la reina los amores de su hijo, y cómo temía que si no le daban por mujer a Isabela, o se había de desesperar, o hacer algún hecho escandaloso; y que si había pedido aquellos dos días era por dar lugar a que su Majestad pensase qué medio sería a propósito y conveniente para dar a su hijo remedio.

La reina respondió que si su real palabra no estuviera de por medio, que ella hallara salida a tan cerrado laberinto, pero que no la quebrantaría ni defraudaría las esperanzas de Ricardo por todo el interés del mundo. Esta respuesta dio la camarera a su hijo, el cual, sin detenerse un punto, ardiendo en amor y en celos, se armó de todas armas y sobre un fuerte y hermoso caballo se presentó ante la casa de Clotaldo, y a grandes voces pidió que se asomase Ricaredo a la ventana, el cual a aquella sazón estaba vestido de galas de desposado y a punto para ir a palacio con el acompañamiento que tal acto requería; mas habiendo oído las voces y siéndole dicho quién las daba y del modo que venía, con algún sobresalto se asomó a una ventana, y como le vio Arnesto, dijo:

—Ricaredo, estáme atento a lo que decirte quiero: la reina mi señora te mandó fueses a servirla y a hacer hazañas que te hiciesen merecedor de la sin par Isabela. Tú fuiste, y volviste cargadas las naves de oro, con el cual piensas haber comprado y merecido a Isabela. Y aunque la reina mi señora te la ha prometido, ha sido creyendo que no hay ninguno en su corte que mejor que tú la sirva ni quien con mejor título merezca a Isabela, y en esto bien podrá ser se haya engañado; y así, llegándome a esta opinión que yo tengo por verdad averiguada, digo que ni tú has hecho cosas tales que te hagan merecer a Isabela ni ninguna podrás hacer que a tanto bien te levante; y en razón de que no la mereces, si quieres contradecirme, te desafío a todo trance de muerte.

Calló el conde, y de esta manera le respondió Ricaredo:

—En ninguna manera me toca salir a vuestro desafío, señor conde, porque yo confieso, no sólo que no merezco a Isabela, sino que no la merecen ninguno de los que hoy viven en el mundo. Así que, confesando yo lo que vos decís, otra vez digo que no me toca vuestro desafío; pero yo le acepto por el atrevimiento que habeis tenido en desafiarme.

Con esto se quitó de la ventana, y pidió aprisa sus armas. Alborotáronse sus parientes y todos aquellos que para ir a palacio habían venido a acompañarle. De la mucha gente que había visto al conde Arnesto armado y le había oído las voces del desafío, no faltó quien lo fue a contar a la reina, la cual mandó al capitán de su guarda que fuese a prender al conde. El capitán se dio tanta prisa, que llegó a tiempo que ya Ricaredo salía de su casa, armado con las armas con que se había desembarcado, puesto sobre un hermoso caballo.

Cuando el conde vio al capitán, luego imaginó a lo que venía, y determinó de no dejar prenderse, y alzando la voz contra Ricaredo, dijo:

—Ya ves, Ricaredo, el impedimento que nos viene. Si tuvieras ganas de castigarme, tú me buscarás; y por la que yo tengo de castigarte, también te buscaré; y pues dos que se buscan fácilmente se hallan, dejemos para entonces la ejecución de nuestros deseos.

—Soy contento —respondió Ricaredo.

En esto llegó el capitán con toda su guarda, y dijo al conde que fuese preso en nombre de su Majestad. Respondió el conde que se [87] daba; pero no para que le llevasen a otra parte que a la presencia de la reina. Contentóse con esto el capitán, y cogiéndole en medio de la guarda le llevó a palacio ante la reina, la cual ya de su camarera estaba informada del amor grande que su hijo tenía a Isabela, y con lágrimas había suplicado a la reina perdonase al conde, que como mozo y enamorado, a mayores yerros estaba sujeto.

[87] *Se daba*: 1613, "si daba".

Llegó Arnesto ante la reina, la cual, sin entrar con él en razones, le mandó quitar la espada y llevasen preso a una torre.

Todas estas cosas atormentaban el corazón de Isabela y de sus padres, que tan presto veían turbado el mar de su sosiego. Aconsejó la camarera a la reina que para sosegar el mal que podía suceder entre su parentela y la de Ricaredo que se quitase la causa de por medio, que era Isabela, enviándola a España, y así cesarían los efectos que debían de temerse, añadiendo a estas razones decir que Isabela era católica, y tan cristiana que ninguna de sus persuasiones, que habían sido muchas, la había podido torcer en nada de su católico intento. A lo cual respondió la reina que por eso la estimaba en más, pues tan bien sabía guardar la ley que sus padres la habían enseñado, y que en lo de enviarla a España no tratase, porque su hermosa presencia y sus muchas gracias y virtudes le daban mucho gusto, y que, sin duda, si no aquel día, otro se la había de dar por esposa a Ricaredo, como se lo tenía prometido.

Con esta resolución de la reina quedó la camarera tan desconsolada, que no la replicó palabra, y pareciéndole lo que ya le había parecido, que si no era quitando a Isabela de por medio no había de haber medio alguno que la rigurosa condición de su hijo ablandase ni redujese a tener paz con Ricaredo, determinó de hacer una de las mayores crueldades que pudo caber jamás en pensamiento de mujer principal, y tanto como ella lo era. Y fue su determinación matar con tósigo [88] a Isabela; y como por la mayor parte sea la condición de las mujeres ser prestas y determinadas, aquella misma tarde atosigó a Isabela en una conserva que le dio, forzándola que la tomase por ser buena contra las ansias de corazón que sentía.

Poco espacio pasó después de haberla tomado, cuando a Isabela se le comenzó a hinchar la lengua y la garganta, y a ponérsele denegridos los labios, y a enronquecérsele la voz, turbársele los ojos y apretársele el pecho: todas cono-

[88] *Tósigo*: "veneno", de *toxicum*.

cidas señales de haberle dado veneno. Acudieron las damas a la reina contándole lo que pasaba y certificándole que la camarera había hecho aquel mal recaudo. No fue menester mucho para que la reina lo creyese, y así, fue a ver a Isabela, que ya casi estaba expirando.

Mandó llamar la reina con prisa a sus médicos, y en tanto que tardaban la hizo dar cantidad de polvos de unicornio,[89] con otros muchos antídotos que los grandes príncipes suelen tener prevenidos para semejantes necesidades. Vinieron los médicos, y esforzaron los remedios y pidieron a la reina hiciese decir a la camarera qué género de veneno le había dado, porque no se dudaba que otra persona alguna sino ella la hubiese envenenado. Ella lo descubrió, y con esta noticia los médicos aplicaron tantos remedios y tan eficaces, que con ellos y con la ayuda de Dios quedó Isabela con vida, o a lo menos con esperanza de tenerla.

Mandó la reina prender a su camarera y encerrarla en un aposento estrecho de palacio, con intención de castigarla como su delito merecía, puesto que ella se disculpaba diciendo que en matar a Isabela hacía sacrificio al cielo, quitando de la tierra a una católica, y con ella la ocasión de las pendencias de su hijo.

Estas tristes nuevas oídas de Ricaredo, le pusieron en términos de perder el juicio: tales eran las cosas que hacía y las lastimeras razones con que se quejaba. Finalmente, Isabela no perdió la vida, que el quedar con ella la naturaleza lo co[n]mutó en dejarla sin cejas, pestañas y sin cabello, el rostro hinchado, la tez perdida, los cueros levantados y los ojos lagrimosos. Finalmente, quedó tan fea, que como hasta allí había parecido un milagro de hermosura, entonces parecía un monstruo de fealdad. Por mayor desgracia tenían los que la conocían haber quedado de aquella manera que si la hubiera muerto el veneno. Con todo esto, Ricaredo se la pidió a la reina, y le suplicó se la dejase llevar a su casa, porque el amor que la tenía pasaba

[89] *Polvos de unicornio*: sobre el mito del unicornio en general, lo más concreto es ver la sucinta y exacta bibliografía de Keith Whinnom, *Dos opúsculos isabelinos* (Exeter, 1979), xlix.

del cuerpo al alma, y que si Isabela había perdido su belleza, no podía haber perdido sus infinitas virtudes.

—Así es —dijo la reina; lleváosla, Ricaredo, y haced cuenta que llevais una riquísima joya encerrada en una caja de madera tosca; Dios sabe si quisiera dárosla como me la entregastes; pero pues no es posible, perdonadme: quizá el castigo que diere a la cometedora de tal delito satisfará en algo el deseo de la venganza.

Muchas cosas dijo Ricaredo a la reina disculpando a la camarera y suplicándola la perdonase, pues las disculpas que daba eran bastantes para perdonar mayores insultos. Finalmente, le entregaron a Isabela y a sus padres, y Ricaredo los llevó a su casa, digo, a la de sus padres. A las ricas perlas y al diamante añadió otras joyas la reina y otros vestidos, tales, que descubrieron el mucho amor que a Isabela tenía, la cual duró dos meses en su fealdad, sin dar indicio alguno de poder reducirse a su primera hermosura; pero al cabo de este tiempo comenzó a caérsele el cuero y a descubrírsele su hermosa tez.

En este tiempo los padres de Ricaredo, pareciéndoles no ser posible que Isabela en sí volviese, determinaron enviar por la doncella de Escocia con quien primero que con Isabela tenían concertado de casar a Ricaredo, y esto sin que él lo supiese, no dudando que la hermosura presente de la nueva esposa hiciese olvidar a su hijo la ya pasada de Isabela, a la cual pensaban enviar a España con sus padres, dándoles tanto haber y riquezas que recompensasen sus pasadas pérdidas. No pasó mes y medio cuando, sin sabiduría de Ricaredo, la nueva esposa se le entró por las puertas, acompañada como quien ella era, y tan hermosa que después de la Isabela que solía ser no había otra tan bella en toda Londres. Sobresaltóse Ricaredo con la improvisa vista de la doncella, y temió que el sobresalto de su venida había de acabar la vida a Isabela; y así, para templar este temor se fue al lecho donde Isabela estaba, y hallóla en compañía de sus padres, delante de los cuales dijo:

—Isabela de mi alma: mis padres, con el grande amor que me tienen, aún no bien enterados del mucho que yo te tengo, han traído a casa una doncella escocesa con quien ellos tenían concertado de casarme antes que yo conociese lo que vales. Y esto, a lo que creo, con intención que la mucha belleza de esta doncella borre de mi alma la tuya, que en ella estampada tengo. Yo, Isabela, desde el punto que te quise fue con otro amor de aquel que tiene su fin y paradero en el cumplimiento del sensual apetito: que puesto que tu corporal hermosura me cautivó los sentidos, tus infinitas virtudes me aprisionaron el alma, de manera que si hermosa te quise, fea te adoro; y para confirmar esta verdad, dame esa mano.

Y dándole ella la derecha y asiéndola él con la suya, prosiguió diciendo:

—Por la fe católica que mis cristianos padres me enseñaron, la cual si no está en la entereza que se requiere, por aquella juro [90] que guarda el Pontífice romano, que es la que yo en mi corazón confieso, creo y tengo, y por el verdadero Dios que nos está oyendo, te prometo, ¡oh Isabela, mitad de mi alma!, [91] de ser tu esposo, y lo soy desde luego si tú quieres levantarme a la alteza de ser tuyo.

Quedó suspensa Isabela con las razones de Ricaredo, y sus padres atónitos y pasmados. Ella no supo qué decir ni hacer otra cosa que besar muchas veces la mano de Ricaredo y decirle, con voz mezclada con lágrimas, que ella le aceptaba por suyo y se entregaba por su esclava. Besóla Ricaredo en el rostro feo, no habiendo tenido jamás atrevimiento de llegarse a él cuando hermoso.

Los padres de Isabela solemnizaron con tiernas y muchas lágrimas las fiestas del desposorio. Ricaredo les dijo que él dilataría el casamiento de la escocesa, que ya estaba en casa del modo que después verían, y cuando su padre los quisiese enviar a España a todos tres, no lo rehusasen, sino que se fuesen y le aguardasen en Cádiz o en Sevilla

[90] *Por aquella juro*: el atractivo novelístico del "matrimonio por palabras de presente" sigue actuante, v. nota 12.

[91] *Mitad de mi alma*: esta ponderación, de remoto origen horaciano (oda III, 8) es frecuente en la obra cervantina, v. mi ed. de *La Galatea,* I, 72.

dos años,[92] dentro de los cuales les daba su palabra de ser con ellos, si el cielo tanto tiempo le concedía de vida, y que si de este término pasase, tuviesen por cosa certísima que algún grande impedimento, o la muerte, que era lo más cierto, se había opuesto a su camino.

Isabela le respondió que no solos dos años le aguardaría, sino todos aquellos de su vida hasta estar enterada que él no la tenía, porque en el punto que esto supiese, sería el mismo de su muerte. Con estas tiernas palabras se renovaron las lágrimas en todos, y Ricaredo salió a decir a sus padres como en ninguna manera no se casaría ni daría la mano a su esposa la escocesa sin haber primero ido a Roma a asegurar su conciencia. Tales razones supo decir a ellos y a los parientes que habían venido con Clisterna, que así se llamaba la escocesa, que como todos eran católicos fácilmente las creyeron, y Clisterna se contentó de quedar en casa de su suegro hasta que Ricaredo volviese, el cual pidió de término un año.

Esto así puesto y concertado, Clotaldo dijo a Ricaredo como determinaba enviar a España a Isabela y a sus padres, si la reina le daba licencia: quizá los aires de la patria apresurarían y facilitarían la salud que ya comenzaba a tener. Ricaredo, por no dar indicio de sus designios, respondió tibiamente a su padre que hiciese lo que mejor le pareciese; sólo le suplicó que no quitase a Isabela ninguna cosa de las riquezas que la reina le había dado. Prometióselo Clotaldo, y aquel mismo día fue a pedir licencia a la reina, así para casar a su hijo con Clisterna, como para enviar a Isabela y a sus padres a Es-

[92] *Dos años*: este plazo estipulado para el retorno del novio a la boda es del folklore universal, v. la inmensa bibliografía contenida en Stith Thompson, *Motif-Index of Folk-Literature,* N681. *Husband (lover) arrives home just as wife (mistress) is to marry another.* Mucho mayor desarrollo dará Cervantes a este motivo en su *Persiles y Sigismunda,* I, x, en la historia del portugués Manuel de Sosa Coitiño. Pero la solución es distinta: *eadem sed aliter* es lema que puede cubrir inmensas áreas del arte novelístico cervantino. La novia del portugués ha entrado en religión momentos antes del regreso de su prometido.

paña. De todo se contentó la reina, y tuvo por acertada la determinación de Clotaldo. Y aquel mismo día, sin acuerdo de letrados y sin poner a su camarera en tela de juicio, la condenó en que no sirviese más su oficio y en diez mil escudos de oro para Isabela; y al conde Arnesto, por el desafío, le desterró por seis años de Inglaterra. No pasaron cuatro días, cuando ya Arnesto se puso a punto de salir a cumplir su destierro, y los dineros estuvieron juntos. La reina llamó a un mercader rico que habitaba en Londres, y era francés, el cual tenía correspondencia en Francia, Italia y España, al cual entregó los diez mil escudos y le pidió cédulas [93] para que se los entregasen al padre de Isabela en Sevilla o en otra playa de España. El mercader, descontados sus intereses y ganancias, dijo a la reina que las daría ciertas y seguras para Sevilla sobre otro mercader francés, su correspondiente, en esta forma: que él escribiría a París para que allí se hiciesen las cédulas por otro correspondiente suyo, a causa que rezasen las fechas de Francia y no de Inglaterra, [94] por el contrabando de la comunicación de los dos reinos, y que bastaba llevar una letra de aviso suya sin fecha, con sus contraseñas, para que luego diese el dinero el mercader de Sevilla, que ya estaría avisado del de París. En resolución, la reina tomó tales seguridades del mercader, que no dudó de ser cierta la partida; y no contenta con esto, mandó llamar a un patrón de una nave flamenca que estaba para partirse otro día a Francia a sólo tomar en algún puerto de ella testimonio para poder entrar en España a título de partir de Francia y no de Inglaterra, [95] al cual pidió encarecidamente llevase en su nave a Isabela y a sus padres, y

[93] *Pidió cédulas*: la banca europea todavía está dando pinitos para esta época, v. A. P. Usher, *The Early History of Deposit Banking in Mediterranean Europe* (Cambridge, 1943).

[94] *No de Inglaterra*: el calendario gregoriano (marzo 1582) fue adoptado casi de inmediato por los países católicos, pero no por los protestantes. Gran Bretaña no lo adoptó hasta 1751.

[95] *No de Inglaterra*: aparte de ser protestante, dicho país estaba en guerra, casi continua, con España.

con toda seguridad y buen tratamiento los pusiese en un puerto de España, el primero a do llegase.

El patrón, que deseaba contentar a la reina, dijo que sí haría, y que los pondría en Lisboa,[96] Cádiz o Sevilla. Tomados, pues, los recaudos del mercader, envió la reina a decir a Clotaldo no quitase a Isabela todo lo que ella la había dado, así de joyas como de vestidos. Otro día vino[97] Isabela y sus padres a despedirse de la reina, que los recibió con mucho amor. Dioles la reina la carta del mercader y otras muchas dádivas, así de dineros como de otras cosas de regalo para el viaje. Con tales razones se lo agradeció Isabela, que de nuevo dejó obligada a la reina para hacerle siempre mercedes. Despidiéndose de las damas, las cuales, como ya estaba fea, no quisieran que se partiera, viéndose libres de la envidia que a su hermosura tenían y contentas de gozar de sus gracias y discreciones. Abrazó la reina a los tres, y encomendándolos a la buena ventura y al patrón de la nave, y pidiendo a Isabela la avisase de su buena llegada a España, y siempre de su salud, por la vía del mercader francés, se despidió de Isabela y de sus padres, los cuales aquella misma tarde se embarcaron, no sin lágrimas de Clotaldo y de su mujer y de todos los de su casa, de quien era en todo extremo bien querida. No se halló a esta despedida presente Ricaredo, que por no dar muestras de tiernos sentimientos, aquel día hizo que unos amigos suyos le llevasen a caza. Los regalos que la señora Catalina dio a Isabela para el viaje fueron muchos, los abrazos infinitos, las lágrimas en abundancia, las encomiendas de que la escribiese sin número, y los agradecimientos de Isabela y de sus padres correspondieron a todo; de suerte que, aunque llorando, los dejaron satisfechos.

[96] *Lisboa*: desde 1580, y hasta 1640, Lisboa, y todo Portugal, fueron parte de España.

[97] *Vino Isabela y sus padres*: en español clásico, cuando el verbo precedía al sujeto compuesto, el verbo se ponía en singular, v. mi ed. *Galatea,* II, 103.

Aquella noche se hizo el bajel a la vela, y habiendo con próspero viento tocado en Francia y tomado en ella los reca[u]dos [98] necesarios para poder entrar en España, de allí a treinta días entró por la barra de Cádiz, donde desembarcaron Isabela y sus padres, y siendo conocidos de todos los de la ciudad, los recibieron con muestras de mucho contento. Recibieron mil parabienes del hallazgo de Isabela y de la libertad que habían alcanzado así de los moros que los habían cautivado —habiendo sabido todo su suceso de los cautivos a que dio libertad la liberalidad de Ricaredo— como de la que habían alcanzado de los ingleses.

Ya Isabela en este tiempo comenzaba a dar grandes esperanzas de volver a cobrar su primera hermosura. Poco más de un mes estuvieron en Cádiz, restaurando los trabajos de la navegación, y luego se fueron a Sevilla por ver si salía cierta la paga de los diez mil escudos que librados sobre el mercader francés traían. Dos días después de llegar a Sevilla le buscaron, y le hallaron, y le dieron la carta del mercader francés de la ciudad de Londres. Él la reconoció, y dijo que hasta que de París le viniesen las letras [99] y carta de aviso no podía dar el dinero; pero que por momentos aguardaba el aviso.

Los padres de Isabela alquilaron una casa principal frontero de Santa Paula, [100] por ocasión que estaba monja en aquel santo monasterio una sobrina suya, única y extremada en la voz, y así por tenerla cerca como por haber dicho Isabela a Ricaredo que si viniese a buscarla la hallaría en Sevilla y le diría su casa su prima la monja de Santa Paula, y que para conocerla no había menester más de preguntar por la monja que tenía la mejor voz en el monasterio, porque estas señas no se le podían olvidar. Otros cuarenta días tardaron de venir los avisos de París; y a dos que llegaron el mercader francés entregó los diez mil ducados a Isabela, y ella a sus padres, y con ellos y

[98] *Recaudos*: 1613, "recados".

[99] *Las letras*: v. nota 93.

[100] *Santa Paula*: el convento de Santa Paula, de monjas jerónimas, existe hoy en día.

con algunos más que hicieron vendiendo algunas de las muchas joyas de Isabela, volvió su padre a ejercitar su oficio de mercader, no sin admiración de los que sabían sus grandes pérdidas. En fin, en pocos meses fue restaurado [101] su perdido crédito y la belleza de Isabela volvió a su ser primero, de tal manera que en hablando de hermosas todos daban el lauro a la española inglesa: que tanto por este nombre como por su hermosura era de toda la ciudad conocida. Por la orden del mercader francés de Sevilla escribieron Isabela y sus padres a la reina de Inglaterra su llegada, con los agradecimientos y sumisiones que requerían las muchas mercedes de ella recibidas. Asimismo escribieron a Clotaldo y a su señora Catalina, llamándolos Isabela padres, y sus padres, señores. De la reina no tuvieron respuesta; pero de Clotaldo y de su mujer sí, donde les daban el parabién de la llegada a salvo y los avisaban como su hijo Ricaredo, otro día después que ellos se hicieron a la vela, se había partido a Francia, y de allí a otras partes, donde le convenía a ir para seguridad de su conciencia, añadiendo a éstas otras razones y cosas de mucho amor y de muchos ofrecimientos. A la cual carta respondieron con otra no menos cortés y amorosa que agradecida.

Luego imaginó Isabela que el haber dejado Ricaredo a Inglaterra sería para venirla a buscar a España, y alentada con esta esperanza vivía la más contenta del mundo, y procuraba vivir de manera que cuando Ricaredo llegase a Sevilla antes le diese en los oídos la fama de sus virtudes que el conocimiento de su casa. Pocas o ninguna vez salía de su casa sino para el monasterio; no ganaba otros jubileos [102] que aquellos que en el monasterio se ganaban. Desde su casa y desde su oratorio andaba con el pensamiento los viernes de Cuaresma la santísima estación de la cruz, y los siete venideros del Espíritu Santo. Jamás visitó el río, ni pasó a Triana, ni vio el común regocijo en el campo

[101] *Restaurado*: 1613, "restaurando".

[102] *Jubileos*: "otras gracias, indulgencias y perdones que los papas conceden, se llaman también jubileos", Covarrubias, s.v.

de Tablada y puerta de Jerez el día, si le hace claro, de San Sebastián,[103] celebrado de tanta gente que apenas se puede reducir a número. Finalmente, no vio regocijo público ni otra fiesta en Sevilla: todo lo libraba en su recogimiento y en sus oraciones y buenos deseos esperando a Ricaredo. Éste su gran retraimiento tenía abrasados y encendidos los deseos no sólo de los pisaverdes[104] del barrio, sino de todos aquellos que una vez la hubiesen visto: de aquí nacieron músicas de noche en su calle y carreras de día. De este no dejar verse y desearlo muchos crecieron las alhajas de las terceras, que prometieron mostrarse primas y únicas en solicitar a Isabela, y no faltó quien se quiso aprovechar de lo que llaman hechizos, que no son sino embustes y disparates;[105] pero a todo esto estaba Isabela como roca en mitad del mar, que la tocan, pero no la mueven las olas ni los vientos.

Año y medio era ya pasado cuando la esperanza propincua de los dos años por Ricaredo prometidos comenzó con más ahinco que hasta allí a fatigar el corazón de Isabela. Y cuando ya le parecía que su esposo llegaba y que le tenía ante los ojos y le preguntaba qué impedimentos le habían detenido tanto, cuando ya llegaban a sus oídos las disculpas de su esposo y cuando ya ella le perdonaba y le

[103] *San Sebastián*: Triana era, y es, el barrio sevillano al otro lado del Guadalquivir. El campo de Tablada estaba del mismo lado del Guadalquivir, y era el quemadero de Sevilla, pero, además, estaba allí una popularísima ermita de San Sebastián, que describe Juan Rufo así: "Estando en el campo de Tablada, en Sevilla, día de San Sebastián, infinito número de gente que aquel día sale, por ser allí la ermita del bienaventurado santo, hacíale muy bueno y estaba toda aquella gran llanura poblada de hombres y mujeres", *Las seyscientas apotegmas* (Toledo, 1596), número 371. La fiesta de San Sebastián se celebra el 20 de enero.

[104] *Pisaverdes*: "este nombre suelen dar al moço galán, de poco seso, que va pisando de puntillas por no rebentar el seso que lleva en los carcañales", Covarrubias, s.v.

[105] *Embustes y disparates*: análoga opinión acerca de los hechizos expresa en *El licenciado Vidriera*: "Dio a Tomás uno de estos que llaman hechizos, creyendo que le daba cosa que le forzase a quererla: como si hubiese en el mundo yerbas, encantos ni palabras suficientes a forzar el libre albedrío", nota 58.

abrazaba y como a mitad de su alma le recibía, llegó a sus manos una carta de la señora Catalina, fecha en Londres cincuenta días había; venía en lengua inglesa; pero leyéndola en español, vio que así decía:

"Hija de mi alma: Bien conociste a Guillarte, el paje de Ricaredo. Éste se fue con él al viaje, que por otra te avisé, que Ricaredo a Francia y a otras partes había hecho el segundo día de tu partida. Pues este mismo Guillarte, a cabo de dieciseis meses que no habíamos sabido de mi hijo, entró ayer por nuestra puerta con nuevas que el conde Arnesto había muerto a traición en Francia a Ricaredo. Considera, hija, cuál quedaríamos su padre y yo y su esposa con tales nuevas; tales digo, que aun no nos dejaron poner en duda nuestra desventura. Lo que Clotaldo y yo te rogamos otra vez, hija de mi alma, es que encomiendes muy de veras a Dios la de Ricaredo, que bien merece este beneficio el que tanto te quiso como tú sabes. También pedirás a Nuestro Señor nos dé a nosotros paciencia y buena muerte, a quien nosotros también pediremos y suplicaremos te dé a ti y a tus padres largos años de vida."

Por la letra y por la firma no le quedó que dudar a Isabela para no creer la muerte de su esposo. Conocía muy bien al paje Guillarte, y sabía que era verdadero y que de suyo no habría querido ni tenía para qué fingir aquella muerte, ni menos su madre, la señora Catalina, la habría fingido, por no importarle nada enviarle nuevas de tanta tristeza. Finalmente, ningún discurso que hizo, ninguna cosa que imaginó le pudo quitar del pensamiento no ser verdadera la nueva de su desventura.

Acababa de leer la carta, sin derramar lágrimas ni dar señales de doloroso sentimiento, con sesgo [106] rostro y al parecer con sosegado pecho, se levantó de un estrado donde estaba sentada y se entró en un oratorio, e hincándose de rodillas ante la imagen de un devoto crucifijo hizo voto de ser monja, pues lo podía ser teniéndose por viuda. Sus padres disimularon y encubrieron con discreción la pena que les había dado la triste nueva, por poder

[106] *Sesgo rostro*: v. notas 30 y 82.

consolar a Isabela en la amarga que sentía; la cual, casi como satisfecha de su dolor, templándole con la santa y cristiana resolución que había tomado, ella consolaba a sus padres, a los cuales descubrió su intento, y ellos le aconsejaron que no le pusiese en ejecución hasta que pasasen los dos años que Ricaredo había puesto por término de su venida, que con esto se confirmaría la verdad de la muerte de Ricaredo y ella con más seguridad podía mudar de estado. Así lo hizo Isabela, y los seis meses y medio que quedaban para cumplirse los dos años los pasó en ejercicios de religiosa y en concertar la entrada del monasterio, habiendo elegido el de Santa Paula, donde estaba su prima.

Pasóse el término de los dos años y llegóse el día de tomar el hábito, cuya nueva se extendió por la ciudad, y de los que conocían de vista a Isabela y de aquellos que por su sola fama se llenó el monasterio y la poca distancia que de él a la casa de Isabela había. Y convidando su padre a sus amigos y aquéllos a otros, hicieron a Isabela uno de los más honrados acompañamientos que en semejantes actos se había visto en Sevilla. Hallóse en él el Asistente [107] y el provisor [108] de la Iglesia y vicario del arzobispo, [109] con todas las señoras y señores de título que había en la ciudad: tal era el deseo que en todos había de ver el sol de la hermosura de Isabela, que tan-

[107] *Asistente*: "en Sevilla se da este título y nombre al Corregidor de aquella ciudad", *Dicc. Aut.*, s.v.

[108] *Provisor*: "comúnmente se toma por el Vicario General, que tiene las vezes del obispo en su obispado; y provisor el que tiene cuidado de proveer alguna comunidad", Covarrubias, s.v.

[109] *Arzobispo*: para los años en que transcurre la acción de *La española inglesa* era arzobispo de Sevilla don Fernando Niño de Guevara, quien tomó posesión en 18-vi-1601, había sido creado cardenal de San Blas en 1596, y murió en 8-i-1609. No hay que confundirle con su tío y homónimo, objeto de un estupendo retrato del Greco. Para la diversión de este Arzobispo de Sevilla el canónigo Francisco Porras de la Cámara redactó su famoso manuscrito, que contenía versiones distintas a las publicadas en 1613 de *Rinconete y Cortadillo* y *El celoso extremeño,* y nos conservó *La tía fingida.*

tos meses se les había eclipsado; y como es costumbre de las doncellas que van a tomar el hábito ir lo posible galanas y bien compuestas, como quien en aquel punto echa el resto de la bizarría y se descarta de ella, quiso Isabela ponerse lo más bizarra que le fue posible; y así, se vistió con aquel vestido mismo que llevó cuando fue a ver a la reina de Inglaterra, que ya se ha dicho cuán rico y cuán vistoso era. Salieron a luz las perlas y el famoso diamante, con el collar y cintura, que asimismo era de mucho valor. Con este adorno y con su gallardía, dando ocasión para que todos alabasen a Dios en ella, salió Isabela de su casa a pie, que el estar tan cerca el monasterio excusó los coches y carrozas. El concurso de la gente fue tanto, que les pesó de no haber entrado en los coches, que no les daban lugar de llegar al monasterio. Unos bendecían a sus padres, otros al cielo, que de tanta hermosura la había dotado; unos se empinaban por verla; otros, habiéndola visto una vez, corrían adelante por verla otra. Y el que más solícito se mostró en esto, y tanto que muchos echaron de ver en ello, fue un hombre vestido en hábito de los que vienen rescatados de cautivos, con una insignia de la Trinidad [110] en el pecho, en señal de que han sido rescatados por la limosna de sus redentores. Este cautivo, pues, al tiempo que ya Isabela tenía un pie dentro de la portería del convento, donde habían salido a recibirla, como es uso, la priora y las monjas con la cruz, a grandes voces dijo:

—Detente, Isabela; detente, que mientras yo fuere vivo no puedes tú ser religiosa.

A estas voces, Isabela y sus padres volvieron los ojos, y vieron que hendiendo por toda la gente hacia ellos venía aquel cautivo, que habiéndosele caído un bonete azul redondo que en la cabeza traía descubrió una con-

[110] *Insignia de la Trinidad*: la Orden de la Santísima Trinidad Redención de Cautivos fue aprobada por Inocencio III en 1198 y redimió cautivos hasta 1769. En septiembre de 1580 el trinitario fray Juan Gil redimió en Argel al cautivo Miguel de Cervantes Saavedra.

fusa madeja de cabellos de oro ensortijados y un rostro como el carmín y como lo nieve, colorado y blanco, señales que luego le hicieron conocer y juzgar por extranjero de todos. En efecto, cayendo y levantando llegó donde Isabela estaba, y asiéndola de la mano le dijo:

—¿Conócesme, Isabela? Mira que yo soy Ricaredo, tu esposo.

—Sí conozco —dijo Isabela—, si ya no eres fantasma que viene a turbar mi reposo. [111]

Sus padres le asieron y atentamente le miraron, y en resolución conocieron ser Ricaredo el cautivo, el cual, con lágrimas en los ojos, hincando las rodillas delante de Isabela, le suplicó que no impidiese la extrañeza del traje en que estaba su buen conocimiento ni estorbase su baja fortuna que ella no correspondiese a la palabra que entre los dos se habían dado. Isabela, a pesar de la impresión que en su memoria había hecho la carta de la madre de Ricaredo, dándole nuevas de su muerte, quiso dar más crédito a sus ojos y a la verdad que presente tenía, y así, abrazándose con el cautivo, le dijo:

—Vos, sin duda, señor mío, sois aquel que sólo podrá impedir mi cristiana determinación. Vos, señor, sois sin duda la mitad de mi alma, pues sois mi verdadero esposo. Estampado os tengo en mi memoria y guardado en mi alma. Las nuevas que de vuestra muerte me escribió mi señora y vuestra madre, ya que no me quitaron la vida, me hicieron escoger la de la religión, que en este punto quería entrar a vivir en ella. Mas pues Dios con tan justo impedimento muestra querer otra cosa, ni podemos ni conviene que por mi parte se impida. Venid, señor, a la casa de mis padres, que es vuestra, y allí os entregaré mi posesión por los términos que pide nuestra santa fe católica.

Todas estas razones oyeron los circunstantes, y el Asistente, y vicario, y provisor del arzobispo, y de oírlas se admiraron y suspendieron, y quisieron que luego se les

[111] *Mi reposo*: acerca del regreso del esposo en el último día del plazo estipulado v. nota 92.

dijese qué historia era aquella, qué extranjero aquél, y de qué casamiento trataban. A todo lo cual respondió el padre de Isabela, diciendo que aquella historia pedía otro lugar y algún término para decirse.[112]. Y así, suplicaba a todos aquellos que quisiesen saberla diesen la vuelta a su casa, pues estaba tan cerca, que allí se la contarían de modo que con la verdad quedasen satisfechos y con la grandeza y extrañeza de aquel suceso admirados. En esto, uno de los presentes alzó la voz, diciendo:

—Señores: este mancebo es un gran corsario inglés, que yo le conozco, y es aquel que habrá poco más de dos años tomó a los corsarios de Argel la nave de Portugal que venía de las Indias. No hay duda sino que es él, que yo le conozco, porque él me dio libertad y dineros para venir a España, y no sólo a mí, sino a otros trescientos cautivos.

Con estas razones se alborotó la gente y se avivó el deseo que todos tenían de saber y ver la claridad de tan intrincadas cosas. Finalmente, la gente más principal, con el Asistente y aquellos dos señores eclesiásticos, volvieron a acompañar a Isabela a su casa, dejando a las monjas tristes, confusas y llorando por lo que perdían en no tener[113] en su compañía a la hermosa Isabela, la cual estando en su casa, en una gran sala de ella hizo que aquellos señores se sentasen. Y aunque Ricaredo quiso tomar la mano en contar su historia, todavía le pareció que era mejor fiarlo de la lengua y discreción de Isabela y no de la suya, que no muy expertamente hablaba la lengua castellana.

Callaron todos los presentes, y teniendo las almas pendientes de las razones de Isabela, ella así comenzó su cuento, el cual le reduzco yo[114] a que dijo todo aquello

[112] *Para decirse*: las condiciones que estipula el arte de narrar son tema absorbente en las *Novelas ejemplares*, y las múltiples observaciones del *Coloquio de los perros* son buena muestra de ello.

[113] *En no tener*: 1613, falta *no*.

[114] *Reduzco yo*: irrupción subjetiva del autor, v. *La gitanilla*, nota 98, y *supra* nota 85.

que desde el día que Clotaldo la robó en Cádiz hasta que entró y volvió a él le había sucedido, contando asimismo la batalla que Ricaredo había tenido con los turcos, la liberalidad que había usado con los cristianos, la palabra que entrambos a dos se habían dado de ser marido y mujer, la promesa de los dos años, las nuevas que había tenido de su muerte, tan ciertas a su parecer, que la pusieron en el término que habían visto de ser religiosa. Engrandeció la liberalidad de la reina, la cristiandad de Ricaredo y de sus padres, y acabó con decir que dijese Ricaredo lo que le había sucedido después que salió de Londres hasta el punto presente, donde le veían con hábito de cautivo y con una señal de haber sido rescatado por limosna.

—Así es —dijo Ricaredo—, y en breves razones sumaré los inmensos trabajos míos.

"Después que me partí de Londres por excusar el casamiento que no podía hacer con Clisterna, aquella doncella escocesa católica con quien ha dicho Isabela que mis padres me querían casar, llevando en mi compañía a Guillarte, aquel paje que mi madre escribe que llevó a Londres las nuevas de mi muerte, atravesando[115] por Francia llegué a Roma, donde se alegró mi alma y se fortaleció mi fe. Besé los pies al Sumo Pontífice, confesé mis pecados con el mayor penitenciario,[116] absolvióme de ellos, y diome los recaudos necesarios que diesen fe de mi confesión y penitencia y de la reducción que había hecho a nuestra universal madre la Iglesia. Hecho esto, visité los lugares tan santos como innumerables que hay en aquella ciudad santa, y de dos mil escudos que tenía en oro di los mil seiscientos a un cambio,[117] que me los libró en esta ciudad sobre un tal Roqui, florentín. Con

[115] *Atravesando*: 1613, "atravesado".
[116] *Penitenciario*: 1613, "penitenciero".
[117] *Un cambio*: "Cambio, en sinificación más ceñida, vale la persona pública, que con autoridad del príncipe o de la república, pone el dinero de un lugar a otro con sus interesses", Covarrubias, s.v.

los cuatrocientos que me quedaron, con intención de venir a España, me partí para Génova, donde había tenido nuevas que estaban dos galeras de aquella Señoría de partida para España. Llegué con Guillarte mi criado a un lugar que se llama Aquapendente, [118] que viniendo de Roma a Florencia es el último que tiene el Papa, y en una hostería o posada donde me apeé hallé al conde Arnesto, mi mortal enemigo, que con cuatro criados, disfrazado y encubierto, más por ser curioso que por ser católico, entiendo que iba a Roma. Creí sin duda que no me había conocido. Encerréme en un aposento con mi criado y estuve con cuidado y con determinación de mudarme a otra posada en cerrando la noche; no lo hice así porque el descuido grande que no sé que tenían el conde y sus criados, me aseguró que no me habían conocido. Cené en mi aposento, cerré la puerta, apercibí mi espada, encomendéme a Dios y no quise acostarme. Durmióse mi criado, y yo sobre una silla me quedé medio dormido; mas poco después de la media noche me despertaron para hacerme dormir el eterno sueño cuatro pistoletes que, como después supe, dispararon contra mí el conde y sus criados, y dejándome por muerto, teniendo ya a punto los caballos, se fueron, diciendo al huésped de la posada que me enterrase, porque era hombre principal, y con esto se fueron.

"Mi criado, según dijo después el huésped, despertó al ruido y con el miedo se arrojó por una ventana que caía a un patio, y diciendo: '¡Desventurado de mí, que han muerto a mi señor!', se salió del mesón. Y debió de ser con tal miedo, que no debió de parar hasta Londres, pues él fue quien llevó las nuevas de mi muerte. Subieron los de la hostería y halláronme atravesado con cuatro balas y con muchos perdigones; pero todas por partes que de ninguna fue mortal la herida. Pedí confesión y todos los sacramentos como católico cristiano; diéronmelos, curáronme, y no estuve para ponerme en camino en dos me-

[118] *Aquapendente*: Acquapendente, en territorio romano, al NO. de Roma, pero ya en los límites con la Toscana.

ses, al cabo de los cuales vine a Génova, donde no hallé otro pasaje sino en dos falúas [119] que fletamos yo y otros dos principales españoles, la una para que fuese delante descubriendo y la otra donde nosotros fuésemos. Con esta seguridad nos embarcamos, navegando tierra a tierra [120] con intención de no engolfarnos; pero llegando a un paraje que llaman las Tres Marías, [121] que es en la costa de Francia, yendo nuestra primera falúa descubriendo, a deshora salieron de una cala dos galeotas turquescas, y tomándonos la una la mar y la otra la tierra, cuando íbamos a embestir en ella, nos cortaron el camino y nos cautivaron. En entrando en la galeota nos desnudaron hasta dejarnos en carnes. Despojaron las falúas de cuanto llevaban y dejáronlas embestir en tierra sin echarlas a fondo, diciendo que aquéllas les servirían otra vez de traer otra galima, [122] que con este nombre llaman ellos a los despojos que de los cristianos toman. Bien se me podrá creer si digo que sentía en el alma mi cautiverio, y sobre todo la pérdida de los recaudos de Roma, donde en una caja de lata [123] los traía, con la cédula de los mil seiscientos ducados; mas la buena suerte quiso que viniese a manos de un cristiano cautivo español, que los guardó; que si viniera a poder de los turcos, por lo menos había de dar por mi rescate lo que rezaba la cédula, que ellos averiguarían cúya era.

119 *Dos falúas*: 1613, "dos falugas". "Faluca. Embarcación pequeña que tiene sólo seis remos y ninguna cubierta", *Dicc. Aut.*, s.v.

120 *Tierra a tierra*: "Ir tierra a tierra es ir costeando", Covarrubias, s.v. *tierra.*

121 *Las Tres Marías*: Les Saintes Maries era un puertecillo cerca de Marsella, donde la crítica tradicionalmente ubicó la captura de Cervantes por piratas argelinos en 1575. He demostrado que tal no puede ser; el peso de la evidencia se inclina hacia la costa catalana como ese escenario, v. *Nuevos deslindes cervantinos,* cap. viii, "La captura (Cervantes y la autobiografía)".

122 *Galima*: v. *Rinconete* (1613), nota 42.

123 *Caja de lata*: en cajas de lata, probablemente cilíndricas, se llevaban los documentos preciados al viajar, v. *Quijote,* I, xvi.

"Trajéronnos a Argel, donde hallé que estaban rescatando los padres de la Santísima Trinidad. Hablélos, díjeles quién era, y movidos de caridad aunque yo era extranjero, me rescataron en esta forma: que dieron por mí trescientos ducados, los ciento luego y los doscientos cuando volviese el bajel de la limosna a rescatar al padre de la redención, que se quedaba en Argel empeñado en cuatro mil ducados, que había gastado más de los que traía. Porque a toda esta misericordia y liberalidad se extiende la caridad de estos padres, que dan su libertad por la ajena y se quedan cautivos por rescatar los cautivos. Por añadidura del bien de mi libertad hallé la caja perdida, con los recaudos y la cédula. Mostrésela al bendito padre que me había rescatado, y ofrecíle quinientos ducados más de los de mi rescate para ayuda de su empeño. Casi un año se tardó en volver la nave de la limosna; y lo que en estos años me pasó, a poderlo contar ahora, fuera otra nueva historia. Sólo diré que fui conocido de uno de los veinte turcos que di libertad con los demás cristianos ya referidos, y fue tan agradecido y tan hombre de bien que no quiso descubrirme; porque a conocerme los turcos por aquél que había echado a fondo sus dos bajeles y quitádoles de las manos la gran nave de la India, o me presentaran al Gran Turco o me quitaran la vida; y de presentarme al Gran Señor redundara no tener libertad en mi vida. Finalmente, el padre redentor vino a España conmigo y con otros cincuenta cristianos rescatados. En Valencia, hicimos la procesión general,[124] y desde allí cada uno se partió donde más le plugo, con las insignias de su libertad, que son estos habiticos. Hoy llegué a esta ciudad, con tanto deseo de ver a Isabela mi esposa, que sin detenerme a otra cosa pregunté por este monasterio, donde me habían de dar nuevas de mi esposa. Lo que en él me ha sucedido ya se ha visto. Lo que queda por ver son estos recaudos, para que

[124] *Procesión general*: la primera actividad de los recién rescatados de manos de infieles era reconciliarse con el Santo Oficio, y una procesión era parte de las ceremonias.

se pueda tener por verdadera mi historia, que tiene tanto de milagrosa como de verdadera."

Y luego, en diciendo esto, sacó de una caja de lata los recaudos que decía, y se los puso en las manos al provisor, que los vio junto con el señor Asistente, y no halló en ellos cosa que le hiciese dudar de la verdad que Ricaredo había contado. Y para más confirmación de ella ordenó el cielo que se hallase presente a todo esto el mercader florentín sobre quien venía la cédula de los mil seiscientos ducados, el cual pidió que le mostrasen la cédula y mostrándosela la reconoció, y la aceptó para luego, porque él muchos meses había que tenía aviso de esta partida. Todo esto fue añadir admiración a admiración y espanto a espanto. Ricaredo dijo que de nuevo ofrecía los quinientos ducados que había prometido. Abrazó el Asistente a Ricaredo y a los padres de Isabela, y a ella, ofreciéndoseles a todos con corteses razones. Lo mismo hicieron los dos señores eclesiásticos, y rogando a Isabela que pusiese toda aquella historia por escrito, para que la leyese su señor arzobispo, [125] y ella lo prometió.

El grande silencio que todos los circunstantes habían tenido escuchando el extraño caso se rompió en dar alabanzas a Dios por sus grandes maravillas, y dando desde el mayor hasta el más pequeño el parabién a Isabel, a Ricaredo y a sus padres, los dejaron; y ellos suplicaron al Asistente honrase sus bodas, que de allí a ocho días pensaban hacerlas. Holgó de hacerlo así el Asistente, y de allí a ocho días, acompañado de los más principales de la ciudad, se halló en ellas.

Por estos rodeos y por estas circunstancias los padres de Isabela cobraron su hija y restauraron su hacienda, y ella, favorecida del cielo y ayudada de sus muchas vir-

[125] *El arzobispo*: queda dicho (nota 109) que para uso del arzobispo don Fernando Niño de Guevara recogió Porras su manuscrito con versiones del *Rinconete* y del *Celoso*. La alusión del texto me hace sospechar que Cervantes estaba enterado de la actividad de Porras, aunque por las descripciones del perdido manuscrito *La española inglesa* no figuraba en él.

tudes, a despecho de tantos inconvenientes, halló marido tan principal como Ricaredo, en cuya compañía se piensa que aún hoy vive en las casas que alquilaron frontero de Santa Paula, que después las compraron de los herederos de un hidalgo burgalés que se llamaba Hernando de Cifuentes.[126]

Esta novela nos podrá enseñar[127] cuánto puede la virtud y cuánto la hermosura, pues son bastantes juntas y cada una de por sí a enamorar aun hasta los mismos enemigos, y de cómo sabe el cielo sacar de las mayores adversidades nuestras, nuestros mayores provechos.

[126] *Hernando de Cifuentes*: es posible que haya existido tal hidalgo burgalés, pero esto no es necesario para apreciar el fino toque con que se da añadida circunstancialidad histórica al relato.

[127] *Nos podría enseñar*: en esta irrupción subjetiva (*La gitanilla,* nota 98), el autor se suma a sus lectores, que es sutilísima forma de actualizar el relato.

NOVELA DEL LICENCIADO VIDRIERA

Licenciado Vidriera: "... el caballero le envió a la Corte y para traerle usaron con él de esta invención: pusiéronle en unas árganas de paja, como aquellas donde llevan el vidrio."

Paseándose dos caballeros estudiantes por las riberas de Tormes,[1] hallaron en ellas, debajo de un árbol, durmiendo, a un muchacho de hasta edad de once años, vestido como labrador. Mandaron a un criado que le despertase; despertó, y preguntáronle de adónde era y qué hacía durmiendo en aquella soledad. A lo cual el muchacho respondió que el nombre de su tierra se le había olvidado, y que iba a la ciudad de Salamanca a buscar un amo a quien servir, por sólo que le diese estudio.[2] Preguntáronle si sabía leer; respondió que sí, y escribir también.

—De esa manera —dijo uno de los caballeros—, no es por falta de memoria habérsete olvidado el nombre de tu patria.

—Sea por lo que fuere —respondió el muchacho—: que ni el de ella ni el de mis padres sabrá ninguno hasta que yo pueda honrarlos a ellos y a ella.[3]

1 *De Tormes*: el nombre de río no lleva artículo, como era propio del español clásico: Lazarillo *de* Tormes.

2 *Diese estudio*: era costumbre bien admitida: Pablos de Segovia va a estudiar a Alcalá de Henares al servicio de don Diego Coronel, como nos cuenta *El Buscón* de Quevedo.

3 *Y a ella*: las reacciones del niño se moldean sobre el patrón de la novela de caballerías, cuyo modelo era fuerza actuante sobre la vida, y no sólo en el caso de don Quijote, como lo demuestra el bien conocido episodio de la infancia de Santa Teresa de Jesús.

—Pues, ¿de qué suerte los piensas honrar? —preguntó el otro caballero.

—Con mis estudios —respondió el muchacho—, siendo famoso por ellos; porque yo he oído decir que de los hombres se hacen los obispos.[4]

Esta respuesta movió a los dos caballeros a que le recibiesen y llevasen consigo, como lo hicieron, dándole estudio de la manera que se usa dar en aquella universidad a los criados que sirven. Dijo el muchacho que se llamaba Tomás Rodaja, de donde infirieron sus amos, por el nombre y por el vestido, que debía de ser hijo de algún labrador pobre. A pocos días le vistieron de negro, y a pocas semanas dio Tomás muestras de tener raro ingenio, sirviendo a sus amos con toda fidelidad, puntualidad y diligencia que, con no faltar un punto a sus estudios, parecía que sólo se ocupaba en servirlos. Y como el buen servir del siervo mueve la voluntad del señor a tratarle bien, ya Tomás Rodaja no era criado de sus amos, sino su compañero. Finalmente, en ocho años que estuvo con ellos se hizo tan famoso en la universidad por su buen ingenio y notable habilidad, que de todo género de gentes era estimado y querido. Su principal estudio fue de leyes;[5] pero en lo que más se mostraba era en letras humanas; y tenía tan feliz memoria, que era cosa de espanto; e ilustrábala tanto con su buen entendimiento, que no era menos famoso por él que por ella.

Sucedió que se llegó el tiempo que sus amos acabaron sus estudios y se fueron a su lugar, que era una de las

[4] *Los obispos*: es uno de los refranes con que trata de replicar la duquesa a la avalancha que le endilga Sancho en su entrevista, *Quijote,* II, xxxiii. Apunta a la fundamental igualdad de los hombres, Campos-Barella, 239.

[5] *Fue de leyes*: debe observarse que el siglo XVI fue el siglo de oro de la universidad salmantina, y que en derecho canónico la ilustró el solo nombre de Martín de Azpilcueta, *el doctor Navarro.* Por lo demás, el *curriculum* universitario favorecía desmesuradamente los estudios de derecho, *in utroque jure.* Acerca de las demás condiciones de estudio, v. E. Herrera Oria, *Historia de la educación española desde el Renacimiento* (Madrid, 1941).

mejores ciudades de Andalucía. Lleváronse consigo a Tomás, y estuvo con ellos algunos días; pero como le fatigasen los deseos de volver a sus estudios y a Salamanca —que enhechiza la voluntad de volver a ella a todos los que de la apacibilidad de su vivienda han gustado—, pidió a sus amos licencia para volverse. Ellos, corteses y liberales, se la dieron, acomodándole de suerte que con lo que le dieron se pudiera sustentar tres años.

Despidióse de ellos, mostrando en sus palabras su agradecimiento, y salió de Málaga —que ésta era la patria de sus señores—, y al bajar de la cuesta de la Zambra,[6] camino de Antequera, se topó con un gentilhombre a caballo, vestido bizarramente[7] de camino, con dos criados también a caballo. Juntóse con él y supo como llevaba su mismo viaje. Hicieron camarada,[8] departieron de diversas cosas, y a pocos lances dio Tomás muestras de su raro ingenio y el caballero las dio de su bizarría y cortesano trato, y dijo que era capitán de infantería por Su Majestad y que su alférez estaba haciendo la compañía[9] en tierra de Salamanca. Alabó la vida de la soldadesca; pintóle muy al vivo la belleza de la ciudad de Nápoles,[10]

6 *Cuesta de la Zambra*: al cruzar las Alpujarras, y por Antequera a Toledo, y de Toledo a Salamanca, remontando el camino que de bajada había hecho Lazarillo de Tormes.

7 *Bizarramente*: bizarro, "vale tanto como el que va vestido de diversos colores", Covarrubias, s.v. *bizarría*. El vestido de camino era de colores, y el del Caballero del Verde Gabán es sólo un caso extremo, *Quijote,* II, xvi. Los soldados vestían chillonamente, recordar que después de doce años de soldadesca Vicente de la Rosa vuelve a su aldea "vestido a la soldadesca, pintado con mil colores, lleno de mil dijes de cristal y sutiles cadenas de acero", *Quijote,* I, li.

8 *Camarada*: "el compañero de cámara, que come y duerme en una mesma posada. Este término se usa entre soldados, y vale compañero y amigo familiar, que está en la mesma compañía", Covarrubias, s.v.

9 *Haciendo la compañía*: "Hacer. Vale assimismo juntar, congregar o convocar, como hacer gente, hacer auditorio, etc.", *Dicc. Aut.*, s.v.

10 *Nápoles*: los cinco años de soldadesca que Cervantes vivió en Italia, en especial en los virreinatos españoles de Nápoles y de

las holguras de Palermo, la abundancia de Milán, los festines de Lombardía, las espléndidas comidas de las hosterías; dibujóle dulce y puntualmente el *aconcha, patrón; pasa acá, manigoldo; venga la macarela, li polastri, e li macarroni.* [11] Puso las alabanzas en el cielo de la vida libre del soldado y de la libertad de Italia; pero no le dijo nada del frío de las centinelas, del peligro de los asaltos, del espanto de las batallas, del hambre de los cercos, de la ruina de las minas, con otras cosas de este jaez, que algunos las toman y tienen por añadiduras del peso de la soldadesca, y son la carga principal de ella. [12] En resolución, tantas cosas le dijo, y tan bien dichas, que la discreción de nuestro Tomás Rodaja comenzó a titubear y la voluntad a aficionarse a aquella vida, que tan cerca tiene la muerte.

El capitán, que don Diego de Valdivia [13] se llamaba, contentísimo de la buena presencia, ingenio y desenvoltura de Tomás, le rogó que se fuese con él a Italia, si quería, por curiosidad de verla; que él le ofrecía su mesa

---

Sicilia, dejaron huella imborrable en su recuerdo, y afloran en su obra casi con la misma frecuencia que las experiencias del cautiverio argelino. En el año de 1610, cuando el conde de Lemos, a quien están dirigidas las *Novelas ejemplares* (v. I, preliminares, nota 24), fue nombrado virrey de Nápoles, Cervantes acarició la idea de volver a tierra que tanto arraigo había tomado en su memoria.

[11] *Li macarroni*: probable lectura: "Acconcia, patrone; passa quà, manigoldo; vengano la maccatella, li pollastri e li maccheroni", lo que equivale a "Apercíbete, patrón; ven acá, picarón, vengan la *maccatella,* los pollos y los macarrones". Narciso Alonso Cortés, ed. *El licenciado Vidriera* (Valladolid, 1916), 7, sugirió *maccatella* (albondiguilla machacada) por *macarela,* cambio aceptado por Schevill-Bonilla, *NE,* II, 364. Acerca de los italianismos en Cervantes, v. Ángel Rosenblat, *La lengua del 'Quijote'* (Madrid, 1971), 225-226.

[12] *Principal de ella*: don Quijote recuerda elocuentemente las durezas de la vida militar en su famoso discurso de las armas y las letras, *Quijote,* I, xxxviii.

[13] *Don Diego de Valdivia*: nombre del alcalde de la Real Audiencia de Sevilla, que en 1587 se inmiscuyó en la vida de Cervantes, Schevill-Bonilla, *NE,* II, 364.

y aún, si fuese necesario, su bandera, porque su alférez [14] la había de dejar presto.

Poco fue menester para que Tomás tuviese el envite, [15] haciendo consigo en un instante un breve discurso de que sería bueno volver a Italia y Flandes y otras diversas tierras y países, pues las luengas peregrinaciones hacen a los hombres discretos, y que en esto, a lo más largo, podía gastar tres o cuatro años, que añadidos a los pocos que él tenía, no serían tantos que impidiesen volver a sus estudios. Y como si todo hubiera de suceder a la medida de su gusto, dijo al capitán que era contento [16] de irse con él a Italia; pero había de ser condición que no se había de sentar debajo de bandera, [17] ni poner en lista de soldado, por no obligarse a seguir su bandera. Y aunque el capitán le dijo que no importaba ponerse en lista, que así gozaría de los socorros y pagas que a la compañía se diesen, porque él le daría licencia todas las veces que se la pidiese.

—Eso sería —dijo Tomás— ir contra mi conciencia y contra la del señor capitán; y así, más quiero ir suelto que obligado.

—Conciencia tan escrupulosa —dijo don Diego—, más es de religioso que de soldado; pero como quiera que sea, ya somos camaradas.

Llegaron aquella noche a Antequera, y en pocos días y grandes jornadas se pusieron donde estaba la compañía, ya acabada de hacer, y que comenzaba a marchar la vuelta [18] de Cartagena, alojándose ellas y otras cuatro por los

[14] *Su alférez*: "el cabo u oficial que tiene a su cargo llevar la bandera en su compañía, ya sea de infantería, u de caballería, y marcha en el centro de ella", *Dicc. Aut.*, s.v.

[15] *Tuviese el envite*: "Envite. Vale también qualquier ofrecimiento que se hace de tal o tal cosa", *Dicc. Aut.* s.v.

[16] *Era contento*: *ser contento* era la fórmula usual por nuestro *estar* contento.

[17] *Debajo de bandera*: expresión ambigua, porque puede expresar la negativa a aceptar el cargo de alférez, o bien el no aceptar entrar en la milicia.

[18] *La vuelta*: camino hacia.

lugares que le venían a mano. Allí notó Tomás la autoridad de los comisarios, la incomodidad de algunos capitanes, la solicitud de los aposentadores, la industria y cuenta de los pagadores, las quejas de los pueblos, el rescatar de las boletas,[19] las insolencias de los bisoños, las pendencias de los huéspedes, el pedir bagajes[20] más de los necesarios, y, finalmente, la necesidad casi precisa de hacer todo aquello que notaba y mal le parecía.

Habíase vestido Tomás de papagayo,[21] renunciando los hábitos de estudiante, y púsose a lo de Dios es Cristo,[22] como se suele decir. Los muchos libros que tenía los redujo a unas *Horas de Nuestra Señora* y un *Garcilaso* sin comento,[23] que en las dos faldriqueras llevaba. Llegaron más presto de lo que quisieran a Cartagena, porque la vida de los alojamientos es ancha y varia y cada día se topan cosas nuevas y gustosas.

[19] *Las boletas*: "la cedulita que se da al soldado de alojamiento, con el qual acude al huésped en cuya casa está aposentado", Covarrubias, s.v. *boletín*. Los abusos de la soldadesca en las casas y pueblos donde se alojaban eran notorios, y el argumento de *El alcalde de Zalamea,* en cualquiera de sus dos versiones, basta para ilustrarlos.

[20] *Bagajes*: "bestias de carga", v. *La gitanilla,* nota 142.

[21] *Papagayo*: acerca de lo *bizarramente* que vestían los soldados, v. nota 7.

[22] *A lo de Dios es Cristo*: "'A lo de Dios es Kristo; o A lo de Kristo me lleve. Es komo: 'A lo eskarramanado'." "A lo eskarramanado i a lo valiente. Kuando uno va kon figura de bravo. 'Eskarramán' se finxe ser un rrufián en un kantar ke dél ai", Correas, 10.

[23] *'Garcilaso' sin comento*: para los años de las *Novelas ejemplares* habían salido estos dos *comentos*: *Obras del excelente poeta Garci Lasso de la Vega. Con anotaciones y enmiendas del licenciado Francisco Sánchez, cathedrático de Rhetórica en Salamanca* (Salamanca, Pedro Lasso, 1574), se trata del comentario del Brocense; *Obras de Garci Lasso de la Vega con anotaciones de Fernando de Herrera* (Sevilla, Alonso de la Barrera, 1580). Es sabido que la dedicatoria de esta última al marqués de Ayamonte pasó a formar parte de la dedicatoria del *Quijote* de 1605 al duque de Béjar.

Allí se embarcaron en cuatro galeras de Nápoles,[24] y allí notó también Tomás Rodaja la extraña vida de aquellas marítimas casas, adonde lo más del tiempo maltratan las chinches, roban los forzados, enfadan los marineros, destruyen los ratones y fatigan las maretas.[25] Pusiéronle temor las grandes borrascas y tormentas, especialmente en el golfo de León,[26] que tuvieron dos, que la una los echó a Córcega y la otra los volvió a Tolón, en Francia. En fin, trasnochados, mojados y con ojeras, llegaron a la hermosa y bellísima ciudad de Génova, y desembarcándose en su recogido mandrache,[27] después de haber visitado una iglesia, dio el capitán con todos sus camaradas en una hostería, donde pusieron en olvido todas las borrascas pasadas con el presente *gaudeamus.*[28]

Allí conocieron la suavidad del Treviano,[29] el valor del Montefrascón, la fuerza[30] del Asperino, la generosidad de los dos griegos Candía y Soma, la grandeza del

[24] *Galeras de Nápoles*: vale decir, "galeras de la armada española en Nápoles".

[25] *Maretas*: "viento que empieça poco a poco a esforçarse", Covarrubias, s.v.

[26] *Golfo de León*: el autor vuelve, imaginativamente, al amplio escenario de su captura por los piratas argelinos, motivada, precisamente, por "borrascas y tormentas", v. *La española inglesa,* nota 121.

[27] *Mandrache*: en dialectos italianos meridionales (Nápoles, Sicilia), *mandraccio* vale "aprisco", Corominas, III, 223a. En Génova, y a partir de aproximadamente 1260, la nueva parte del puerto que hizo construir Marino Boccanegra se llamó "il Mandraccio", Schevill-Bonilla, *NE,* II, 366.

[28] *Gaudeamus*: "voz latina que usurpada en nuestra lengua significa fiesta, regocijo, comida y bebida abundante", *Dicc. Aut.,* s.v.

[29] *Treviano*: esta larga lista de vinos italianos y españoles la supera en amplitud y variedad la que trae Juan de Espinosa, *Diálogo en laude de las mujeres, intitulado Ginaecepaenos* (Milán, Michel Tini, 1580), parte tercera, apartado intitulado "Nombres de uinos de diuersas regiones, y loor dellos", donde acumula vinos italianos, griegos, españoles, franceses y alemanes.

[30] *Fuerza*: 1613, "Ninerca". *Fuerza* es la corrección de la mayoría de los editores de las *NE,* aunque Schevill-Bonilla, NE, II, 79, imprimen "uiueça".

de las Cinco Viñas, la dulzura y apacibilidad de la señora Guarnacha, la rusticidad de la Chéntola, sin que entre todos estos señores osase parecer la bajeza del Romanesco. Y habiendo hecho el huésped la reseña de tantos y tan diferentes vinos, se ofreció de hacer parecer allí, sin usar de tropelía, [31] ni como pintados en mapa, sino real y verdaderamente, a Madrigal, [32] Coca, Alaejos, y a la Imperial más que Real Ciudad, [33] recámara del dios de la risa; ofreció a Esquivias, a Alanís, a Cazalla, Guadalcanal y la Membrilla, sin que se le olvidase de Ribadavia y de Descargamaría. Finalmente, más vinos nombró el huésped, y más les dio, que pudo tener en sus bodegas el mismo Baco.

Admiráronle también al buen Tomás los rubios cabellos de las genovesas y la gentileza y gallarda disposición de los hombres, la admirable belleza de la ciudad, que en aquellas peñas parece que tiene las casas engastadas, como diamantes en oro. Otro día se desembarcaron todas las compañías que habían de ir al Piamonte; pero no quiso Tomás hacer este viaje, sino irse desde allí por tierra a Roma y a Nápoles, como lo hizo, quedando de volver por la gran Venecia y por Loreto a Milán y al Piamonte, donde dijo don Diego de Valdivia que le hallaría si ya no los hubiesen llevado a Flandes, [34] según se decía.

[31] *Tropelía*: v. *Coloquio de los perros,* nota 231. "Aquella ciencia que llaman *tropelía,* que hace parecer una cosa por otra", dice la bruja Cañizares.

[32] *Madrigal*: otra lista de vinos españoles, más breve, se hallará en el *Coloquio de los perros,* nota 215.

[33] *Real Ciudad*: Ciudad Real, de donde proviene el vino de Valdepeñas. El *dios de la risa* era Baco, asimismo dios del vino, y el vino incita a la risa.

[34] *Flandes*: el *camino español* o *camino del Imperio* iba del Piamonte al Franco Condado, y de aquí, a través de Lorena penetraba en Flandes, v. el muy útil mapa de Geoffrey Parker, *The Army of Flanders and the Spanish Road, 1567-1659* (Cambridge, 1975), 51; es de útil consulta también la monografía de José Luis Cano de Gardoqui, *La cuestión de Saluzzo en las comunicaciones del imperio español (1588-1601),* (Valladolid, 1962).

Despidióse Tomás del capitán de allí a dos días, y en cinco llegó a Florencia, habiendo visto primero a Luca, ciudad pequeña, pero muy bien hecha, y en la que, mejor que en otras partes de Italia, son bien vistos y agasajados los españoles. Contentóle Florencia en extremo, así por su agradable asiento como por su limpieza, suntuosos edificios, fresco río y apacibles calles. Estuvo en ella cuatro días, y luego se partió a Roma, reina de las ciudades y señora del mundo. Visitó sus templos, adoró sus reliquias y admiró su grandeza; y así como por las uñas del león [35] se viene en conocimiento de su grandeza y ferocidad, así él sacó la de Roma por sus despedazados mármoles, medias y enteras estatuas, por sus rotos arcos y derribadas termas, por sus magníficos pórticos y anfiteatros grandes, por su famoso y santo río, que siempre llena sus márgenes de aguas y las beatifica con las infinitas reliquias de cuerpos de mártires que en ellas tuvieron sepultura; por sus puentes, que parece que se están mirando unas a otras, y por sus calles, que con sólo el nombre cobran autoridad sobre todas las de las otras ciudades del mundo: la vía Apia, la Flaminia, la Julia, con otras de este jaez. Pues no le admiraba menos la división de sus montes dentro de sí misma: el Celio, el Quirinal y el Vaticano, con los otros cuatro, [36] cuyos nombres manifiestan la grandeza y majestad romana. Notó también la autoridad del Colegio de Cardenales, la majestad del Sumo Pontífice, [37] el concurso y variedad de gentes y na-

[35] *Uñas del león*: "Sacar por la uña al león. Phrase metaphórica, que vale llegar al conocimiento de alguna cosa por alguna leve señal, o indicio de ella. Es tomada de latino *Ex ungue leonem*", *Dicc. Aut.*, s.v. *uña.*

[36] *Otros cuatro*: los siete montes principales de Roma son: el Aventino, el Capitolino (Campidoglio), el Celio, el Esquilino, el Palatino, el Quirinal y el Viminal. El Vaticano, pese a la afirmación de Cervantes, cuenta entre los cinco montes secundarios.

[37] *Sumo Pontífice*: durante los años italianos de Cervantes (1569-1575) hubo dos Papas: San Pío V (n. 1504, Papa de 1566 a 1572) y Gregorio XIII (n. 1502, Papa de 1572 a 1585); para 1613, fecha de publicación de las *NE,* era Papa Pablo V (Camillo

ciones. Todo lo miró, y notó y puso en su punto. Y habiendo andado la estación de las siete iglesias,[38] y confesándose con un penitenciario, y besado el pie a Su Santidad, lleno de *agnusdeis* y cuentas determinó irse a Nápoles; y por ser tiempo de mutación,[39] malo y dañoso para todos los que en él entran o salen de Roma, como hayan caminado por tierra, se fue por mar a Nápoles, donde a la admiración que traía de haber visto a Roma añadió la que le causó ver a Nápoles, ciudad, a su parecer, y al de todos cuantos la han visto, la mejor de Europa, y aun de todo el mundo.

Desde allí se fue a Sicilia, y vio a Palermo, y después a Micina;[40] de Palermo le pareció bien el asiento y belleza, y de Micina, el puerto, y de toda la isla, la abundancia, por quien propiamente y con verdad es llamada granero de Italia. Volvióse a Nápoles y a Roma, y de allí fue a Nuestra Señora de Loreto, en cuyo santo templo no vio paredes ni murallas; porque todas estaban cubiertas de muletas, de mortajas, de cadenas, de grillos, de esposas, de cabelleras, de medios bultos de cera y de pinturas y retablos, que daban manifiesto de las innumerables[41] mercedes que muchos habían recibido de la mano de Dios por intercesión de su divina Madre, que aquella sacro-

---

Borghese), nacido en 1552 y Sumo Pontífice desde 1605 hasta 1621.

[38] *Siete iglesias*: costumbre de los peregrinos en Roma, y que es una de las primeras con que cumplen Persiles y Sigismunda, IV, vi. Las siete iglesias eran San Pedro, San Pablo, San Juan de Letrán, San Sebastián, Santa María la Mayor, San Lorenzo y Santa Cruz. Todas estas devociones (muchas vivas aún hoy en día) son de comprensión imprescindible para acercarnos un tanto a la vida de aquellos tiempos, v. Jonathan Sumption, *Pilgrimage. An Image of Mediaeval Religion* (Totowa, N. J., 1975).

[39] *Mutación*: la mitad del verano, cuando hacía peste en Roma la malaria; en *Persiles,* IV, xii, el hermano de Persiles, el príncipe Magsimino, "en un lugar llamado Terrachina, último de los de Nápoles y primero de los de Roma, queda enfermo, porque le ha cogido esto que llaman mutación".

[40] *Micina*: Messina.

[41] *Innumerables*: 1613, "inumerables".

santa imagen quiso engrandecer y autorizar con muchedumbre de milagros, en recompensa de la devoción que le tienen aquellos que con semejantes doseles tienen adornados los muros de su casa. Vio el mismo aposento y estancia donde se relató la más alta embajada y de más importancia que vieron, y no entendieron, todos los cielos, y todos los ángeles, y todos los moradores de las moradas sempiternas. [42]

Desde allí, embarcándose en Ancona, fue a Venecia, ciudad que de no haber nacido Colón en el mundo no tuviera en él semejante: merced al cielo y al gran Hernando Cortés, que conquistó la gran Méjico para que la gran Venecia tuviese en alguna manera quien se le opusiese. Estas dos famosas ciudades se parecen en las calles, que son todas de agua: [43] la de Europa, admiración del mundo antiguo; la de América, espanto del mundo nuevo. Parecióle que su riqueza era infinita, su gobierno prudente, su sitio inexpugnable, su abundancia mucha, sus contornos alegres, y, finalmente, toda ella en sí y en sus partes digna de la fama que de su valor por todas las partes del orbe se extiende, dando causa de acreditar más esta verdad la máquina [44] de su famoso arsenal, que es el lugar donde se fabrican las galeras, con otros bajeles que no tienen número.

[42] *Moradas sempiternas*: la piadosa tradición nos informa que en Loreto, cerca de Ancona, está la casa en que vivía la Virgen María cuando la Anunciación, que fue milagrosamente transportada por ángeles en 1291 a Tersatz, en Dalmacia, y de la misma manera a Loreto en 1295. El primer testimonio de tal leyenda es de 1470, v. *The Oxford Dictionary of the Christian Church,* segunda ed. (Oxford, 1974), s.n.

[43] *De agua*: a partir de la segunda carta de relación al emperador de Hernán Cortés (fecha Segura de la Sierra, 30 de octubre de 1520), las calles de agua de la antigua Tenochtitlán entran de lleno en la historiografía indiana.

[44] *Máquina*: "Máchina. Se llama también el edificio grande y suntuoso", *Dicc. Aut.,* s.v. Los astilleros venecianos dejaron profunda huella en la historia europea, v. Frederic C. Lane, *Venice. A Maritime Republic* (Baltimore, 1973).

Por poco fueran los de Calipso[45] los regalos y pasatiempos que halló nuestro curioso en Venecia, pues casi le hacían olvidar de su primer intento. Pero habiendo estado un mes en ella, por Ferrara, Parma y Plasencia volvió a Milán, oficina de Vulcano,[46] ojeriza del reino de Francia, ciudad, en fin, de quien se dice que puede decir y hacer,[47] haciéndola magnífica la grandeza suya y de su templo y su maravillosa abundancia de todas las cosas a la vida humana necesarias. Desde allí se fue a Aste,[48] y llegó a tiempo que otro día marchaba el tercio a Flandes.[49]

Fue muy bien recibido de su amigo el capitán, y en su compañía y camarada[50] pasó a Flandes, y llegó a Amberes, ciudad no menos para maravillar que las que había visto en Italia. Vio a Gante, y a Bruselas, y vio que todo el país se disponía a tomar las armas para salir en campaña el verano siguiente.[51]

Y habiendo cumplido con el deseo que le movió a ver lo que había visto, determinó volverse a España y a Salamanca a acabar sus estudios, y como lo pensó lo puso luego por obra, con pesar grandísimo de su camarada, que le rogó, al tiempo de despedirse, le avisase de su salud,

[45] *Calipso*: fue la diosa que por siete años detuvo a Odiseo en la isla Ogigia, en el regreso de éste a su isla de Ítaca y a su mujer Penélope.

[46] *Oficina de Vulcano*: acerca de la fama de las armas milanesas, v. *La española inglesa,* nota 59. Análoga comparación con Vulcano se halla en el *Persiles,* III, xix: "Sus bélicas herrerías que no parece sino que allí ha pasado las suyas Vulcano" (p. 400, de mi ed.). Lo de *ojeriza del reino de Francia* alude a las cruentas y continuas guerras luchadas en y por el Milanesado entre franceses y españoles a todo lo largo del siglo XVI.

[47] *Decir y hacer*: alude al refrán "Del dicho al hecho hay un gran trecho".

[48] *Aste*: Asti.

[49] *A Flandes*: para el "camino español" v. *supra,* nota 34.

[50] *Camarada*: v. nota 8.

[51] *Verano siguiente*: Flandes desangró a España desde la impetuosa actuación del duque de Alba en 1567, con la prisión de los católicos condes de Egmont y de Horn, hasta el tratado de Utrecht (1713), en que fue cedido al Imperio.

llegada y suceso. Prometióselo así como lo pedía, y por Francia volvió a España, sin haber visto París, por estar puesta en armas.[52] En fin, llegó a Salamanca, donde fue bien recibido de sus amigos, y con la comodidad que ellos le hicieron prosiguió sus estudios hasta graduarse de licenciado en leyes.

Sucedió que en este tiempo llegó a aquella ciudad una dama de todo rumbo y manejo.[53] Acudieron luego a la añagaza[54] y reclamo todos los pájaros del lugar, sin quedar *vademécum*[55] que no la visitase. Dijéronle a Tomás que aquella dama decía que había estado en Italia y en Flandes, y por ver si la conocía, fue a visitarla, de cuya visita y vista quedó ella enamorada de Tomás. Y él, sin echar de ver en ello, si no era por fuerza y llevado de otros, no quería entrar en su casa. Finalmente, ella le descubrió su voluntad y le ofreció su hacienda. Pero como él atendía más a sus libros que a otros pasatiempos, en ninguna manera respondía al gusto de la señora, la cual, viéndose desdeñada y, a su parecer, aborrecida y que por medios ordinarios y comunes no podía conquistar la roca de la voluntad de Tomás, acordó de buscar otros modos a su

52 *Puesta en armas*: Narciso Alonso Cortés, *ed. cit.*, y Harry Sieber, *NE*, II, 51, fechan esta alusión en 1567, lo que descabala cualquier intento de cronología interna de la novela. Sin hilar demasiado fino, basta recordar que las guerras de religión dividen a Francia en toda la segunda mitad del siglo XVI, y tendrán brutal culminación en mayo de 1610 con el asesinato de Enrique IV en París por el fanático católico Ravaillac.

53 *Rumbo y manejo*: "Cortesana. Dama pública de clientela limitada a unos cuantos conocidos", Alonso Hernández, 687, aunque sólo da este ejemplo del *Licenciado Vidriera*, si bien el evidente sentido del texto cohonesta la definición de Alonso Hernández. Corominas, IV, 91, observa la evolución semántica hacia 'ostentación rufianesca o rameril'.

54 *Añagaza*: "es el señuelo que el caçador pone de la paloma mansa, que atada en lo alto de una enzina haze que todas las demás que passan de buelo se vengan a sentar allí a donde el caçador les tiene armada la red o las tira con la ballesta", Covarrubias, s.v.

55 *Vademécum*: el cartapacio llevado por los estudiantes, y en forma translaticia, el estudiante mismo.

parecer más eficaces y bastantes para salir con el cumplimiento de sus deseos. Y así, aconsejada de una morisca,[56] en un membrillo[57] toledano dio a Tomás unos de estos que llaman hechizos,[58] creyendo que le daba cosa que le forzase la voluntad a quererla: como si hubiese en el mundo yerbas, encantos ni palabras suficientes a forzar el libre albedrío; y así, las que dan estas bebidas o comidas amatorias se llaman *veneficios*;[59] porque no es otra cosa lo que hacen sino dar veneno a quien las toma, como lo tiene mostrado la experiencia en muchas y diversas ocasiones.

Comió en tan mal punto Tomás el membrillo que al momento comenzó a herir de pie y de mano[60] como si tuviera alferecía,[61] y sin volver en sí estuvo muchas horas, al cabo de las cuales volvió como atontado, y dijo con lengua turbada y tartamuda que un membrillo que había comido le había muerto, y declaró quién se le había dado. La justicia, que tuvo noticia del caso, fue a buscar la malhechora; pero ya ella, viendo el mal suceso, se había puesto en cobro,[62] y no pareció jamás.

[56] *Morisca*: la dedicación de los musulmanes a la medicina pronto se hizo sospechosa de concomitancias con la magia y la hechicería, v. Antonio Domínguez Ortiz y Bernard Vincent, *Historia de los moriscos; Vida y tragedia de una minoría* (Madrid, 1978), cap. 6, "Profesiones y nivel de vida".

[57] *Membrillo*: rico simbolismo tenía: "Quince. A Greek symbol of fertility, the food of brides; the 'apple' of Dionysos and sacred to Venus", J. C. Cooper, *An Illustrated Encyclopaedia of Traditional Symbols* (Londres, 1978), s.v.

[58] *Hechizos*: La actitud negativa de Cervantes ante los hechizos se puede ampliar con referencia al *Quijote,* I, xxii, y al *Persiles,* IV, viii, v. *La española inglesa,* nota 105.

[59] *Veneficios*: derivado de *venenum.*

[60] *Herir de pie y de mano*: "Vale algunas veces tanto como temblar, o tener convulsiones o movimientos violentos de pies, manos y boca: como sucede a los que tienen alferecía o gota coral", *Dicc. Aut.,* s.v. *herir*; cf. *Quijote,* II, xiv.

[61] *Alferecía*: "enfermedad peligrosa que suele dar a los niños... Es enfermedad de temblores que suele dar a los cavallos", Covarrubias, s.v.

[62] *Puesto en cobro*: "Poner una cosa en cobro, alçarla donde no la hallen", Covarrubias, s.v. *cobrar.*

Seis meses estuvo en la cama Tomás, en los cuales se secó y se puso, como suele decirse, en los huesos, y mostraba tener turbados todos los sentidos; y aunque le hicieron los remedios posibles, sólo le sanaron la enfermedad del cuerpo, pero no de lo del entendimiento, porque quedó sano, y loco de la más extraña locura que entre las locuras hasta entonces se había visto. Imaginóse el desdichado que era todo hecho de vidrio, y con esta imaginación, cuando alguno se llegaba a él, daba terribles voces pidiendo y suplicando con palabras y razones concertadas que no se le acercasen, porque le quebrarían: que real y verdaderamente él no era como los otros hombres: que todo era de vidrio, de pies a cabeza.

Para sacarle de esta extraña imaginación, muchos, sin atender a sus voces y rogativas, arremetieron a él y le abrazaron, diciéndole que advirtiese y mirase cómo no se quebraba. Pero lo que se granjeaba en esto era que el pobre se echaba en el suelo dando mil gritos, y luego le tomaba un desmayo del cual no volvía en sí en cuatro horas; y cuando volvía era renovando las plegarias y rogativas de que otra vez no le llegasen. Decía que le hablasen desde lejos, y le preguntasen lo que quisiesen, porque a todo les respondería con más entendimiento, por ser hombre de vidrio y no de carne: que el vidrio, por ser de materia sutil y delicada, obraba por ella el alma con más prontitud y eficacia que no por la del cuerpo, pesada y terrestre.

Quisieron algunos experimentar si era verdad lo que decía, y así, le preguntaron muchas y difíciles cosas, a las cuales respondió espontáneamente con grandísima agudeza de ingenio; cosa que causó admiración a los más letrados de la Universidad y a los profesores de la medicina y filosofía, viendo que en un sujeto donde se contenía tan extraordinaria locura como era el pensar que fuese de vidrio, se encerrase tan grande entendimiento que respondiese a toda pregunta con propiedad y agudeza.

Pidió Tomás le diesen alguna funda donde pusiese aquel vaso quebradizo de su cuerpo, porque al vestirse algún vestido estrecho no se quebrase; y así, le dieron una ropa parda y una camisa muy ancha, que él se vistió con mucho tiento y se ciñó con una cuerda de algodón. No quiso calzarse zapatos en ninguna manera, y el orden que tuvo para que le diesen de comer sin que a él le llegasen fue poner en la punta de una vara una vasera [63] de orinal, en la cual le ponían alguna cosa de fruta de las que la sazón del tiempo ofrecía. Carne ni pescado, no lo quería; no bebía sino en fuente o en río, y esto, con las manos; cuando andaba por las calles, iba por la mitad de ellas, mirando a los tejados, temeroso no le cayese alguna teja encima y le quebrase. Los veranos dormía en el campo al cielo abierto, y en los inviernos se metía en algún mesón, y en el pajar se enterraba hasta la garganta, diciendo que aquélla era la más propia y más segura cama que podían tener los hombres de vidrio. Cuando tronaba, temblaba como un azogado, y se salía al campo, y no entraba en poblado hasta haber pasado la tempestad.

Tuviéronle encerrado sus amigos mucho tiempo; pero viendo que su desgracia pasaba adelante, determinaron de condescender [64] con lo que él les pedía, que era le dejasen andar libre, y así, le dejaron, y él salió por la ciudad, causando admiración y lástima a todos los que le conocían.

Cercáronle luego los muchachos; pero él con la vara los detenía, y les rogaba le hablasen apartados, por que no se quebrase: que por ser hombre de vidrio, era muy tierno y quebradizo. Los muchachos, que son la más traviesa generación del mundo, a despecho de sus ruegos y voces, le comenzaron a tirar trapos, y aun piedras, por ver si era de vidrio, como él decía; pero él daba tantas voces y hacía tales extremos, [65] que movía a los hombres a que riñesen y castigasen a los muchachos porque no le tirasen.

Mas un día que le fatigaron mucho se volvió a ellos, diciendo:

[63] *Vasera*: "se llama también la caxa o funda en que se guarda o con que se defienden los vasos", *Dicc. Aut.*, s.v.
[64] *Condescender*: 1613, "condecender".
[65] *Hacía tales extremos*: "Hazer estremos, lamentarse con grande ansia y despecho", Covarrubias, s.v. *estremo*.

—¿Qué me quereis, muchachos, porfiados como moscas, sucios como chinches, atrevidos como pulgas? ¿Soy yo, por ventura, el monte Testacho[66] de Roma, para que me tireis tantos tiestos y tejas?

Por oírle reñir y responder a todos le seguían siempre muchos y los muchachos tomaron y tuvieron por mejor partido antes oírle que tirarle. Pasando, pues, una vez por la ropería de Salamanca, le dijo una ropera:

—En mi ánima, señor Licenciado, que me pesa de su desgracia; pero ¿qué haré, que no puedo llorar?

Él se volvió a ella, y muy mesurado le dijo:

—*Filiae Hierusalem, plorate super vos et super filios vestros.*[67]

Entendió el marido de la ropera la malicia[68] del dicho y díjole:

—Hermano licenciado Vidriera —que así decía él que se llamaba—, más teneis de bellaco que de loco.

—No se me da un ardite —respondió él—, como no tenga nada de necio.

Pasando un día por la casa llana y venta común[69] vio que estaban a la puerta de ella muchas de sus moradoras, y dijo que eran bagajes[70] del ejército de Satanás que estaban alojados en el mesón del Infierno.

Preguntóle uno que qué consejo o consuelo daría a un amigo suyo que estaba muy triste porque su mujer se le había ido con otro.

[66] *Monte Testacho*: monte artificial formado por la acumulación de cacharros y tejas.

[67] *Filios vestros*: *San Lucas,* XXIII, 28: "Conversus autem ad illas Iesus, dixit: Filiae Ierusalem, nolite flere super me, sed super vos ipsas flete et super filios vestros", "Volviéndose Jesús a ellas, les dijo: Hijas de Jerusalén, no lloreis sobre mí, sino llorad más bien sobre vosotras y sobre vuestros hijos".

[68] *Malicia*: lo es, y doble, por lo menos, porque Vidriera insinúa la calidad de cristiano nuevo de ropera y familia, al llamarla *filia Ierusalem,* y los *filios vestros* alude al hecho de que los hijos no lo eran del marido.

[69] *Venta común*: la mancebía.

[70] *Bagajes*: bestias de carga, v. *La gitanilla,* nota 142. Correas, 750: "Mula del diablo. Ansí llaman a la amiga del klérigo."

A lo cual respondió:

—Dile que dé gracias a Dios por haber permitido le llevasen de casa a su enemigo.

—Luego ¿no irá a buscarla? —dijo el otro.

—Ni por pienso —replicó Vidriera—; porque sería el hallarla un perpetuo y verdadero testigo de su deshonra.

—Ya que eso sea así —dijo el mismo—, ¿qué haré yo para tener paz con mi mujer?

Respondióle:

—Dale lo que hubiere menester; déjala que mande a todos los de su casa; pero no sufras que ella te mande a ti.

Díjole un muchacho:

—Señor licenciado Vidriera, yo me quiero desgarrar [71] de mi padre porque me azota muchas veces.

Y respondióle:

—Advierte, niño, que los azotes que los padres dan a los hijos honran y los del verdugo afrentan.

Estando a la puerta de una iglesia, vio que entraba en ella un labrador de los que siempre blasonan de cristianos viejos, y detrás dél venía uno que no estaba en tan buena opinión como el primero, y el Licenciado dio grandes voces al labrador, diciendo:

—Esperad, Domingo, a que pase el Sábado.

De los maestros de escuela decía que eran dichosos, pues trataban siempre con ángeles, y que fueran dichosísimos si los angelitos no fueran mocosos. Otro le preguntó que qué le parecía de las alcahuetas. Respondió que no lo eran las apartadas, sino las vecinas.

Las nuevas de su locura y de sus respuestas y dichos se extendió [72] por toda Castilla, y llegando a noticia de un príncipe o señor que estaba en la Corte, quiso enviar por él, y encargóselo a un caballero amigo suyo que estaba en

[71] *Desgarrar*: "Romper, echándole la garra y desgarrarse es huyrse, dexando el pedaço del sayo o desgarrón en las manos del que le llevava asido", Covarrubias, s.v.

[72] *Se extendió*: todos los sustantivos del sujeto gramatical son abstractos, lo que justificaba el verbo en singular en español clásico.

Salamanca que se lo enviase, y topándolo el caballero un día, le dijo:

—Sepa el señor licenciado Vidriera que un gran personaje de la Corte le quiere ver y envía por él.

A lo cual respondió:

—Vuesa merced me excuse con ese señor, que yo no soy bueno para palacio, porque tengo vergüenza y no sé lisonjear.

Con todo esto, el caballero le envió a la Corte, y para traerle usaron con él de esta invención: pusiéronle en unas árganas [73] de paja, como aquellas donde llevan el vidrio, igualando los tercios [74] con piedras, y entre paja puestos algunos vidrios, por que se diese a entender que como vaso de vidrio le llevaban. Llegó a Valladolid, [75] entró de noche, y desembanastáronle en la casa del señor que había enviado por él, de quien fue muy bien recibido, diciéndole:

—Sea muy bien venido el señor licenciado Vidriera. ¿Cómo ha ido en el camino? ¿Cómo va de salud?

A lo cual respondió:

—Ningún camino hay malo como se acabe, si no es el que va a la horca. De salud estoy neutral, porque están encontrados mis pulsos con mi cerebro. [76]

Otro día, habiendo visto en muchos alcándaras [77] muchos neblíes y azores y otros pájaros de volatería, dijo que la caza de altanería [78] era digna de príncipes y de grandes

[73] *Arganas*: 1613, "argenas". "Arganas. Cierto modo de cestones o angarillas, con la armadura de arcos, para llevar la comida sobre una bestia", Covarrubias, s.v.

[74] *Los tercios*: "Tercio, vale la mitad de una carga que se lleva a lomo", Covarrubias, s.v.

[75] *Valladolid*: la Corte estuvo en Valladolid de 1601 a 1606, lo cual imposibilita la cronología de Alonso Cortés y Sieber mencionada en nota 52.

[76] *Cerebro*: 1613, "celebro". Vale decir que su corazón está en equilibrio con su entendimiento.

[77] *Alcándaras*: "la percha o el varal donde ponen los halcones y aves de bolatería", Covarrubias, s.v.

[78] *Altanería*: "caça de bolatería, por lo tanto, como la del milano y la garça y la cuerva y las demás; y los halcones amaestrados a esta caça se llaman altaneros", Covarrubias, s.v.

señores; pero que advirtiesen que con ella echaba el gusto censo[79] sobre el provecho a más de dos mil por uno. La caza de liebres dijo que era muy gustosa, y más cuando se cazaba con galgos prestados.

El caballero gustó de su locura, y dejóle salir por la ciudad, debajo del amparo y guarda de un hombre que tuviese cuenta que los muchachos no le hiciesen mal, de los cuales y de toda la Corte fue conocido en seis días, y a cada paso, en cada calle y en cualquier esquina, respondía a todas las preguntas que le hacían; entre las cuales le preguntó un estudiante si era poeta, porque le parecía que tenía ingenio para todo.

A lo cual respondió:

—Hasta ahora no he sido tan necio, ni tan venturoso.

—No entiendo eso de necio y venturoso —dijo el estudiante.

Y respondió Vidriera:

—No he sido tan necio que diese en poeta malo, ni tan venturoso que haya merecido serlo bueno.

Preguntóle otro estudiante que en qué estimación tenía a los poetas. Respondió que a la ciencia,[80] en mucha; pero que a los poetas, en ninguna. Replicáronle que por qué decía aquello. Respondió que del infinito número de poetas que había, eran tan pocos los buenos, que casi no hacían número. Y así, como si no hubiese poetas, no los estimaba; pero que admiraba y reverenciaba la ciencia de la poesía porque encerraba en sí todas las demás ciencias: porque de todas se sirve, de todas se adorna, y pule y saca a luz sus maravillosas obras, con que llena el mundo de provecho, de deleite y de maravilla.

Añadió más:

[79] *Censo*: "el derecho de percebir cierta pensión anual, cargada o impuesta sobre alguna hacienda, o bienes raíces que possee otra persona; la qual se obliga por esta razón a pagarla", *Dicc. Aut.*, s.v. Vale decir que el gusto sobrepasa al provecho dos mil veces.

[80] *Ciencia*: la poesía como ciencia era el concepto propio de esta época, v. *La gitanilla,* notas 88 y 89, y los textos allí mencionados.

—Yo bien sé en lo que se debe estimar un buen poeta, porque se me acuerda de aquellos versos de Ovidio que dicen:

Cum ducum fuerant olim Regnumque poeta:
Premiaque antiqui magna tulere chori.
Sanctaque maiestas, et erat venerabile nomen
Vatibus; et large sape dabantur opes. [81]

Y menos se me olvida la alta calidad de los poetas, pues los llama Platón [82] intérpretes de los dioses, y de ellos dice Ovidio:

Est Deus in nobis, agitante calescimus illo. [83]

Y también dice:

At sacri vates, et Divum cura vocamus. [84]

[81] *Dabantur opes*: Ovidio, *Ars amandi,* III, 405-408:

Cura ducum fuerunt olim regumque poetae,
premiaque antiqui magna tulere chori,
sanctaque maiestas, et erat venerabile nomen
vatibus, et largae saepe dabantur opes.

"En otro tiempo eran los poetas delicia de los dioses y de los reyes, y los antiguos cantos premiados con grandes galardones. Santo respeto y nombre venerable tenían entonces los vates, y muchas veces se les prodigaban riquezas", *El arte amatorio,* trad. D. M. A. R. (Madrid, 1811), citado por Schevill-Bonilla.

[82] *Platón*: lo que dice Platón en *Ion,* 534, es un poco distinto: "Los poetas no son otra cosa que intérpretes de los dioses", en la traducción moderna de J. Calonge Ruiz, E. Lledó Íñigo y C. García Gual, Platón, *Diálogos,* I, Biblioteca Clásicos Gredos, 37 (Madrid, 1981), 258. Este diálogo sólo se ha traducido al español en el siglo XX: ¿Cómo lo conoció Cervantes? En la Introducción he abogado por el íntimo conocimiento por parte de Cervantes de algún manual enciclopédico por el estilo de la *Officina sive Theatrum historicum et poeticum* de Ravisio Textor.

[83] *Calescimus illo*: Ovidio, *Fasti,* VI, 5: "Hay un dios en nosotros e impulsados por él nos enardecemos."

[84] *Vocamus*: *sic* por *vocamur*; Ovidio, *Amores,* III, elegía IX, v. 17: "Y, sin embargo, se nos llama a los poetas adivinos y amados de los dioses."

Esto se dice de los buenos poetas; que de los malos, de los churrulleros,[85] ¿qué se ha de decir sino que son la idiotez y la arrogancia del mundo?

Y añadió más:

—¡Qué es ver a un poeta de estos de la primera impresión cuando quiere decir un soneto a otros que le rodean, las salvas que les hace diciendo:

"Vuesas mercedes escuchen un sonetillo que anoche a cierta ocasión hice, que, a mi parecer, aunque no vale nada, tiene un no sé qué[86] de bonito"! Y en esto tuerce los labios, pone en arco las cejas y se rasca la faldriquera, y de entre otros mil papeles mugrientos y medio rotos, donde queda otro millar de sonetos, saca el que quiere relatar, y al fin le dice, con tono melifluo y alfeñicado.[87] Y si acaso los que le escuchan, de socarrones o de ignorantes, no le alaban, dice: "O vuesas mercedes no han entendido el soneto, o yo no le he sabido decir; y así, será bien recitarle otra vez y que vuesas mercedes le presten más atención, porque en verdad en verdad que el soneto lo merece." Y vuelve como primero a recitarle, con nuevos ademanes y nuevas pausas. Pues, ¿qué es verlos censurar los unos a los otros? ¿Qué diré del ladrar que hacen los cachorros y modernos a los mastinazos antiguos y graves?[88] ¿Y qué de los que murmuran de algunos ilustres y excelentes sujetos donde resplandece la verdadera luz de

[85] *Churrullero*: "'fanfarrón, charlatán', 'el que hace mal su profesión', del anticuado *churrillero* o *chorillero,* derivado de *Chor(r)illo,* nombre que se daba en castellano a la calle y hostería del *Cerriglio,* en Nápoles, donde solían reunirse los soldados hampones que no querían luchar", Corominas, II, 98a. Vuelve a usar el vocablo Cervantes en *El coloquio de los perros,* nota 203 ("rufianes churrulleros"), en el *Viaje del Parnaso,* VII ("bravo churrullero"), y en el *Quijote,* II, xlv ("churrillera, desvengonzada y embaidora").

[86] *Un no sé qué*: v. *La española inglesa,* nota 71.

[87] *Melifluo y alfeñicado*: así como "melifluo" viene del latín *mel,* 'miel', *alfeñicado* viene del arabismo "alfeñique", "al fanid", "dulce de azúcar".

[88] *Antiguos y graves*: es posible que en el trasfondo histórico de esta afirmación se pueda vislumbrar algo de las luchas entre culteranos y anticulteranos.

la poesía que, tomándola por alivio y entretenimiento de sus muchas y graves ocupaciones, muestran la divinidad de sus ingenios y la alteza de sus conceptos, a despecho y pesar del circunspecto ignorante que juzga de lo que no sabe y aborrece lo que no entiende, y del que quiere que se estime y tenga en precio la necedad que se sienta debajo de doseles y la ignorancia que se arrima a los sitiales?

Otra vez le preguntaron qué era la causa de que los poetas, por la mayor parte, eran pobres. Respondió que porque ellos querían, pues estaba en su mano ser ricos, si se sabían aprovechar de la ocasión que por momentos traían entre las manos, que eran las de sus damas, que todas eran riquísimas en extremo, pues tenían los cabellos de oro, frente de plata bruñida, los ojos de verdes esmeraldas, los dientes de marfil, los labios de coral y la garganta de cristal transparente, y que lo que lloraban eran líquidas perlas.[89] Y más, que lo que sus plantas pisaban, por dura y estéril tierra que fuese, al momento producía jazmines y rosas; y que su aliento era de puro ámbar, almizcle y algalia; y que todas estas cosas eran señales y muestras de su mucha riqueza. Éstas y otras cosas decía de los malos poetas; que de los buenos siempre dijo bien y los levantó sobre el cuerno de la luna.

Vio un día en la acera de San Francisco unas figuras pintadas de mala mano, y dijo que los buenos pintores imitaban a naturaleza;[90] pero que los malos la vomitaban.

Arrimóse un día con grandísimo tiento, por que no se quebrase, a la tienda de un librero, y díjole:

—Este oficio me contentara mucho si no fuera por una falta que tiene.

Preguntóle el librero se la dijese. Respondióle:

[89] *Líquidas perlas*: todos los elementos de esta descripción son lugares comunes del petrarquismo.

[90] *Imitaban a naturaleza*: "L'arte nostra è tutta imitazione della natura principalmente, e poi, per che da sé non può salir tanto alto, delle cose che da quelli che miglior' maestri di sé giudica sono condotte", Giorgio Vasari, *Le vite de' più eccellenti Architetti, Pittori, et Scultori Italiani da Cimabuè insino a tempi nostri* (1551), prefacio.

—Los melindres que hacen cuando compran un privilegio [91] de un libro, y de la burla que hacen a su autor si acaso le imprime a su costa, pues en lugar de mil y quinientos, imprimen tres mil libros, y cuando el autor piensa que se venden los suyos, se despachan los ajenos.

Acaeció este mismo día que pasaron por la plaza seis azotados, y diciendo el pregón: "Al primero, por ladrón", dio grandes voces a los que estaban delante de él, diciéndoles:

—Apartaos, hermanos, no comience aquella cuenta por alguno de vosotros.

Y cuando el pregonero llegó a decir: "Al trasero...", [92] dijo:

—Aquel debe de ser el fiador de los muchachos.

Un muchacho le dijo:

—Hermano Vidriera, mañana sacan a azotar a una alcahueta. [93]

Respondióle:

—Si dijeras que sacaban a azotar a un alcahuete, entendiera que sacaban a azotar un coche. [94]

Hallóse allí uno de estos que llevan sillas de manos, y díjole:

—De nosotros, Licenciado, ¿no teneis qué decir?

—No —respondió Vidriera—, sino que sabe cada uno de vosotros más pecados que un confesor; mas es con esta diferencia: que el confesor los sabe para tenerlos secretos, y vosotros, para publicarlos por las tabernas.

[91] *Privilegio,* firmado por un secretario real, como se puede ver en el primer tomo, el privilegio era la marca de la propiedad intelectual, que el autor, a su vez, podía vender a un librero a los fines de una rápida ganancia.

[92] *Al trasero*: "al que viene trasero, al último", y Vidriera lo entiende por "la parte posterior del cuerpo humano".

[93] *Alcahueta*: 1613, "alcagüeta", y dos líneas más abajo "alcagüete".

[94] *Un coche*: la creciente popularidad de los coches entre las clases adineradas como símbolo de prestigio desencadenó una tormenta de sátiras al respecto; otra, muy donosa, de Cervantes se puede leer en la "Carta de Sancho Panza a Teresa Panza, su mujer", *Quijote,* II, xxxvi.

Oyó esto un mozo de mulas, porque de todo género de gente le estaba escuchando contino,[96] y díjole:

—De nosotros, señor Redoma,[96] poco o nada hay que decir, porque somos gente de bien y necesaria en la república.

A lo cual respondió Vidriera:

—La honra del amo descubre la del criado. Según esto, mira a quién sirves y verás cuán honrado eres: mozos sois vosotros de la más ruin canalla que sustenta la tierra. Una vez, cuando no era de vidrio, caminé una jornada en una mula de alquiler tal que le conté ciento y veinte y una tachas, todas capitales y enemigas del género humano. Todos los mozos de mulas tienen su punta de rufianes, su punta de cacos,[97] y su es no es[98] de truhanes. Si sus amos (que así llaman ellos a los que llevan en sus mulas) son boquimuelles,[99] hacen más suertes en ellos que las que echaron en esta ciudad los años pasados. Si son extranjeros, los roban; si estudiantes, los maldicen; si religiosos, los reniegan; y si soldados, los tiemblan. Éstos, y los marineros y carreteros y arrieros, tienen un modo de vivir extraordinario y sólo para ellos: el carretero pasa lo más de la vida en espacio de vara y media de lugar, que poco más debe de haber del yugo de las mulas a la boca

[95] *Contino*: "continuamente", v. *La gitanilla,* nota 45.

[96] *Señor Redoma*: Juego de palabras. "Redoma. Vasija grande de vidro ventricosa y angosta de boca. Destos vasos usan los boticarios para sus aguas y jaraves. Díxose redoma, porque ultra de ser doblada en el gruesso del vidro, se mete en el fuego y se doma y recueze dos vezes. De aquí llamamos redomado al hombre cauteloso y astuto, porque está recozido en malicia", Covarrubias, s.v.

[97] *Cacos*: "Caco. Dizen aver sido hijo de Vulcano, porque siendo ladrón famoso hazía grandes estragos de robos, muertes e incendios", Covarrubias, s.n.

[98] *Es no es*: "poquedad, cosa de leve importancia", v. *Quijote,* I, xxiii.

[99] *Boquimuelles*: "Boquimuelle. El caballo demasiadamente blando de boca... Translaticiamente se toma por el que habla fácilmente lo que sabe; o el que sin dificultad concede quanto se le pide", *Dicc. Aut.,* s.v.

del carro; canta la mitad del tiempo y la otra mitad reniega. Y en decir: "Háganse a zaga" se les pasa otra parte; y si acaso les queda por sacar alguna rueda de algún atolladero, más se ayudan de dos pésetes [100] que de tres mulas. Los marineros son gente gentil, inurbana, que no sabe otro lenguaje que el que se usa en los navíos; en la bonanza son diligentes, y en la borrasca, perezosos; en la tormenta mandan muchos y obedecen pocos; su Dios es su arca y su rancho, y su pasatiempo, ver mareados a los pasajeros. Los arrieros son gente que ha hecho divorcio con las sábanas y se ha casado con las enjalmas; [101] son tan diligentes y presurosos, que a trueco de no perder la jornada, perderán el alma; su música es la del mortero; su salsa, el [102] hambre; sus maitines, levantarse a dar sus piensos; y sus misas, no oír ninguna.

Cuando esto decía, estaba a la puerta de un boticario, y volviéndose al dueño, le dijo:

—Vuesa merced tiene un saludable oficio, si no fuese tan enemigo de sus candiles.

—¿En qué modo soy enemigo de mis candiles? —preguntó el boticario.

Y respondió Vidriera:

—Esto digo porque en faltando cualquiera aceite la suple la del candil que está a mano; y aún tiene otra cosa este oficio bastante a quitar el crédito al más acertado médico del mundo.

Preguntándole por qué, respondió que había boticario, que, por no decir que faltaba en su botica lo que recetaba el médico, por las cosas que le faltaban ponía otras que a su parecer tenían la misma virtud y calidad, no siendo así; y con esto, la medicina mal compuesta obraba al revés de lo que había de obrar la bien ordenada.

Preguntóle entonces uno que qué sentía de los médicos, y respondió esto:

[100] *Pésetes*: "juramentos, maldiciones", v. *Quijote,* I, xv.

[101] *Enjalmas*: "Cierto género de albardoncillo morisco, labrado de paños de diferentes colores", Covarrubias, s.v.

[102] *El hambre*: 1613, "la hambre".

—*Honora medicum propter necessitatem, etenim creavit eum Altissimus. A Deo enim est omnis medela, et a rege accipiet donationem. Disciplina medici exaltavit caput illius, et in conspectu magnatum collaudabitur. Altissimus de terra creavit medicinam, et vir prudens non ab[h]orrebit illam.* [103] Esto dice —dijo— el *Eclesiástico* de la medicina y de los buenos médicos, y de los malos se podría decir todo al revés, porque no hay gente más dañosa a la república que ellos. El juez nos puede torcer o dilatar la justicia; el letrado, sustentar por su interés nuestra injusta demanda; el mercader, chuparnos la hacienda; finalmente, todas las personas con quien de necesidad tratamos nos pueden hacer algún daño; pero quitarnos la vida sin quedar sujetos al temor del castigo, ninguno. Sólo los médicos nos pueden matar y nos matan sin temor y a pie quedo, [104] sin desenvainar otra espada que la de un *récipe.* [105] Y no hay descubrirse sus delitos, porque al momento los meten debajo de la tierra. Acuérdaseme que cuando yo era hombre de carne, y no de vidrio, como ahora soy, que a un médico de estos de segunda clase le despidió un enfermo por curarse con otro, y el primero, de allí a cuatro días, acertó a pasar por la botica donde recetaba [106] el segundo, y preguntó al boticario que cómo le iba al enfermo que él había dejado, y que si le había recetado alguna purga el otro médico. El boticario le respondió que allí tenía una receta de purga que el día siguiente había de tomar el

[103] *Illam*: "Honra al médico por cuanto tienes de él necesidad, pues a él también le ha creado Dios. De Dios procede la habilidad del médico, y del rey recibe obsequios. La ciencia del médico hácele llevar erguida la cabeza y se mantiene delante de los grandes. Dios saca de la tierra los remedios y un hombre inteligente no los despreciará", *Eclesiástico,* XXXVIII, 1-4, trad. José María Bover y Francisco Cantera Burgos.

[104] *A pie quedo*: "Phrase adverbial que vale sin mover los pies, o sin andar", *Dicc. Aut.,* s.v. *pie.*

[105] *Récipe*: "Voz puramente Latina, introducida en nuestra Lengua, que significa lo mismo que Receta de Médico", *Dicc. Aut.,* s.v.

[106] *Recetaba*: 1613, "receptaba". Dos líneas más abajo: "receptado".

enfermo. Dijo que se la mostrase, y vio que al fin de ella estaba escrito: *Sumat dilúculo,*[107] y dijo: "Todo lo que lleva esta purga me contenta, si no es este *dilúculo,* porque es húmedo demasiadamente."

Por estas y otras cosas que decía de todos los oficios se andaban tras él, sin hacerle mal y sin dejarle sosegar; pero, con todo esto, no se pudiera defender de los muchachos si su guardián no le defendiera. Preguntóle uno qué haría para no tener envidia a nadie. Respondióle:

—Duerme: que todo el tiempo que durmieres serás igual al que envidias.

Otro le preguntó qué remedio tendría para salir con una comisión que había dos años que la pretendía. Y díjole:

—Parte a caballo y a la mira de quien la lleva, y acompáñale hasta salir de la ciudad, y así saldrás con ella.[109]

Pasó acaso una vez por delante donde él estaba un juez de comisión que iba de camino a una causa criminal, y llevaba mucha gente consigo y dos alguaciles; preguntó quién era, y como se lo dijeron, dijo:

—Yo apostaré que lleva aquel juez víboras en el seno, pistoletes en la cinta[110] y rayos en las manos, para destruir todo lo que alcanzare su comisión. Yo me acuerdo haber tenido un amigo que en una ocasión criminal que tuvo dio una sentencia tan exorbitante, que excedía en muchos quilates[111] a la culpa de los delincuentes. Preguntéle que por qué había dado aquella tan cruel sentencia y hecho tan manifiesta injusticia. Respondióme que pensaba otorgar la apelación, y que con esto dejaba campo abierto a los

[107] *Sumat dilúculo*: indicación para un medicamento que debe tomarse al amanecer (*diluculum,* "amanecer"), pero, al mismo tiempo, juego de palabras basado sobre el sentido en romance de una forma *dilu-culo.*

[108] *Envidia*: 1613, "embidia".

[109] *Saldrás con ella*: en su doble sentido de "tener éxito" y "salir de la ciudad con ella".

[110] *Cinta*: 1613, "tinta". Rodríguez Marín corrigió, adecuadamente, *cinta,* 'cintura', ya que se está hablando de partes del cuerpo del juez.

[111] *Quilates*: "metaphóricamente vale el grado de perfección en qualquier cosa no material", *Dicc. Aut.,* s.v.

señores del Consejo para mostrar su misericordia moderando y poniendo aquella su rigurosa sentencia en su punto y debida proporción. Yo le respondí que mejor fuera haberla dado de manera que les quitara de aquel trabajo, pues con esto le tuvieran a él por juez recto y acertado.

En la rueda de la mucha gente que, como se ha dicho, [112] siempre le estaba oyendo, estaba un conocido suyo en hábito de letrado, [113] al cual otro le llamó *Señor Licenciado*; y sabiendo Vidriera que el tal a quien llamaron licenciado no tenía ni aun título de bachiller, le dijo:

—Guardaos, compadre, no encuentren con vuestro título los frailes de la redención de cautivos, que os le llevarán por mostrenco. [114]

A lo cual dijo el amigo:

—Tratémonos bien, señor Vidriera, pues ya sabeis vos que soy hombre de altas y profundas letras.

Respondióle Vidriera:

—Ya yo sé que sois un Tántalo en ellas, porque se os van por altas y no las alcanzais de profundas. [115]

Estando una vez arrimado a la tienda de un sastre, viole que estaba mano sobre mano, y díjole:

—Sin duda, señor maestro, [116] que estais en camino de salvación.

—¿En qué lo veis? —preguntó el sastre.

[112] *Como se ha dicho*: intervención del autor que demuestra su control sobre la materia.

[113] *Hábito de letrado*: de negro, con sotana y manteo.

[114] *Mostrenco*: "adjetivo que se aplica a la alhaja o bienes que no tienen dueño conocido, y por esso pertenecen al Príncipe o Comunidad que tiene privilegio dél", *Dicc. Aut.* s.v. Y citan a Jerónimo Castillo de Bobadilla, *Política para Corregidores y Señores de vassallos* (Madrid, Luis Sánchez, 1597), en texto que explica perfectamente este pasaje: "Estos *mostrencos* he visto que llevan en muchas Ciudades los Conventos de la Trinidad y de la Merced, por privilegios y costumbre que de ello tienen."

[115] *De profundas*: el suplicio de Tántalo consistía en estar sediento y hambriento en el medio de un estanque de agua que se retiraba cuando quería beber y debajo de unos frutales cuyas ramas las apartaba el viento cuando quería alcanzar la fruta.

[116] *Maestro*: 1613, "maeso".

—¿En qué lo veo? —respondió Vidriera—. Véolo en que pues no teneis que hacer, no tendreis ocasión de mentir.

Y añadió:

—Desdichado del sastre que no miente y cose las fiestas: cosa maravillosa es que casi en todos los de este oficio apenas se hallará uno que haga un vestido justo, habiendo tantos que los hagan pecadores.[117]

De los zapateros decía que jamás hacían, conforme a su parecer, zapato malo; porque si al que se le calzaban venía estrecho y apretado, le decían que así había de ser, por ser de galanes calzar justo, y que en trayéndolos dos horas vendrían más anchos que alpargatas;[118] y si le venían anchos, decían que así habían de venir, por amor de[119] la gota.

Un muchacho agudo que escribía en un oficio de provincia[120] le apretaba mucho con preguntas y demandas, y le traía nuevas de lo que en la ciudad pasaba, porque sobre todo discantaba[121] y a todo respondía. Éste le dijo una vez:

—Vidriera, esta noche se murió en la cárcel un banco[122] que estaba condenado a ahorcar.

117 *Pecadores*: el equívoco entre *justo* y *pecadores* alude a la pésima fama de que gozaban los sastres, como ilustra el juicio de Sancho Panza en la Ínsula Barataria, *Qiujote,* II, xlv.

118 *Alpargatas*: 1613, "alpargates".

119 *Por amor de*: "a causa de"; hoy en día, en forma avulgarada y jocosa *por mor de.* De los zapateros dice Covarrubias, s.v. *çapato*: "Çapatero, el oficial de hazer çapatos, que aunque parece oficio vil muchos han enriquezido en él."

120 *Oficio de provincia*: vale decir, 'escribanía de provincia'. "Escribanía. Generalmente significa el oficio que exercen los Escribanos, de que hai distintas classes: como Escribanía de Cámara, del Rey, del Consejo, del Número de las Ciudades, Villas y Lugares, y según el orden y classe de cada una, es la estimación y aprecio de los tales Oficios y Escribanías", *Dicc. Aut.,* s.v.

121 *Discantaba*: "vale también glossar o añadir alguna cosa a otra, o hablar mucho sobre alguna materia", *Dicc. Aut.*, s.v.

122 *Banco*: "Sinifica algunas vezes el cambiador, tomando nombre del banco material donde está sentado para dar y recebir el dinero", Covarrubias, s.v.

A lo cual respondió:

—Él hizo bien a darse prisa a morir antes que el verdugo se sentara sobre él.

En la acera de San[123] Francisco estaba un corro de genoveses,[124] y pasando por allí, uno de ellos le llamó, diciéndole:

—Lléguese acá el señor Vidriera y cuéntenos un cuento.

Él respondió:

—No quiero, porque no me le paseis a Génova.[125]

Topó una vez a una tendera que llevaba delante de sí una hija suya muy fea, pero muy llena de dijes, de galas y de perlas, y díjole a la madre:

—Muy bien habeis hecho en empedrarla, porque se pueda pasear.

De los pasteleros dijo que había muchos años que jugaban a la dobladilla[126] sin que les llevasen [a] la pena, porque habían hecho el pastel de a dos de a cuatro, el de a cuatro de a ocho, y el de a ocho de a medio real, por sólo su albedrío y beneplácito. De los titereros decía mil males: decía que era gente vagamunda y que trataba con indecencia de las cosas divinas, porque con las figuras que mostraban en sus retablos[127] volvían la devoción en risa, y que les acontecía envasar en un costal todas o las más figuras del Testamento Viejo y Nuevo y sentarse sobre él

[123] *San Francisco*: 1613, "S. Francisco".

[124] *Genoveses*: 1613, "ginoveses".

[125] *Génova*: juego de palabras basado en las dos acepciones de *cuento,* "relato" y "millón". Las actividades bancarias de los genoveses habían inundado a España, en particular Andalucía. Banquero genovés era el padre de Guzmán de Alfarache: "Era su trato el ordinario de aquella tierra y lo es ya por nuestros pecados en la nuestra", I, i, 1.

[126] *Dobladilla*: juego de naipes: "El juego de la dobladilla, que es el que más agora usan, casi ha desterrado a la primera y a los otros, y éste es un juego tan a la balda, que no hay lugar en él de hacer tantas maldades y bellaquerías", Antonio de Torquemada, *Colloquios satíricos* (Mondoñedo, Agustín de Paz, 1553), colloquio I, quien de inmediato pasa a detallar la cantidad de trampas que se pueden hacer en este juego.

[127] *Retablos*: 1613, "retratos".

a comer y beber en los bodegones y tabernas; en resolución, decía que se maravillaba de cómo quien podía no les ponía perpetuo silencio en sus retablos, o los desterraba del reino.

Acertó a pasar una vez por donde él estaba un comediante vestido como un príncipe, y en viéndole, dijo:

—Yo me acuerdo haber visto a éste salir al teatro enharinado el rostro y vestido un zamarro [128] del revés, y con todo esto, a cada paso fuera del tablado, jura a fe de hidalgo.[129]

—Débelo de ser —respondió uno—, porque hay muchos comediantes que son muy bien nacidos e hidalgos.[130]

—Así será verdad —replicó Vidriera—; pero lo que menos ha menester la farsa es personas bien nacidas; galanes sí, gentiles hombres y de expeditas lenguas. También sé decir de ellos que en el sudor de su cara ganan su pan con inllevable trabajo, tomando continuo de memoria, hechos perpetuos gitanos, de lugar en lugar y de mesón en venta, desvelándose en contentar a otros, porque en el gusto ajeno consiste su bien propio. Tienen más, que con su oficio no engañan a nadie, pues por momentos sacan su mercaduría a pública plaza, al juicio y a la vista de todos. El trabajo de los autores [131] es increíble, y su cuidado, extraordinario, y han de ganar mucho para que al cabo del año no salgan tan empeñados que les sea forzoso hacer pleito de acreedores. Y con todo esto, son necesarios en la república, como lo son las florestas, las alamedas y las vistas de recreación, y como lo son las cosas que honestamente recrean.

[128] *Zamarro*: "Vestidura de pieles de corderunas o abortos, que son delgadas y tienen el pelo blando y corto. Estos son los çamarros de gente regalada, a otros llaman çamarras, propio hábito de pastores, de mayores pieles, aunque atufadas", Covarrubias, s.v. *çamarro*.

[129] *Hidalgo*: 1613, "hijodalgo".

[130] *Hidalgos*: 1613, "hijosdalgo".

[131] *Los autores*: el autor de comedias era el director de la compañía teatral, no el dramaturgo.

Decía que había sido opinión de un amigo suyo que el que servía a una comedianta, en sola una servía a muchas damas juntas, como era a una reina, a una ninfa, a una diosa, a una fregona, a una pastora, y muchas veces caía la suerte en que sirviese [132] en ella a un paje y a un lacayo, que todas estas y más figuras suele hacer una farsanta.

Preguntóle uno que cuál había sido el más dichoso del mundo. Respondió que *Nemo*; porque *Nemo novit Patrem;* [133] *Nemo sine crimine vivit;* [134] *Nemo sua sorte contentus;* [135] *Nemo ascendit in coelum.* [136]

132 *Sirviese*: 1613, "seruiesse".

133 *Nemo novit Patrem*: "Omnia mihi tradita sunt a Patre meo. Et nemo novit Filium, nisi Pater: neque Patrem quis novit, nisi Filius, et cui voluerit Filius revelare", *San Mateo,* XI, 27; "Todas las cosas me fueron entregadas por mi Padre, y ninguno conoce cabalmente al Hijo sino el Padre, ni al Padre conoce alguno cabalmente sino el Hijo y aquel a quien quisiera el Hijo revelarlo", trad. Bover-Cantera Burgos.

134 *Nemo sine crimine vivit*: la fuente aquí es muy indirecta; remonta a los *Disticha Catonis,* y cito por *Aquí comiençan los castigos y doctrinas que dio el sabio Catón a su hijo* (Medina del Campo, Pedro de Castro, 1543): "De los hombres reboltosos te deues arredrar / a las buenas costumbres te deues allegar / de persona del mundo no quieras de tratar / que no biue en el mundo ninguno sin pecar", ed. A. Rodríguez-Moñino, *Los pliegos poéticos de la colección del Marqués de Morbecq (siglo XVI),* (Madrid, 1962), 207.

135 *Nemo sua sorte contentus*: recuerdo de Horacio, sátira I, al comienzo: "Qui fit Maecenas, ut nemo quam sibi sortem / seu ratio dederit, seu fors objecerit illa / contentus vivat?"; en la traducción de Javier de Burgos, *Poesías traducidas en verso castellano* (Madrid, Collado, 1818-1821): "¿De qué nace, Mecenas, / que (a la elección la deba o la fortuna) / su suerte cada cual halla importuna, / y con envidia mira las ajenas?"

136 *Nemo ascendit in coelum*: "Et nemo ascendit in caelum, nisi qui descendit de caelo, Filius hominis, qui est in caelo", *San Juan,* III, 13; "Y nadie ha subido al cielo, si no es el que ha bajado del cielo, el Hijo del hombre, que está en el cielo", trad. Bover-Cantera Burgos. Al llegar a este punto creo evidente que Cervantes ha hecho suyo el consejo que dio el amigo al autor del *Quijote*: "Vengamos ahora a la citación de los autores que los otros libros tienen, que en el vuestro os faltan. El remedio que esto tiene es muy fácil, porque no habeis de hacer otra cosa que buscar un libro que los acote todos, desde la A hasta la Z, como

De los diestros[137] dijo una vez que eran maestros de una ciencia o arte que cuando la habían menester no la sabían, y que tocaban algo en presuntuosos,[138] pues querían reducir a demostraciones matemáticas, que son infalibles, los movimientos y pensamientos coléricos de sus contrarios. Con los que se teñían las barbas tenía particular enemistad; y riñendo una vez delante dél dos hombres que el uno era portugués, éste dijo al castellano, asiéndose de las barbas, que tenía muy teñidas:

—*Por istas barbas que teño no rostro...*

A lo cual acudió Vidriera:

—*Ollay, home, naon digais teño, sino tiño.*[139]

Otro traía las barbas jaspeadas y de muchas colores, culpa de la mala tinta; a quien dijo Vidriera que tenía las barbas de muladar overo.[140] A otro, que traía las barbas por mitad blancas y negras por haberse descuidado, y los cañones crecidos, le dijo que procurase de no porfiar ni reñir con nadie porque estaba aparejado a que le dijesen que mentía por la mitad de la barba.[141]

---

vos decís", prólogo de 1605. Me he explayado sobre esto en la Introducción.

137 *Diestros*: "comúnmente se toma por aquel que juega bien las armas, y con destreza", Covarrubias, s.v. Don Quijote está de acuerdo con la opinión del licenciado Vidriera: "Mas agora ya triunfa la pereza de la diligencia, la ociosidad del trabajo, el vicio de la virtud, la arrogancia de la valentía, y la teórica de la práctica de las armas", *Quijote,* II, i. Pero en el encuentro de armas entre el licenciado y el bachiller Corchuelo triunfa el científico licenciado: "El cual testimonio sirve y ha servido para que se conozca y vea con toda verdad cómo la fuerza es vencida del arte", *Quijote,* II, xix.

138 *Presuntuosos*: 1613, "presumptuosos".

139 *Teño, sino tiño*: port. *tenho=teño, tiño* de *teñir.*

140 *Muladar overo*: "Muladar. El lugar fuera de los muros de la villa o ciudad, adonde se echa el estiércol y la basura", Covarrubias, s.v. "Overo. Lo que es de color de huevo. Aplícase regularmente al caballo", *Dicc. Aut.,* s.v. Se alude a la suciedad y color de la barba en el texto.

141 *Mitad de la barba*: "Es decir o afirmar por cierto lo que no es", *Dicc. Aut.,* s.v. *mentir.* Gracioso uso de la misma fórmula hace don Quijote, cuando dijo que "sustentaría cómo la doncella mentía por mitad de la barba", II, 54.

Una vez contó que una doncella discreta y bien entendida, por acudir a la voluntad de sus padres, dio el sí de casarse con un viejo todo cano, el cual la noche antes del día del desposorio se fue, no al río Jordán, [142] como dicen las viejas, sino a la redomilla del agua fuerte [143] y plata, con que renovó de manera su barba, que la acostó de nieve y la levantó de pez. Llegóse la hora de darse las manos, [144] y la doncella conoció por la pinta [145] y por la tinta la figura, y dijo a sus padres que le diesen el mismo esposo que ellos le habían mostrado, que no quería otro. Ellos le dijeron que aquel que tenía delante era el mismo que le habían mostrado y dado por esposo. Ella replicó que no era, y trajo testigos como el que sus padres le dieron era un hombre grave y lleno de canas, y que pues el presente no las tenía, no era él, y se llamaba a engaño. Atúvose a esto, corrióse el teñido, y deshízose el casamiento. [146]

Con las dueñas tenía la misma ojeriza que con los escabechados; [147] decía maravillas de su *permafoy,* [148] de las mortajas de sus tocas, [149] de sus muchos melindres, de sus escrúpulos y de su extraordinaria miseria. Amohinábanle

142 *Río Jordán*: "Bañarse en el rrío Xordán. Tiene el vulgo esta opinión kasi kreída: ke bañándose en el rrío Xordán se rremozan", Correas, 351a.

143 *Agua fuerte*: "es la que se compone de vinagre, sal y cardenillo, sacada al fuego. Es útil para muchas cosas, y particularmente con su fortaleza dissuelve la plata, y otros metales, por cuya razón se llama agua fuerte", *Dicc. Aut.*, s.v. *agua.*

144 *Darse las manos*: en señal de desposorio, v. *La gitanilla,* nota 147.

145 *Por la pinta*: "Pinta, cerca de los jugadores de naipes, es la raya del naipe, y assí dezimos conocer por la pinta", Covarrubias, s.v. *La tinta* es alusión al teñido del viejo.

146 Este gracioso ocurrido es desarrollo del motivo folklórico que Stith Thompson clasifica K 1821. 1. *Disguise by dyeing beard.*

147 *Los escabechados*: 'los teñidos'; *Coloquio de los perros,* nota 212; "Ea, Gavilán amigo, salta por aquel viejo verde que tú conoces que se escabecha las barbas."

148 *Permafoy*: interjección, del francés "par ma foi", 'a fe mía'.

149 *Mortajas de sus tocas*: "Mortaja. La vestidura, sábana u otra cosa en que se envuelve el cadáver para el sepulchro", *Dicc. Aut.,* s.v., con lo que hay maliciosa alusión a la ancianidad de las dueñas.

sus flaquezas de estómago, sus vaguidos de cabeza, su modo de hablar, con más repulgos que sus tocas, y, finalmente, su inutilidad y sus vainillas.[150]

Uno le dijo:

—¿Qué es esto, señor Licenciado, que os he oído decir mal de muchos oficios y jamás lo habeis dicho de los escribanos, habiendo tanto que decir?

A lo cual respondió:

—Aunque de vidrio, no soy tan frágil que me deje ir con la corriente del vulgo, las más veces engañado. Paréceme a mí que la gramática de los murmuradores y el *la, la, la* de los que cantan, son los escribanos; porque así como no se puede pasar a otras ciencias si no es por la puerta de la gramática, y como el músico primero murmura que canta, así los maldicientes, por donde comienzan a mostrar la malignidad de sus lenguas es por decir mal de los escribanos y alguaciles y de los otros ministros de la justicia, siendo un oficio el del escribano sin el cual andaría la verdad por el mundo a sombra de tejados,[151] corrida y maltratada; y así dice el *Eclesiástico: In manu Dei potestas hominis est, et super faciem scribe imponet honorem.*[152] Es el escribano persona pública, y el oficio del juez no se puede ejercitar cómodamente sin el suyo. Los escribanos han de ser libres, y no esclavos, ni hijos de esclavos; legítimos, no bastardos ni de ninguna mala raza nacidos. Juran de secreto fidelidad y que no harán escritura usuraria; que ni amistad ni enemistad, provecho o daño les moverá a no hacer su oficio con buena y cristiana con-

[150] *Vainillas*: v. *La gitanilla,* nota 64. La dueña es un personaje folklórico de la literatura de la Edad de Oro, y siempre satirizada; excelente ejemplo nos brinda Cervantes en doña Rodríguez, del *Quijote,* II, xlviii, *seq.*

[151] *Sombra de tejados*: "phrase adverbial, con que se significa que alguno está encubierto, dissimulado, u oculto por algún delito, por el qual conviene que no le vean", *Dicc. Aut.,* s.v. *tejado.*

[152] *Imponet honorem*: "In manu Dei prosperitas hominis, et super faciem scribae imponet honorem suum", *Eclesiástico,* X, 5; "En las manos de Dios está la autoridad de todo hombre, y a la persona del soberano confiere su dignidad", trad. Bover-Cantera Burgos.

ciencia. Pues si este oficio tantas buenas partes requiere, ¿por qué se ha de pensar que de más de veinte mil escribanos que hay en España se lleve el diablo la cosecha, como si fuesen cepas de su majuelo? No lo quiero creer, ni es bien que ninguno lo crea; porque, finalmente, digo que es la gente más necesaria que había en las repúblicas bien ordenadas, y que si llevaban demasiados derechos, también hacían demasiados tuertos, y que de estos dos extremos podía resultar un medio que les hiciese mirar por el virote. [153]

De los alguaciles dijo que no era mucho que tuviesen algunos enemigos, siendo su oficio, o prenderte, o sacarte la hacienda de casa, o tenerte en la suya en guarda y comer a tu costa. Tachaba la negligencia e ignorancia de los procuradores y solicitadores, comparándolos a los médicos, los cuales, que sane o no sane el enfermo, ellos llevan su propina, y los procuradores y solicitadores, lo mismo, salgan o no salgan con el pleito que ayudan. [154]

Preguntóle uno cuál era la mejor tierra. Respondió que la temprana y agradecida. Replicó el otro:

—No pregunto eso, sino que cuál es mejor lugar: ¿Valladolid o Madrid?

Y respondió:

—De Madrid, los extremos; de Valladolid, los medios.

—No lo entiendo —repitió el que se lo preguntaba.

Y dijo:

[153] *Mirar por el virote*: "Mirar por el virote es atender cada uno con vigilancia a lo que ha de hazer: metáfora tomada del que tira desde algún puesto a los conejos en ojeo, que ha de estar quedo hasta que ayan passado, y después sale a buscar los virotes", Covarrubias, s.v. *virote.* Dada la pésima fama de los escribanos en la literatura de la época se debe suponer que el elogio de Cervantes aquí es una larga y sangrienta ironía. Tras violento ataque contra ellos termina Mateo Alemán diciendo: "¿Escribano en el cielo? Fruta nueva, fruta nueva", *Guzmán de Alfarache,* I, i, l, v. Francisco Rico, *La novela picaresca española,* I (Barcelona, 1967), 117-118, con bibl. sobre el tema.

[154] *Que ayudan*: la sátira contra todo este tipo de empleos se convirtió en folklórica en la literatura de la época, y no vale la pena ilustrarla.

—De Madrid, cielo y suelo; de Valladolid, los entresuelos.[155]

Oyó Vidriera que dijo un hombre a otro que así como había entrado en Valladolid, había caído su mujer muy enferma, porque la había probado la tierra.[156]

A lo cual dijo Vidriera:

—Mejor fuera que se la hubiera comido, si acaso es celosa.[157]

De los músicos y de los correos de a pie decía que tenían las esperanzas y las suertes limitadas, porque los unos la acataban con llegar a serlo de a caballo, y los otros con alcanzar a ser músicos del Rey. De las damas que llaman *cortesanas* decía que todas, o las más, tenían más de corteses que de sanas.

Estando un día en una iglesia vio que traían a enterrar a un viejo, a bautizar a un niño y a velar una mujer, todo a un mismo tiempo, y dijo que los templos eran campos de batalla, donde los viejos acaban, los niños vencen y las mujeres triunfan.

Picábale una vez una avispa en el cuello, y no se la osaba sacudir, por no quebrarse; pero, con todo eso, se quejaba. Preguntóle uno que cómo sentía aquella avispa, si era su cuerpo de vidrio. Y respondió que aquella avispa debía de ser murmuradora, y que las lenguas y picos de los murmuradores eran bastantes a desmoronar cuerpos de bronce, no que[158] de vidrio.

Pasando acaso un religioso muy gordo por donde él estaba, dijo uno de sus oyentes:

[155] *Los entresuelos*: "alusión a lo fangoso de Valladolid y a las muchas nieblas que en él había", Schevill-Bonilla, *NE,* II, 375.

[156] *Probado la tierra*: Probar mal la tierra, "phrase con que se da a entender que a alguno le hizo daño en la salud la mudanza de un lugar a otro, enfermando luego, por la diferencia de los aires o mantenimientos. Dícese también sólo probar la tierra", *Dicc. Aut.*, s.v. *probar.*

[157] *Es celosa*: a la mujer celosa, que se la trague la tierra.

[158] *No que*: "no sólo que"; "Confiad en Dios y en el señor don Quijote, que os ha de dar un reino, no que una ínsula", *Quijote,* II, iv.

—De hético [159] no se puede mover el padre.

Enojóse Vidriera, y dijo:

—Nadie se olvide de lo que dice el Espíritu Santo: *Nolite tangere christos meos.* [160]

Y subiéndose más en cólera, dijo que mirasen en ello, y verían que de muchos santos que de pocos años a esta parte había canonizado la Iglesia y puesto en el número de los bienaventurados, ninguno se llamaba el capitán don Fulano, ni el secretario don Tal de don Tales, ni el Conde, Marqués o Duque de tal parte, sino fray Diego, fray Jacinto, fray Raimundo, todos frailes y religiosos; porque las religiones son los Aranjueces del cielo, cuyos frutos, de ordinario, se ponen en la mesa de Dios.

Decía que las lenguas de los murmuradores eran como las plumas del águila: [161] que roen y menoscaban todas las de las otras aves que a ellas se juntan. De los gariteros y tahures decía milagros: decía que los gariteros eran públicos prevaricadores, porque en sacando el barato [162] del que iba haciendo suertes, deseaban que perdiese y pasase el naipe adelante, porque el contrario las hiciese y él cobrase sus derechos. Alababa mucho la paciencia de un tahur, que estaba toda una noche jugando y perdiendo, y con ser de condición colérico [163] y endemoniado, a trueco de que su contrario no se alzase, no descosía la boca, y sufría lo que un mártir de Barrabás. Alababa también las conciencias de algunos honrados gariteros que ni por imaginación consentían que en su casa se jugase otros juegos que

[159] *Hético*: 1613, "ético"; el juego de palabras permanece, a pesar de la ortografía.

[160] *Christos meos*: "Nolite tangere christos meos: et in prophetis meis nolite malignari", *I Paralipómenos,* XVI, 22, e idéntico texto en *Salmos,* CIV, 15; "No toqueis mis ungidos, y a mis profetas no les hagais daño", trad. Bover-Cantera Burgos.

[161] *Plumas del águila*: al contacto de ellas se pudren cualesquiera otras, fábula autorizada por Plinio, *Naturalis Historia,* X, iv (aunque Schevill-Bonilla, *NE,* II, 376, al usar la trad. de Jerónimo de Huerta dan X, iii).

[162] *El barato*: propina, v. *La gitanilla,* nota 35.

[163] *Condición colérico*: v. *El amante liberal,* nota 8a.

polla y ciento;[164] y con esto, a fuego lento, sin temor y nota de malsines, sacaban al cabo del mes más barato que los que consentían los juegos de estocada,[165] del reparolo, siete y llevar, y pinta en la del pu[n]to.

En resolución, él decía tales cosas, que si no fuera por los grandes gritos que daba cuando le tocaban o a él se arrimaban, por el hábito que traía, por la estrecheza de su comida, por el modo con que bebía, por el no querer dormir sino al cielo abierto en el verano y el invierno en los pajares, como queda dicho, con que daba tan claras señales de su locura, ninguno pudiera creer sino que era uno de los más cuerdos del mundo.

Dos años o poco más duró en esta enfermedad, porque un religioso de la Orden de San Jerónimo, que tenía gracia y ciencia particular en hacer los mudos entendiesen y en cierta manera hablasen,[166] y en curar locos, tomó a su cargo de curar a Vidriera, movido de caridad, y le curó y sanó, y volvió a su primer juicio, entendimiento y discurso. Y así como le vio sano, le vistió como letrado[167] y le hizo volver a la Corte, adonde, con dar tantas muestras de cuerdo como las había dado de loco, podía usar su oficio y hacerse famoso por él.

Hízolo así, y llamándose el licenciado Rueda, y no Rodaja, volvió a la Corte, donde apenas hubo entrado, cuando fue conocido de los muchachos; mas como le vieron en tan diferente hábito del que solía, no le osaron dar grita

[164] *Polla y cientos*: "Polla. En el juego del hombre y otros, se llama assí aquella porción que se pone y apuesta entre los que juegan", *Dicc. Aut.*, s.v. *Cientos*: "juego de naipes que comúnmente se juega entre dos, y el que primero llega a hacer cien puntos, según las leyes establecidas, gana la suerte", *Dicc. Ac.*, s.v. Sobre los demás juegos, v. Alonso Hernández, s.v.

[165] *Juegos de estocada*: "juego rápido y de bastante dinero", Alonso Hernández, s.v. "estocada".

[166] *Manera hablasen*: todo esto puede tener un cierto trasfondo histórico, como que poco antes el benedictino fray Pedro Ponce de León tuvo sonado éxito en este arte, v. Justo Pérez de Urbel, *Fray Pedro Ponce de León y el origen del arte de enseñar a hablar a los mudos* (Madrid, 1973).

[167] *Letrado*: v. nota 113.

ni hacer preguntas; pero seguíanle, y decían uno a otros:

—¿Este no es el loco Vidriera? A fe que es él. Ya viene cuerdo. Pero tan bien [168] puede ser loco bien vestido como mal vestido: preguntémosle algo, y salgamos de esta confusión.

Todo esto oía el Licenciado, y callaba, e iba más confuso y más corrido que cuando estaba sin juicio.

Pasó el conocimiento de los muchachos a los hombres, y antes que el Licenciado llegase al patio de los Consejos [169] llevaba tras de sí más de doscientas personas de todas suertes. Con este acompañamiento, que era más que de un catedrático, [170] llegó al patio, donde le acabaron de circundar cuantos en él estaban. El, viéndose con tanta turba a la redonda, alzó la voz y dijo:

—Señores, yo soy el licenciado Vidriera, pero no el que solía: soy ahora el licenciado Rueda. [171] Sucesos y desgracias que acontecen en el mundo por permiso [172] del cielo me quitaron el juicio, y las misericordias de Dios me le han vuelto. Por las cosas que dicen que dije cuando loco, podeis considerar las que diré y haré cuando cuerdo. Yo soy graduado en leyes por Salamanca, adonde estudié con pobreza y adonde llevé segundo en licencias: [173] de donde [174]

[168] *Tan bien*: 1613, "también".

[169] *Patio de los Consejos*: Consejos Reales, en el antiguo Palacio Real.

[170] *Un catedrático*: en las universidades, antiguamente, los días de elección los catedráticos llevaban entusiastas comitivas.

[171] *El licenciado Rueda*: en análogas circunstancias don Quijote exclamará: "Dadme albricias, buenos señores, de que ya yo no soy don Quijote de la Mancha, sino Alonso Quijano, a quien mis costumbres me dieron renombre de *Bueno*", II, lxxiv. Estas observaciones van ampliadas en la Introducción.

[172] *Permiso*: 1613, "permisión".

[173] *Segundo en licencias*: esto lo sabía don Quijote muy bien, como demostró en sus consejos a don Lorenzo de Miranda: "Procure vuesa merced llevar el segundo premio, que el primero siempre se lleva el favor o la gran calidad de la persona, el segundo se le lleva la mera justicia, y el tercero viene a ser el segundo, y el primero, a esta cuenta, será el tercero, al modo de las licencias que se dan en las universidades", II, xviii.

[174] *Donde*: 1613, "do".

se puede inferir que más la virtud que el favor me dio el grado que tengo. Aquí he venido a este gran mar de la Corte para abogar y ganar la vida; pero si no me dejais, habré venido a bogar y granjear la muerte: por amor de Dios que no hagais que el seguirme sea perseguirme y que lo que alcancé por loco, que es el sustento, lo pierda por cuerdo. Lo que solíades preguntarme en las plazas, preguntádmelo ahora en mi casa, y vereis que el que os respondía bien, según dicen, de improviso, os responderá mejor de pensado.

Escucháronle todos y dejáronle algunos. Volvióse a su posada con poco menos acompañamiento que había llevado.

Salió otro día, y fue lo mismo; hizo otro sermón, y no sirvió de nada. Perdía mucho y no ganaba cosa, y viéndose morir de hambre, determinó de dejar la Corte y volverse a Flandes,[175] donde pensaba valerse de las fuerzas de su brazo, pues no se podía valer de las de su ingenio. Y poniéndolo en efecto,[176] dijo al salir de la Corte:

—¡Oh Corte, que alargas las esperanzas de los atrevidos pretendientes y acortas las de los virtuosos encogidos, sustentas abundantemente a los truhanes desvergonzados y matas[177] de hambre a los discretos vergonzosos!

Esto dijo y se fue a Flandes, donde la vida que había comenzado a eternizar por las letras la acabó de eternizar por las armas, en compañía de su buen amigo el capitán Valdivia,[178] dejando fama en su muerte de prudente y valentísimo soldado.

175 *Flandes*: v. nota 51.
176 *En efecto*: 1613, "en efeto".
177 *Matas*: 1613, "matar".
178 *El capitán Valdivia*: v. nota 13.

NOVELA DE
LA FUERZA DE LA SANGRE

La fuerza de la sangre: "... y donde pensó hallar un desmayo halló dos, porque ya estaba Rodolfo puesto el rostro sobre el pecho de Leocadia."

Una noche de las calurosas del verano volvían de recrearse del río en Toledo, un anciano hidalgo con su mujer, un niño pequeño, una hija de edad de dieciseis [1] años y una criada. La noche era clara; la hora, las once; el camino, solo, y el paso, tardo, por no pagar con cansancio la pensión [2] que traen consigo las holguras que en el río o en la vega se toman en Toledo.

Con la seguridad que promete la mucha justicia y bien inclinada gente de aquella ciudad, venía el buen hidalgo con su honrada familia, lejos de pensar en desastre que sucederles pudiese. Pero como las más de las desdichas que vienen no se piensan, contra todo su pensamiento les sucedió una que les turbó la holgura y les dio que llorar muchos años.

Hasta veintidós [3] tendría un caballero de aquella ciudad a quien la riqueza, la sangre ilustre, la inclinación torcida, la libertad demasiada y las compañías libres, le hacían hacer cosas y tener atrevimientos que desdecían de su calidad y le daban renombre de atrevido.

Este caballero, pues —que por ahora, por buenos respetos, [4] encubriendo su nombre, le llamaremos con el de

[1] *Dieciseis*: 1613, "diez y seys".

[2] *Pensión*: "metaphóricamente se toma por el trabajo, tarea, pena o cuidado, que es como consequencia de alguna cosa que se logra, y la sigue inseparablemente", *Dicc. Aut.*, s.v.

[3] *Veintidós*; 1613, "veynte y dos".

[4] *Respetos*: 1613, "respectos".

Rodolfo—, con otros cuatro amigos suyos, todos mozos, todos alegres y todos insolentes, bajaba por la misma cuesta que el hidalgo subía.

Encontráronse los dos escuadrones, el de las ovejas con el de los lobos, y, con deshonesta desenvoltura, Rodolfo y sus camaradas, cubiertos los rostros, miraron los de la madre, y de la hija, y de la criada. Alborotóse el viejo y reprochóles y afeóles su atrevimiento. Ellos le respondieron con muecas y burla, y sin desmandarse a más, pasaron adelante. Pero la mucha hermosura del rostro que había visto Rodolfo, que era el de Leocadia, que así quieren que se llamase la hija del hidalgo, comenzó de tal manera a imprimírsele en la memoria, que le llevó tras sí la voluntad y despertó en él un deseo de gozarla a pesar de todos los inconvenientes que sucederle pudiesen. Y en un instante comunicó su pensamiento con sus camaradas y en otro instante se resolvieron de volver y robarla, por dar gusto a Rodolfo: que siempre los ricos que dan en liberales hallan quien canonice sus desafueros y califique por buenos sus malos gustos. Y así, el nacer el mal propósito, el comunicarle y el aprobarle y el determinarse de robar a Leocadia y el robarla, casi todo fue en un punto.

Pusiéronse los pañizuelos en los rostros, y, desenvainadas las espadas, volvieron, y a pocos pasos alcanzaron a los que no habían acabado de dar gracias a Dios, que de las manos de aquellos atrevidos les había librado.

Arremetió Rodolfo con Leocadia, y, cogiéndola en brazos, dio a huir con ella, la cual no tuvo fuerzas para defenderse y el sobresalto le quitó la voz para quejarse, y aun la luz de los ojos, pues, desmayada y sin sentido, no vio quién la llevaba, ni adónde la llevaban. Dio voces su padre, gritó su madre, lloró su hermanico, arañóse la criada; pero ni las voces fueron oídas, ni los gritos escuchados, ni movió a compasión el llanto, ni los araños fueron de provecho alguno, porque todo lo cubría la soledad del lugar, y el callado silencio de la noche, y las crueles entrañas de los malhechores.

Finalmente, alegres se fueron los unos y tristes se quedaron los otros. Rodolfo llegó a su casa sin impedimento alguno, y los padres de Leocadia llegaron a la suya lastimados, afligidos y desesperados: ciegos, sin los ojos de su hija, que eran la lumbre de los suyos; solos, porque Leocadia era su dulce y agradable compañía; confusos, sin saber si sería bien dar noticia de su desgracia a la justicia, temerosos no fuesen ellos el principal instrumento de publicar su deshonra.

Veíanse necesitados de favor, como hidalgos pobres.[5] No sabían de quién quejarse, sino de su corta ventura. Rodolfo, en tanto, sagaz y astuto, tenía ya en su casa y en su aposento a Leocadia, a la cual, puesto que sintió que iba desmayada cuando la llevaba, la había cubierto los ojos con un pañuelo, por que no viese las calles por donde la llevaba, ni la casa ni el aposento donde estaba, en el cual, sin ser visto de nadie, a causa que él tenía un cuarto aparte en la casa de su padre, que aún vivía, y tenía de su estancia la llave y las de todo el cuarto —inadvertencia de padres que quieren tener sus hijos recogidos—, antes que de su desmayo volviese Leocadia, había cumplido su deseo Rodolfo: que los ímpetus no castos de la mocedad pocas veces o ninguna reparan en comodidades y requisitos que más los inciten y levanten. Ciego de la luz del entendimiento, a oscuras[6] robó la mejor prenda de Leocadia; y como los pecados de la sensualidad por la mayor parte no tiran más allá la barra[7] del término del cumplimiento de ellos, quisiera luego Rodolfo que allí desapareciera Leocaida, y le vino a la imaginación de ponerla en la calle así desmayada como estaba.

[5] *Hidalgos pobres*: la vivencia de la pobreza rezuma por toda la obra cervantina; como botón de muestra baste recordar las observaciones de Cide Hamete Benengeli cuando citó aquel verso de Juan de Mena, "Dádiva santa, desagradecida", *Quijote,* II, xliv.

[6] *Oscuras*: 1613, "escuras".

[7] *La barra*: "Tirar la barra. Género de diversión que para exercitar la robustez y agilidad suelen tener los mozos: y es desde un puesto señalado despedirla de diferentes modos y maneras, y gana el que más adelanta su tiro, suponiendo que para que lo sea ha de prender en la tierra por la punta o parte inferior", *Dicc. Aut.,* s.v. *barra.*

Y yéndolo a poner en obra, sintió que volvía en sí, diciendo:

—¿Adónde estoy, desdichada? ¿Qué oscuridad es ésta, qué tinieblas me rodean? ¿Estoy en el limbo de mi inocencia o en el infierno de mis culpas? ¡Jesús!, ¿quién me toca? ¿Yo en cama, yo lastimada? ¿Escúchasme, madre y señora mía? ¿Oyesme, querido padre? ¡Ay sin ventura de mí!, que bien advierto que mis padres no me escuchan y que mis enemigos me tocan; venturosa sería yo si esta oscuridad durase para siempre, sin que mis ojos volviesen a ver la luz del mundo, y que este lugar donde ahora estoy, cualquiera que él se fuese, sirviese de sepultura a mi honra, pues es mejor la deshonra que se ignora que la honra que está puesta en opinión de las gentes.[9] Ya me acuerdo (¡que yo nunca me acordara!) que ha poco que venía en la compañía de mis padres; ya me acuerdo que me saltearon; ya me imagino y veo que no es bien que me vean las gentes; ¡oh tú, cualquiera que seas, que aquí estás conmigo— y en esto tenía asido de las manos a Rodolfo—, si es que tu alma admite género de ruego alguno, te ruego que ya que has triunfado de mi fama triunfes también de mi vida! ¡Quítamela al momento, que no es bien que la tenga la que no tiene honra! ¡Mira que el rigor de la crueldad que has usado conmigo en ofenderme se templará con la piedad que usarás en matarme, y así, en un mismo punto, vendrás a ser cruel y piadoso!

Confuso dejaron las razones de Leocadia a Rodolfo, y, como mozo poco experimentado, ni sabía qué decir ni qué hacer, cuyo silencio admiraba más a Leocadia, la cual con las manos procuraba desengañarse si era fantasma o som-

[8] *Oscuridad*: 1613, "escuridad", lo mismo unas líneas más abajo.

[9] *Opinión de las gentes*: los íntimos enlaces entre *honra* y *opinión* los subraya el viejo refrán, usado en el *Caballero Cifar* y por el marqués de Santillana: "¿Dónde perdió la niña su honor?— Donde habló mal y oyó peor", v. Campos-Barella, 317. En general se deben consultar los trabajos del equipo de antropólogos recogidos por J. G. Peristiany, *El concepto del honor en la sociedad mediterránea* (Barcelona, 1968).

bra la que con ella estaba. Pero como tocaba cuerpo y se le acordaba de la fuerza que se la había hecho viniendo con sus padres, caía en la verdad del cuento de su desgracia. Y con este pensamiento tornó a anudar las razones que los muchos sollozos y suspiros habían interrumpido, diciendo:

—Atrevido mancebo, que de poca edad hacen tus hechos que te juzgue, yo te perdono la ofensa que me has hecho con sólo que me prometas y jures que, como la has cubierto con esta oscuridad, la cubrirás con perpetuo silencio sin decirla a nadie. Poca recompensa te pido de tan grande agravio; pero para mí será la mayor que yo sabré pedirte ni tú querrás darme. Advierte en que yo nunca he visto tu rostro, ni quiero vértele, porque ya que se me acuerde de mi ofensa, no quiero acordarme de mi ofensor ni guardar en la memoria la imagen del autor de mi daño. Entre mí y el cielo pasarán mis quejas, sin querer que las oiga el mundo, el cual no juzga por los sucesos las cosas, sino conforme a él se le asienta en la estimación. No sé cómo te digo estas verdades, que se suelen fundar en la experiencia de muchos casos y en el discurso de muchos años, no llegando los míos a diecisiete; [10] por do me doy a entender que el dolor de una misma manera ata y desata la lengua del afligido, unas veces exagerando su mal para que se le crean, otras veces no diciéndole por que no se le remedien. De cualquier manera, que yo calle o hable, creo que he de moverte a que me creas o que me remedies, pues el no creerme será ignorancia, y el [no] remediarme, imposible de tener algún alivio. No quiero desesperarme, [11] porque te costará poco el dármele, y es éste: mira, no aguardes ni confíes que el discurso del tiempo temple la justa saña que contra ti tengo, ni quieras amontonar los agravios: mientras menos me gozares, y habiéndome ya gozado, menos se encenderán tus malos

[10] *Diecisiete*: 1613, "diez y siete".
[11] *Desesperarme*: "suicidarme", v. *Nuevos deslindes cervantinos* (Barcelona, 1975), cap. iii, "Grisóstomo y Marcela (Cervantes y verdad problemática)".

deseos. Haz cuenta que me ofendiste por accidente, sin dar lugar a ningún buen discurso. Yo la haré de que no nací en el mundo, o que si nací fue para ser desdichada. Ponme luego en la calle, o a lo menos junto a la iglesia mayor, porque desde allí bien sabré volverme a mi casa; pero también has de jurar de no seguirme, ni saberla, ni preguntarme el nombre de mis padres, ni el mío, ni el de mis parientes, que a ser tan ricos como nobles, no fueran en mí tan desdichados. Respóndeme a esto, y si temes que te pueda conocer en la habla, hágote saber que, fuera de mi padre y de mi confesor, no he hablado con hombre alguno en mi vida y a pocos he oído hablar con tanta comunicación que pueda distinguirles por el sonido de la habla.

La respuesta que dio Rodolfo a las discretas razones de la lastimada Leocadia no fue otra que abrazarla, dando muestras que quería volver a confirmar en él su gusto y en ella su deshonra. Lo cual, visto por Leocadia, con más fuerzas de las que su tierna edad prometían, se defendió con los pies, con las manos, con los dientes y con la lengua, diciéndole:

—Haz cuenta, traidor y desalmado hombre, quienquiera que seas, que los despojos que de mí has llevado son los que pudiste tomar de un tronco o de una columna sin sentido, cuyo vencimiento y triunfo ha de redundar en tu infamia y menosprecio. Pero el que ahora pretendes no le has de alcanzar sino con mi muerte. Desmayada me pisaste y aniquilaste; mas ahora que tengo bríos, antes podrás matarme que vencerme: que si ahora, despierta, sin resistencia concediese con tan abominable gusto, podrías imaginar que mi desmayo fue fingido cuando te atreviste a destruirme.

Finalmente, tan gallarda y porfiadamente se resistió Leocadia, que las fuerzas y los deseos de Rodolfo se enflaquecieron; y como la insolencia que con Leocadia había usado no tuvo otro principio que de un ímpetu lascivo, del cual nunca nace el verdadero amor, que permanece, en lugar del ímpetu, que se pasa, queda, si no el arrepentimiento, a lo menos una tibia voluntad de secundarle. Frío, pues, y cansado Rodolfo, sin hablar palabra alguna dejó a Leocadia en su cama, en su casa, y, cerrando el aposento, se fue a buscar a sus camaradas para aconsejarse con ellos de qué hacer debía.

Sintió Leocadia que quedaba sola y encerrada, y, levantándose del lecho anduvo todo el aposento, tentando las paredes con las manos, por ver si hallaba puerta por do irse o ventana por do arrojarse. Halló la puerta, pero bien cerrada, y topó una ventana que pudo abrir, por donde entró el resplandor de la luna, tan claro, que pudo distinguir Leocadia los colores [12] de unos damascos [13] que el aposento adornaban. Vio que era dorada la cama, y tan ricamente compuesta, que más parecía lecho de príncipe que de algún particular caballero. Contó las sillas y los escritorios; notó la parte donde la puerta estaba, y aunque vio pendientes de las paredes algunas tablas, no pudo alcanzar a ver las pinturas que contenían. La ventana era grande, guarnecida y guardada de una gruesa reja; la vista caía a un jardín que también se cerraba con paredes altas; dificultades que se opusieron a la intención que de arrojarse a la calle tenía. Todo lo que vio y notó de la capacidad y ricos adornos de aquella estancia, le dio a entender que el dueño de ella debía de ser hombre principal y rico, y no como quiera, sino aventajadamente. En un escritorio, que estaba junto a la ventana, vio un crucifijo pequeño, todo de plata, el cual tomó y se le puso en la manga de la ropa, no por devoción ni por hurto, sino llevada de un discreto designio suyo. Hecho esto cerró la ventana como antes estaba y volvióse al lecho, esperando qué fin tendría el mal principio de su suceso.

No habría pasado, a su parecer, media hora, cuando sintió abrir la puerta del aposento y que a ella se llegó una persona, y sin hablarle palabra, con un pañuelo le

[12] *Los colores*: 1613, "las colores", ya que *color* era de ambos géneros en el español clásico.

[13] *Damascos*: "seda de lavores entre tafetán y raso", Covarrubias, s.v. Las colgaduras o tapicerías de la alcoba de Rodolfo están hechas de esa seda.

vendó los ojos, y tomándola del brazo la sacó fuera de la estancia, y sintió que volvía a cerrar la puerta. Esta persona era Rodolfo, el cual, aunque había ido a buscar a sus camaradas, no quiso hallarlas,[14] pareciéndole que no le estaba bien hacer testigos de lo que con aquella doncella había pasado; antes se resolvió en decirles, que, arrepentido del mal hecho y movido de sus lágrimas, la había dejado en la mitad del camino. Con este recuerdo volvió tan presto a poner a Leocadia junto a la iglesia mayor como ella se lo había pedido, antes que amaneciese y el día le estorbase de echarla y le forzase a tenerla en su aposento hasta la noche venidera, en el cual espacio de tiempo ni él quería volver a usar de sus fuerzas ni dar ocasión de ser conocido.

Llevóla, pues, hasta la plaza que llaman de Ayuntamiento, y allí, en voz trocada y en lengua medio portuguesa y medio castellana, le dijo que seguramente podía irse a su casa, porque de nadie sería seguida; y antes que ella tuviese lugar de quitarse el pañuelo, ya él se había puesto en parte donde no pudiese ser visto.

Quedó sola Leocadia, quitóse la venda, reconoció el lugar donde la dejaron. Miró a todas partes, no vio a persona alguna; pero sospechosa que desde lejos la siguiesen, a cada paso se detenía, dándolos hacia su casa, que no muy lejos de allí estaba. Y por desmentir las espías,[15] si acaso la seguían, se entró en una casa que halló abierta, y de allí a poco se fue a la suya, donde halló a sus padres atónitos y sin desnudarse, y aun sin tener pensamiento de tomar descanso alguno.

Cuando la vieron corrieron a ella con los brazos abiertos, y con lágrimas en los ojos la recibieron. Leocadia, llena de sobresalto y alboroto, hizo a sus padres que se tirasen con ella aparte, como lo hicieron, y allí en breves

[14] *Hallarlas*: *las* se refiere a *camaradas,* que era palabra femenina: "La cual camarada era uno de los valientes soldados y capitanes que había en toda la infantería española", *Quijote,* I, xlii.

[15] *Las espías*: voz femenina en español clásico, como *camarada* (nota 14), y otros sustantivos que terminan en -a.

palabras les dio cuenta de todo su desastroso suceso, con todas las circunstancias de él y de la ninguna noticia que traía del salteador y robador de su honra. Díjoles lo que había visto en el teatro donde se representó la tragedia de su desventura: la ventana, el jardín, la reja, los escritorios, la cama, los damascos, y a lo último les mostró el crucifijo que había traído, ante cuya imagen se renovaron las lágrimas, se hicieron deprecaciones, se pidieron venganzas y desearon milagrosos castigos. Dijo asimismo [16] que, aunque ella no deseaba venir en conocimiento de su ofensor, que si a sus padres les parecía ser bien conocerle, que por medio de aquella imagen podrían, haciendo que los sacristanes dijesen en los púlpitos de todas las parroquias de la ciudad, que el que hubiese perdido tal imagen la hallaría en poder del religioso que ellos señalasen, y que así, [17] sabiendo el dueño de la imagen, se sabría la casa y aun la persona de su enemigo.

A esto replicó el padre:

—Bien habías dicho, hija, si la malicia ordinaria no se opusiera a tu discreto discurso, pues está claro que esta imagen hoy, en este día, se ha de echar menos en el aposento que dices, y el dueño de ella ha de tener por cierto que la persona que con él estuvo se la llevó, y de llegar a su noticia que la tiene algún religioso, antes ha de servir de conocer quién se la dio al tal que la tiene, que no de declarar el dueño que perdió, porque puede hacer que venga por ella otro a quien el dueño haya dado las señas. Y siendo esto así, antes quedaremos confusos que informados, puesto que podamos usar del mismo artificio que sospechamos, dándola al religioso por tercera persona. Lo que has de hacer, hija, es guardarla y encomendarte a ella, que pues ella fue testigo de tu desgracia, permitirá que haya juez [18] que vuelva por tu justicia. Y advierte,

[16] *Asimismo*: 1613, "ansimismo".

[17] Así: 1613, "ansí".

[18] *Haya juez*: aquí tenemos hasta las palabras del título de la leyenda de José Zorrilla, *A buen juez, mejor testigo,* de la que trato en la Introducción.

hija, que más lastima una onza de deshonra pública que una arroba de infamia secreta.[19] Y pues puedes vivir honrada con Dios en público, no te pene de estar deshonrada contigo en secreto: la verdadera deshonra está en el pecado y la verdadera honra en la virtud. Con el dicho, con el deseo y con la honra se ofende a Dios; y pues tú, ni en dicho, ni en pensamiento, ni en hecho le has ofendido, tente por honrada, que yo por tal te tendré, sin que jamás te mire sino como verdadero padre tuyo.

Con estas prudentes razones consoló su padre a Leocadia, y abrazándola de nuevo su madre, procuró también consolarla. Ella gimió y lloró de nuevo, y se redujo a cubrir la cabeza, como dicen, y a vivir recogidamente debajo del amparo de sus padres, con vestido tan honesto como pobre.

Rodolfo, en tanto, vuelto a su casa, echando de menos la imagen del crucifijo, imaginó quién podía haberla llevado; pero no se le dio nada, y, como rico, no hizo cuenta de ello, ni sus padres se la pidieron cuando de allí a tres días que partió a Italia, entregó por cuenta a una camarera de su madre todo lo que en el aposento dejaba.

Muchos días había que tenía Rodolfo determinado de pasar a Italia, y su padre, que había estado en ella, se lo persuadía, diciéndole que no eran caballeros los que solamente lo eran en su patria, que era menester serlo también en las ajenas. Por estas y otras razones se dispuso la voluntad de Rodolfo de cumplir la de su padre, el cual le dio crédito de muchos dineros para Barcelona, Génova, Roma y Nápoles, y él, con dos de sus camaradas, se partió luego, goloso de lo que había oído decir a algunos soldados[20] de la abundancia de las hosterías de Italia y Francia, y de la libertad que en los alojamientos

[19] *Infamia secreta*: este consejo lo pone en brutal práctica don Lope de Almeida en el drama de Calderón, *A secreto agravio, secreta venganza.*

[20] *Algunos soldados*: tal como el capitán don Diego de Valdivia en *El licenciado Vidriera,* donde el tema italiano, insinuado aquí, se desarrolla con debida amplitud.

tenían los españoles. Sonábale bien aquel *Eco li buoni polastri, picioni, presuto e salcicie,* [21] con otros nombres de este jaez, de quien los soldados se acuerdan cuando de aquellas partes vienen a éstas y pasan por la estrechez e incomodidades de las ventas y mesones de España. Finalmente, él se fue con tan poca memoria de lo que con Leocadia le había pasado como si nunca hubiera pasado.

Ella, en este entretanto, pasaba la vida en casa de sus padres con el recogimiento posible, sin dejar verse de persona alguna, temerosa que su desgracia se la habían de leer en la frente. Pero a pocos meses vio serle forzoso hacer por fuerza lo que hasta allí de grado hacía. Vio que le convenía vivir retirada y escondida porque se sintió preñada, suceso por el cual las en algún tanto olvidadas lágrimas volvieron a sus ojos y los suspiros y lamentos comenzaron de nuevo a herir los vientos, sin ser parte la discreción de su buena madre a consolarla. Voló el tiempo, y llegóse el punto del parto, y con tanto secreto, que aun no se osó fiar de la partera. Usurpando este oficio la madre, dio a la luz del mundo un niño de los hermosos que pudieran imaginarse. Con el mismo recato y secreto que había nacido le llevaron a una aldea, donde se crió cuatro años, al cabo de los cuales, con nombre de sobrino, le trajo [22] su abuelo a su casa, donde se criaba, si no muy rica, al menos muy virtuosamente.

Era el niño —a quien pusieron nombre Luis, por llamarse así su abuelo— de rostro hermoso, de condición mansa, de ingenio agudo, y en todas las acciones que en aquella edad tierna podía hacer, daba señales de ser de algún noble padre engendrado; y de tal manera su gracia, belleza y discreción enamoraron a sus abuelos, que vinieron a tener por dicha la desdicha de su hija por haberles dado tal nieto. Cuando iba por la calle llovían sobre él millares de bendiciones; unos bendecían su hermosura, otros la madre que lo había parido, éstos el padre

[21] *Salcicie*: "Ecco li buoni pollastri, piccioni, prosciutto e salsicie", en buen italiano.
[22] *Trajo*: 1613, "trujo".

que le engendró, aquéllos a quien tan bien criado le criaba. Con este aplauso de los que le conocían y no conocían llegó el niño a la edad de siete años, en la cual ya sabía leer latín y romance[23] y escribir formada y muy buena letra, porque la intención de los abuelos era hacerle virtuoso y sabio, ya que no le podían hacer rico; como si la sabiduría y la virtud no fuesen las riquezas sobre quien no tienen jurisdicción[24] los ladrones, ni la que llaman fortuna.[25]

Sucedió, pues, que un día que el niño fue con un recado[26] de su abuela a una parienta suya, acertó a pasar por una calle donde había carrera de caballeros.[27] Púsose a mirar, y por mejorarse de puesto pasó de una parte a otra a tiempo que no pudo huir de ser atropellado de un caballo, a cuyo dueño no fue posible detenerle en la furia de su carrera. Pasó por encima de él, y dejóle como muerto tendido en el suelo, derramando mucha sangre de la cabeza. Apenas esto hubo sucedido, cuando un caballero anciano que estaba mirando la carrera, con no vista ligereza se arrojó de su caballo y fue donde estaba el niño, y quitándole de los brazos de uno que ya le tenía le puso

[23] *Romance*: castellano o español. Según Juan Pérez de Montalbán, *Fama pósthuma a la vida y muerte del doctor frey Lope Félix de Vega Carpio* (Madrid, 1636), Lope "de cinco años leía en romance y latín".

[24] *Jurisdicción*: 1613, "jurisdición".

[25] *Llaman fortuna*: esta referencia un tanto desdeñosa a la vieja diosa Fortuna condice con la actitud estoica de don Quijote: "Lo que te sé decir es que no hay fortuna en el mundo", II, lxvi.

[26] *Recado*: 1613, "recaudo".

[27] *Carrera de caballeros*: se trata de una carrera de sortija. "Correr sortija. Fiesta de a caballo, que se executa poniendo una sortija de hierro del tamaño de un ochavo segobiano, la qual está encaxada en otro hierro, de donde se puede sacar con facilidad, y éste pende de una cuerda o palo tres o quatro varas alto del suelo: y los caballeros o personas que la corren, tomando la debida distancia, a carrera, se encaminan a ella, y el que con la lanza se la lleva, encaxándola en la sortija, se lleva la gloria del más diestro y afortunado", *Dicc. Aut.*, s.v. *correr.* Uno de los amos de Berganza, el atambor, le enseña a correr sortija en el *Coloquio de los perros.*

en los suyos, y sin tener cuenta con sus canas ni con su autoridad, que era mucha, a paso largo se fue a su casa, ordenando a sus criados que le dejasen y fuesen a buscar un cirujano que al niño curase. Muchos caballeros le siguieron, lastimados de la desgracia de tan hermoso niño, porque luego salió la voz que el atropellado era Luisico, el sobrino de tal caballero, nombrando a su abuelo. Esta voz corrió de boca en boca hasta que llegó a los oídos de sus abuelos y de su encubierta madre, los cuales, certificados bien del caso, como desatinados y locos, salieron a buscar a su querido. Y por ser tan conocido y tan principal el caballero que le había llevado, muchos de los que encontraron les dijeron su casa, a la cual llegaron a tiempo que ya estaba el niño en poder del cirujano.

El caballero y su mujer, dueños de la casa, pidieron a los que pensaron ser sus padres que no llorasen ni alzasen la voz a quejarse, porque no le sería al niño de ningún provecho. El cirujano, habiéndole curado con grandísimo tiento y maestría, dijo que no era tan mortal la herida como él al principio había temido. En la mitad de la cura volvió Luis en su acuerdo, que hasta allí había estado sin él, y alegróse en ver a sus tíos, los cuales le preguntaron llorando que cómo se sentía. Respondió que bueno, sino que le dolía mucho el cuerpo y la cabeza. Mandó el médico que no hablasen con él, sino que le dejasen reposar. Hízose así, [28] y su abuelo comenzó a agradecer al señor de la casa la gran caridad que con su sobrino había usado. A lo cual respondió el caballero que no tenía que agradecerle, porque le hacía saber que cuando vio al niño caído y atropellado, le pareció que había visto el rostro de un hijo suyo, a quien él quería tiernamente, y que esto le movió a tomarle en sus brazos y a traerle a su casa, donde estaría todo el tiempo que la cura durase, con el regalo que fuese posible y necesario. Su mujer, que era una noble señora, dijo lo mismo, e hizo aún más encarecidas promesas.

[28] *Así*: 1613, "ansí".

Admirados quedaron de tanta cristiandad los abuelos; pero la madre quedó más admirada, porque habiendo con las nuevas del cirujano sosegado algún tanto su alborotado espíritu, miró atentamente el aposento donde su hijo estaba, y claramente por muchas señales conoció que aquella era la estancia donde se había dado fin a su honra y principio a su desventura. Y aunque no estaba adornada de los damascos que entonces tenía, conoció la disposición de ella, vio la ventana de la reja que caía al jardín, y por estar cerrada a causa del herido, preguntó si aquella ventana respondía a algún jardín. Y fuele respondido que sí; pero lo que más conoció fue que aquélla era la misma cama que tenía por tumba de su sepultura; [29] y más, que el propio escritorio sobre el cual estaba la imagen que había traído se estaba en el mismo lugar.

Finalmente, sacaron a luz la verdad de todas sus sospechas los escalones que ella había contado cuando la sacaron del aposento tapados los ojos; digo [30] los escalones que había desde allí a la calle, que con advertencia discreta contó. Y cuando volvió a su casa, dejando a su hijo, los volvió a contar y halló cabal el número. Y confiriendo una señales con otras, de todo punto certificó por verdadera su imaginación, de la cual dio por extenso cuenta a su madre, que como discreta se informó si el caballero donde su nieto estaba había tenido o tenía algún hijo. Y halló que el que llamamos Rodolfo lo era, y que estaba en Italia. Y tanteando el tiempo [31] que le dijeron que había faltado de España, vio que eran los mismos siete años que el nieto tenía.

Dio aviso de todo esto a su marido, y entre los dos y su hija acordaron de esperar lo que Dios hacía del herido, el cual dentro de quince días estuvo fuera de peligro, y

[29] *Sepultura*: "Tumba. Un modo de arca, cuya tapa está en forma de medio círculo redonda; ésta se pone sobre la sepultura de algún difunto", Covarrubias, s.v. *tumba.*

[30] *Digo*: irrupción subjetiva del autor, v. *La gitanilla,* nota 98.

[31] *Tanteando el tiempo*: "Tantear. Medir o proporcionar una cosa con otra, para ver si viene bien, o ajustada", *Dicc. Aut.,* s.v.

a los treinta se levantó, en todo el cual tiempo fue visitado de la madre y de la abuela y regalado de los dueños de la casa como si fuera su mismo hijo. Y algunas veces, hablando con Leocadia doña Estefanía, que así se llamaba la mujer del caballero, le decía que aquel niño se parecía tanto a un hijo suyo que estaba en Italia, que ninguna vez le miraba que no le pareciese ver a su hijo delante. De estas razones tomó ocasión de decirle una vez que se halló sola con ella las que con acuerdo de sus padres había determinado de decirle, que fueron éstas u otras [32] semejantes:

—El día, señora, que mis padres oyeron decir que su sobrino estaba tan malparado, creyeron y pensaron que se les había cerrado el cielo y caído todo el mundo a cuestas. Imaginaron que ya les faltaba la lumbre de sus ojos y el báculo de su vejez faltándoles este sobrino, a quien ellos quieren con amor de tal manera, que con muchas ventajas excede al que suelen tener otros padres a sus hijos. Mas como decirse suele que cuando Dios da la llaga da la medicina, [33] la halló el niño en esta casa, y yo en ella el acuerdo de unas memorias que no las podré olvidar mientras la vida me durare. Yo, señora, soy noble porque mis padres lo son y lo han sido todos mis antepasados, que con una medianía de los bienes de fortuna han sustentado su honra felizmente dondequiera que han vivido.

Admirada y suspensa estaba doña Estefanía escuchando las razones de Leocadia, y no podía creer, aunque lo veía, que tanta discreción pudiese encerrarse en tan pocos años, puesto que, a su parecer, la juzgaba por de veinte, poco más o menos. Y sin decirle ni replicarle palabra, esperó todas las que quiso decirle, que fueron aquellas que bastaron para contarle la travesura de su hijo, la deshonra suya, el robo, el cubrirle los ojos, el traerla a aquel aposento, las señales en que había conocido ser aquel

[32] *U otras*: 1613, "o otras".
[33] *Da la medicina*: Sancho recuerda el refrán con leve variante: "Dios, que da la llaga, da la medicina", *Quijote,* II, xix.

mismo que sospechaba. Para cuya confirmación sacó del pecho la imagen del crucifijo, que había llevado, a quien dijo:

—Tú, Señor, que fuiste testigo de la fuerza que se me hizo, sé juez[34] de la enmienda que se me debe hacer. De encima de aquel escritorio te llevé con propósito de acordarte siempre mi agravio, no para pedirte venganza de él, que no la pretendo, sino para rogarte me dieses algún consuelo con que llevar en paciencia mi desgracia.

"Este niño, señora, con quien habeis mostrado el extremo de vuestra caridad, es vuestro verdadero nieto. Permisión fue del cielo el haberle atropellado, para que, trayéndole a vuestra casa, hallase yo en ella, como espero que he de hallar, si no el remedio que mejor convenga, y cuando no[35] con mi desventura, a lo menos el medio con que pueda sobrellevarla.

Diciendo esto, abrazada con el crucifijo, cayó desmayada en los brazos de Estefanía, la cual, en fin, como mujer y noble, en quien la compasión y misericordia suele ser tan natural como la crueldad en el hombre, apenas vio el desmayo de Leocadia cuando juntó su rostro con el suyo derramando sobre él tantas lágrimas que no fue menester esparcirle otra agua encima para que Leocadia en sí volviese.

Estando las dos de esta manera acertó a entrar el caballero marido de Estefanía, que traía a Luisico de la mano, y viendo el llanto de Estefanía y el desmayo de Leocadia preguntó a gran prisa[36] le dijesen la causa de do procedía. El niño abrazaba a su madre por su prima y a su abuela por su bienhechora, y asimismo preguntaba por qué lloraban.

—Grandes cosas, señor, hay que deciros —respondió Estefanía a su marido—, cuyo remate se acabará con deciros que hagais cuenta que esta desmayada es hija

[34] *Sé juez*: v. *supra*, nota 18.
[35] *Y cuando no*: convengo con Schevill-Bonilla, NE, II, 379, que estas tres palabras parecen sobrar.
[36] *Prisa*: 1613, "priesa".

vuestra y este niño vuestro nieto. Esta verdad que os digo me ha dicho esta niña, y la ha confirmado y confirma el rostro de este niño, en el cual entrambos hemos visto el de nuestro hijo.

—Si más no os declarais, señora, yo no os entiendo —replicó el caballero.

En esto volvió en sí Leocadia, y abrazada del crucifijo, parecía estar convertida en un mar de llanto. Todo lo cual tenía puesto en gran confusión al caballero, de la cual salió contándole su mujer todo aquello que Leocadia le había contado. Y él lo creyó, por divina permisión del cielo, como si con muchos y verdaderos testigos se lo hubieran probado. Consoló y abrazó a Leocadia, besó a su nieto, y aquel mismo día despacharon un correo a Nápoles avisando a su hijo se viniese luego, porque le tenían concertado casamiento con una mujer hermosa sobremanera y tal cual para él convenía. No consintieron que Leocadia ni su hijo volviesen más a la casa de sus padres, los cuales, contentísimos del buen suceso de su hija, daban sin cesar infinitas gracias a Dios por ello.

Llegó el correo a Nápoles, y Rodolfo, con la golosina de gozar tan hermosa mujer como su padre le significaba, de allí a dos días que recibió la carta, ofreciéndosele ocasión de cuatro galeras que estaban a punto de venir a España, se embarcó en ellas con sus dos camaradas, que aun no le habían dejado, y con próspero suceso en doce días llegó a Barcelona, y de allí, por la posta,[37] en otros siete se puso en Toledo, y entró en casa de su padre, tan galán y tan bizarro,[38] que los extremos de la gala y de la bizarría estaban en él todos juntos.

Alegráronse sus padres con la salud y bienvenida de su hijo. Suspendióse Leocadia, que de parte escondida le miraba, por no salir de la traza y orden que doña Este-

[37] *Por la posta*: "Modo adverbial con que, además del sentido recto de ir corriendo la posta, translaticiamente se explica la prissa, presteza y velocidad con que se executa alguna cosa", *Dicc. Aut.*, s.v. *posta.*

[38] *Tan bizarro*: v. *Licenciado Vidriera,* nota 7.

fanía le había dado. Los[39] camaradas de Rodolfo quisieran irse a sus casas luego, pero no lo consintió Estefanía por haberlos menester para su designio. Estaba cerca la noche cuando Rodolfo llegó, y, en tanto que se aderezaba la cena, Estefanía llamó aparte a los camaradas de su hijo, creyendo, sin duda alguna, que ellos debían ser los dos de los tres que Leocadia había dicho que iban con Rodolfo la noche que la robaron, y con grandes ruegos les pidió le dijesen si se acordaban que su hijo había robado a una mujer tal noche, tantos años había; porque el saber la verdad de esto importaba la honra y el sosiego de todos sus parientes. Y con tales y tantos encarecimientos se lo supo rogar y de tal manera les asegurar[40] que de descubrir este robo no les podía suceder daño alguno, que ellos tuvieron por bien de confesar ser verdad que una noche de verano, yendo ellos dos y otro amigo con Rodolfo, robaron en la misma que ella señalaba a una muchacha, y que Rodolfo se había venido con ella mientras ellos detenían a la gente de su familia, que con voces la querían defender, y que otro día les había dicho Rodolfo que la había llevado a su casa, y sólo esto era lo que podían responder a lo que les preguntaban.

La confesión de estos dos fue echar la llave a todas las dudas que en tal caso le podían ofrecer, y así, determinó de llevar al cabo su buen pensamiento, que fue éste: poco antes que se sentasen a cenar se entró en un aposento a solas su madre con Rodolfo, y poniéndole un retrato en las manos, le dijo:

—Yo quiero, Rodolfo hijo, darte una gustosa cena con mostrarte a tu esposa. Este es su verdadero retrato; pero quiérote advertir que lo que le falta de belleza le sobra de virtud; es noble y discreta y medianamente rica, y pues tu padre y yo te la hemos escogido, asegúrate que es la que te conviene.

[39] *Los camaradas*: 1613, "las camaradas", v. nota 14. Es siempre femenino en el texto, y ya lo cambio sin anotarlo.

[40] *Les asegurar*: el verbo *supo* está implícito, ya que precede al anterior infinito "supo rogar".

Atentamente miró Rodolfo el retrato, y dijo:

—Si los pintores, que ordinariamente suelen ser pródigos de la hermosura con los rostros que retratan, lo han sido también con éste, sin duda creo que el original debe ser la misma fealdad. A la fe, señora y madre mía, justo es y bueno que los hijos obedezcan a sus padres en cuanto les mandaren; pero también es conveniente y mejor que los padres den a sus hijos el estado de que más gustaren. Y pues el del matrimonio es nudo que no le desata sino la muerte, bien será que sus lazos sean iguales y de unos mismos hilos fabricados: la virtud, la nobleza, la discreción y los bienes de fortuna bien pueden alegrar el entendimiento de aquel a quien le cupieron en suerte con su esposa; pero que la fealdad de ella alegre los ojos del esposo, paréceme imposible. Mozo soy, pero bien se me entiende que se compadece con el sacramento del matrimonio el justo y debido deleite que los casados gozan, y que si él falta, cojea el matrimonio y desdice de su segunda intención. Pues pensar que un rostro feo, que se ha de tener a todas horas delante de los ojos, en la sala, en la mesa y en la cama, pueda deleitar, otra vez digo que lo tengo por casi imposible. Por vida de vuesa merced, madre mía, que me dé compañera que me entretenga y no enfade, porque, sin torcer a una o a otra parte, igualmente y por camino derecho llevemos ambos a dos el yugo que el cielo nos pusiere. Si esta señora es noble, discreta y rica, como vuesa merced dice, no le faltará esposo que sea de diferente humor que el mío: unos hay que buscan nobleza, otros discreción, otros dineros y otros hermosura, y soy de estos últimos. Porque la nobleza, gracias al cielo y a mis pasados y a mis padres, que me la dejaron por herencia; discreción, como una mujer no sea necia, tonta o boba, bástale que ni por aguda despunte ni por boba no aproveche; de las riquezas, también las de mis padres me hacen no estar temeroso de venir a ser pobre. La hermosura busco, la belleza quiero, no con otra dote que con la de la honestidad y buenas costumbres; que si esto trae mi esposa, yo serviré a Dios con gusto y daré buena vejez a mis padres.

Contentísima quedó su madre de las razones de Rodolfo, por haber conocido por ellas que iba saliendo bien con su designio. Respondióle que ella procuraría casarle conforme su deseo, que no tuviese pena alguna, que era fácil deshacerse los conciertos que de casarle con aquella señora estaban hechos. Agradecióselo Rodolfo, y por ser llegada la hora de cenar se fueron a la mesa.

Y habiéndose ya sentado a ella el padre y la madre, Rodolfo y sus dos camaradas, dijo doña Estefanía al descuido:

—¡Pecadora de mí, y qué bien trato a mi huéspeda! Andad vos —dijo a un criado—; decid a la señora doña Leocadia que, sin entrar en cuentas con su mucha honestidad, nos venga a honrar esta mesa, que los que a ella están todos son mis hijos y sus servidores.

Todo esto era una traza suya, y de todo lo que había de hacer estaba avisada y advertida Leocadia. Poco tardó en salir Leocadia y dar de sí la improvisa y más hermosa muestra que pudo dar jamás compuesta y natural hermosura.

Venía vestida, por ser invierno, de una saya entera [41] de terciopelo negro llovida de botones de oro y perlas, cintura y collar de diamantes. Sus mismos cabellos, que eran luengos y no demasiado rubios, le servían de adorno y tocas, cuya invención de lazos y rizos y vislumbres de diamantes que con ellos [42] se entretenían, turbaban la luz de los ojos que los miraban. Era Leocadia de gentil disposición y brío. Traía de la mano a su hijo, y delante de ella venían dos doncellas alumbrándola con dos velas de cera en dos candelabros de plata.

Levantáronse todos a hacerle reverencia, como si fuera alguna cosa del cielo que allí milagrosamente se había aparecido. Ninguno de los que allí estaban embebecidos mirándola parece que, de atónitos, no acertaron a decir-

[41] *Saya entera*: v. *La gitanilla*, nota 82.
[42] *Con ellos*: 1613, "con ellas".

le palabra. Leocadia, con airosa gracia y discreta crianza, se humilló a todos, y tomándola de la mano Estefanía la sentó junto a sí, frontero de Rodolfo. Al niño sentaron junto a su abuelo.

Rodolfo, que desde más cerca miraba la incomparable belleza de Leocadia, decía entre sí: "Si la mitad de esta hermosura tuviera la que mi madre me tiene escogida por esposa, tuviérame yo por el más dichoso hombre del mundo. ¡Válame Dios! ¡Qué es esto que veo! ¿Es por ventura algún ángel humano el que estoy mirando?"

Y en esto se le estaba entrando por los ojos a tomar posesión de su alma[43] la hermosa imagen de Leocadia, la cual, en tanto que la cena venía, viendo también tan cerca de sí al que ya quería más que a la luz de sus ojos, con que alguna vez a hurto le miraba, comenzó a revolver en su imaginación lo que con Rodolfo había pasado. Comenzaron a enflaquecerse en su alma las esperanzas que de ser su esposo su madre le había dado, temiendo que a la cortedad de su ventura habían de corresponder las promesas de su madre. Consideraba cuán cerca estaba de ser dichosa o sin dicha para siempre. Y fue la consideración tan intensa y los pensamientos tan revueltos, que le apretaron el corazón de manera que comenzó a sudar y a perderse de color en un punto, sobreviniéndole un desmayo que la forzó a reclinar la cabeza en los brazos de doña Estefanía, que como así[44] la vio, con turbación la recibió en ellos.

Sobresaltáronse todos y, dejando la mesa, acudieron a remediarla. Pero el que dio más muestras de sentirlo fue Rodolfo, pues por llegar presto a ella cayó y tropezó dos veces. Ni por desabrocharla ni echarla agua en el rostro

[43] *De su alma*: a partir del *dolce stil nuovo* se suponía, con base en la fisiología clásica, que el amor nacía al impartir la mujer, por sus ojos, sus espíritus vitales, que eran recibidos por los ojos del hombre que la miraba, y se alojaban en el alma de éste, con lo cual aquello de "tengo tu imagen grabada en el alma" adquiere nuevo y completo sentido.

[44] *Así*: 1613, "ansí".

volvía en sí: antes el levantado pecho y el pulso, que no se le hallaban, iban dando precisas señales de su muerte; y las criadas y criados de casa, como menos considerados, dieron voces y la publicaron por muerta. Estas amargas nuevas llegaron a los oídos de los padres de Leocadia, que para más gustosa ocasión los tenía doña Estefanía escondidos. Los cuales, con el cura de la parroquia, que asimismo [45] con ellos estaba, rompiendo el orden de Estefanía, salieron a la sala.

Llegó el cura presto, por ver si por algunas señales daba indicios de arrepentirse de sus pecados para absolverla de ellos; y donde pensó hallar un desmayo halló dos, porque ya estaba Rodolfo puesto el rostro sobre el pecho de Leocadia. Diole su madre lugar que a ella llegase como una cosa que había de ser suya; pero cuando vio que también estaba sin sentido, estuvo a pique de perder el suyo, y le perdiera si no viera que Rodolfo tornaba en sí, como volvió, corrido de que le hubiesen visto hacer tan extremados extremos.

Pero su madre, casi como adivina de lo que su hijo sentía, le dijo:

—No te corras, hijo, de los extremos que has hecho, sino córrete de los que no hicieres cuando sepas lo que no quiero tenerte más encubierto, puesto que pensaba dejarlo hasta más alegre coyuntura. Has de saber, hijo de mi alma, que esta desmayada que en los brazos tengo es tu verdadera esposa; llamo verdadera porque yo y tu padre te la teníamos escogida, que la del retrato es falsa.

Cuando esto oyó Rodolfo, llevado de su amoroso y encendido deseo, y quitándole el nombre de esposo todos los estorbos que la honestidad y decencia del lugar le podían poner, se abalanzó al rostro de Leocadia, y juntando su boca con la de ella, estaba como esperando que se le saliese el alma para darle acogida en la suya. Pero cuando más las lágrimas de todos por lástima crecían, y por dolor las voces se aumentaban, y los cabellos y bar-

[45] *Asimismo*: 1613, "ansimismo".

bas de la madre y padre de Leocadia arrancados venían a menos, y los gritos de su hijo penetraban los cielos, volvió en sí Leocadia, y con su vuelta volvió la alegría y el contento que de los pechos de los circunstantes se había ausentado.

Hallóse Leocadia entre los brazos de Rodolfo, y quisiera con honesta fuerza desasirse de ellos; pero él le dijo:

—No, señora, no ha de ser así.[46] No es bien que pugneis[47] por apartaros de los brazos de aquel que os tiene en el alma.

A esta razón acabó de todo en todo de cobrar Leocadia sus sentidos y acabó doña Estefanía de no llevar más adelante su determinación primera, diciendo al cura que luego desposase a su hijo con Leocadia. Él lo hizo así,[48] que por haber sucedido este caso en tiempo cuando con sola la voluntad de los contrayentes, sin las diligencias y prevenciones justas y santas que ahora se usan, quedaba hecho el matrimonio, no hubo dificultad que impidiese el desposorio.[49] El cual hecho, déjese a otra pluma y otro ingenio más delicado que el mío[50] el contar la alegría universal de todos los que en él se hallaron. Los abrazos que los padres de Leocadia dieron a Rodolfo; las gracias que dieron al cielo y a sus padres; los ofrecimientos de las partes; la admiración de los camaradas de

[46] *Así*: 1613, "ansí".
[47] *Pugneis*: 1613, "puneis".
[48] *Así*: 1613, "ansí".
[49] *El desposorio*: para explicar la celeridad con que se efectúa este sacramento matrimonial, Cervantes invita al lector a suponer que la acción ocurrió antes de levantarse el Concilio de Trento (1545-1564), en cuya sesión XXIV, *Decretum de reformatione matrimonii,* cap. i, se establecieron las solemnidades que se excusan en el texto, y que, por cierto, no se excusaron bajo ningún concepto al final de *La gitanilla.* No olvidar que en el mismo año de clausura del Concilio de Trento Felipe II convirtió sus decretos en leyes del reino, v. *La española inglesa,* nota 12.
[50] *El mío*: otro tipo de irrupción subjetiva del autor, v. *La gitanilla,* nota 98.

Rodolfo, que tan impensadamente vieron la misma noche de su[51] llegada tan hermoso desposorio, y más cuando supieron, por contarlo delante de todos doña Estefanía, que Leocadia era la doncella que en su compañía su hijo había robado, de que no menos suspenso quedó Rodolfo. Y por certificarse más de aquella verdad preguntó a Leocadia le dijese alguna señal por donde viniese en conocimiento entero de lo que no dudaba, por parecerles que sus padres lo tendrían bien averiguado. Ella respondió:

—Cuando yo recordé y volví en mí de otro desmayo me hallé, señor, en vuestros brazos sin honra; pero yo lo doy por bien empleado, pues al volver del que ahora he tenido, asimismo[52] me hallé en los brazos de entonces pero honrada. Y si esta señal no basta, baste la de una imagen de un crucifijo que nadie os la pudo hurtar sino yo: si es que por la mañana la echastes menos y si es el mismo que tiene mi señora.

—Vos lo sois de mi alma y lo sereis los años que Dios ordenare, bien mío.

Y abrazándola de nuevo, de nuevo volvieron las bendiciones y parabienes que les dieron.

Vino la cena, y vinieron músicos que para esto estaban prevenidos. Viose Rodolfo a sí mismo en el espejo del rostro de su hijo. Lloraron sus cuatro abuelos a gusto. No quedó rincón en toda la casa que no fuese visitado con júbilo, del contento y de la alegría. Y aunque la noche volaba con sus ligeras y negras alas, le parecía a Rodolfo que iba y caminaba no con alas, sino con muletas: tan grande era el deseo de verse a solas con su querida esposa.

Llegóse, al fin, la hora deseada, porque no hay fin que no le tenga. Fuéronse a acostar todos, quedó toda la casa sepultada en silencio, en el cual no quedará la verdad de este cuento, pues no lo consentirán los muchos

[51] *Su*: 1613, "mi".
[52] *Asimismo*: 1613, "ansimismo".

hijos y la ilustre descendencia que en Toledo dejaron,[53] y ahora[54] viven, estos dos venturosos desposados, que muchos y felices años gozaron de sí mismos, de sus hijos y de sus nietos, permitido todo por el cielo y por *la fuerza de la sangre,* que vio derramada en el suelo el valeroso, ilustre y cristiano abuelo de Luisico.

[53] *En Toledo dejaron*: ingenuo intento de fundamentar la historicidad del relato que se halla también al final de *El amante liberal.*

[54] *Ahora*: 1613, "agora".

NOVELA
DEL CELOSO EXTREMEÑO

El celoso extremeño: "Hizo Carrizales su testamento en la manera que había dicho, sin declarar el yerro de Leonora."

No ha muchos años que de un lugar de Extremadura salió un hidalgo, nacido de padres nobles, el cual, como un otro Pródigo,[1] por diversas partes de España, Italia y Flandes anduvo gastando así los años como la hacienda; y al fin de muchas peregrinaciones, muertos ya sus padres y gastado su patrimonio, vino a parar a la gran ciudad de Sevilla,[2] donde halló ocasión muy bastante para acabar de consumir lo poco que le quedaba. Viéndose, pues, tan falto de dineros, y aun no con muchos amigos, se acogió al remedio a que otros muchos perdidos en aquella ciudad se acogen, que es el pasarse a las Indias,[3] refugio y amparo de los desesperados de España, iglesia de los alzados,[4] salvoconducto de los

[1] *Otro Pródigo*: el primero fue el Hijo Pródigo bíblico, *San Lucas,* X, 11-32.

[2] *Sevilla*: acerca de la Sevilla del Siglo de Oro, v. *La española inglesa,* nota 53.

[3] *Las Indias*: bien poca importancias tienen las Indias en la obra de Cervantes, y cuando las cita lo suele hacer con un mohín de disgusto, como lo hace en *La española inglesa,* nota 54, y aquí. Es preciso recordar que en 1590 Cervantes solicitó uno de cuatro empleos vacantes en las Indias, lo que fue negado categóricamente por el Consejo de Indias con fecha 6 de junio de 1590.

[4] *Iglesia de los alzados*: "Alçarse el banco es quebrar de su crédito", Covarrubias, s.v. *alçar*. "*Alzarse, o alzarse con el banco.* Entre hombres de negocios, banqueros y mercaderes, es lo mismo que quebrar, retirándose a la Iglesia, u otro paraje seguro, llevándose las haciendas ajenas", *Dicc. Aut.,* s.v.

homicidas, pala [5] y cubierta de los jugadores a quien llaman *ciertos* [6] los peritos en el arte, añagaza general de mujeres libres, engaño común de muchos y remedio particular de pocos.

En fin, llegado el tiempo en que una flota se partía para Tierra Firme, [7] acomodándose con el almirante de ella, aderezó su matalotaje [8] y su mortaja de esparto, [9] y embarcándose en Cádiz, echando la bendición a España, zarpó la flota, y con general alegría dieron las velas al viento, que blando y próspero soplaba, el cual en pocas horas les encubrió la tierra y les descubrió las anchas y espaciosas llanuras del gran padre de las aguas, el mar Océano. [10]

Iba nuestro pasajero pensativo, revolviendo en su memoria los muchos y diversos peligros que en los años de su peregrinación había pasado, y el mal gobierno que en todo el discurso de su vida había tenido; y sacaba de la cuenta que a sí mismo se iba tomando una firme resolu-

[5] *Pala*: "Germ. Refugio o lugar protegido y libre de persecuciones", Alonso Hernández, s.v.

[6] *Ciertos*: "Germ. Fullero en el juego de naipes que preparaba con trampa varias barajas para el juego por si era descubierta una de ellas o la perdía", Alonso Hernández, s.v.

[7] *Tierra Firme*: según Juan López de Velasco, *Geografía y descripción universal de las Indias desde el año 1571 al de 1574,* Tierra Firme fue el nombre que dio Rodrigo de Bastida en 1502 a la costa entre la isla Margarita y el río del Darién. Pero con el tiempo tal nombre vino a limitarse al territorio de la Audiencia de Panamá, fundada definitivamente en 1563.

[8] *Matalotaje*: "La prevención de comida que se lleva en el navío o galera. Al principio devió sinificar lo que el patrón de la nave, o capitán, entrava y recogía para el sustento de los remeros y marineros", Covarrubias, s.v.

[9] *Mortaja de esparto*: la esterilla en que dormían pasajeros y tripulantes. La clásica asociación entre *sueño* y *muerte* ayuda a explicar el por qué de *mortaja,* el lienzo en que se envuelve a los muertos.

[10] *Mar Océano*: Oceanus en la cosmología griega era el río que circundaba la tierra, que personificado como uno de los Titanes era el progenitor de los dioses y padre de los ríos del mundo y de las ninfas oceánicas.

ción de mudar manera de vida, y de tener otro estilo en guardar la hacienda que Dios fuese servido de darle, y de proceder con más recato que hasta allí con las mujeres.

La flota estaba como en calma cuando pasaba consigo esta tormenta Felipo [11] de Carrizales, que éste es el nombre del que ha dado materia a nuestra novela. Tornó a soplar el viento, impeliendo con tanta fuerza los navíos, que no dejó a nadie en sus asientos; y así, le fue forzoso a Carrizales dejar sus imaginaciones y dejarse llevar de solos los cuidados que el viaje le ofrecía; el cual viaje fue tan próspero, que sin recibir algún revés ni contraste llegaron al puerto de Cartagena. [12] Y por concluir con todo lo que no hace a nuestro propósito, digo que la edad que tenía Felipo cuando pasó a las Indias sería de cuarenta y ocho años, y en veinte que en ellas estuvo, ayudado de su industria y diligencia, alcanzó a tener más de ciento y cincuenta mil pesos ensayados. [13]

Viéndose, pues, rico y próspero, tocado del natural deseo que todos tienen de volver a su patria, pospuestos grandes intereses que se le ofrecían, dejando el Pirú, [14] donde había granjeado tanta hacienda, trayéndola toda en barras de oro y plata, y registrada, por quitar inconvenientes, [15] se volvió a España. Desembarcó en Sanlúcar; llegó a Se-

[11] *Felipo*: forma híbrida y que no vuelve a aparecer en la obra cervantina. La forma *Filipo* del ms. Porras está más cerca de la etimología griega, "amador de caballos".

[12] *Cartagena*: de Indias, importante ciudad y puerto de la actual Colombia.

[13] *Pesos ensayados*: "Ensayar. En España usamos deste término, en el examen que hazemos del oro y plata y los demás metales; y es término muy usado y ay oficio en las casas de la moneda de ensayador", Covarrubias, s.v. Dentro de los conceptos económicos de hoy Felipo de Carrizales vuelve a España hecho un millonario.

[14] *Pirú*: es la única forma que se conoce en época de Cervantes, v. Raúl Porras Barrenechea, "El nombre del Perú", *Mar del Sur,* III (1951), 2-40. Es corrupción del nombre del cacique panameño Birú.

[15] *Inconvenientes*: los metales preciosos debían ser registrados, so pena del comiso al llegar a España, lo cual no impedía un activo contrabando.

villa, tan lleno de años como de riquezas; sacó sus partidas sin zozobras; buscó sus amigos: hallólos todos muertos; quiso partirse a su tierra, aunque ya había tenido nuevas que ningún pariente le había dejado la muerte. Y si cuando iba a Indias, pobre y menesteroso, le iban combatiendo muchos pensamientos, sin dejarle sosegar un punto en mitad de las ondas del mar, no menos ahora en el sosiego de la tierra le combatían, aunque por diferente causa: que si entonces no dormía por pobre, ahora no podía sosegar de rico; que tan pesada carga es la riqueza al que no está usado a tenerla ni saber usar de ella, como lo es la pobreza al que continuo [16] la tiene. Cuidados acarrea el oro y cuidados la falta de él; pero los unos se remedian con alcanzar alguna mediana cantidad, y los otros se aumentan mientras más parte se alcanzan.

Contemplaba Carrizales en sus barras, no por miserable, porque en algunos años que fue soldado aprendió a ser liberal, [17] sino en lo que había de hacer de ellas, a causa que tenerlas en ser [18] era cosa infructuosa, y tenerlas en casa, cebo para los codiciosos y despertador para los ladrones.

Habíase muerto en él la gana de volver al inquieto trato de las mercancías y parecíale que, conforme a los años que tenía, le sobraban dineros para pasar la vida, y quisiera pasarla en su tierra y dar en ella su hacienda a tributo, pasando en ella los años de su vejez en quietud y sosiego, dando a Dios lo que podía, pues había dado al mundo más de lo que debía. Por otra parte, consideraba que la estrecheza de su patria era mucha y la gente muy pobre, [19] y que el irse a vivir a ella era ponerse por blanco

[16] *Continuo*: como *contino* (*La gitanilla,* nota 45), "continuamente".

[17] *Liberal*: Cervantes siempre asocia *soldadesca* con *liberalidad,* como, por ejemplo, en el caso del capitán don Diego de Valdivia en *El licenciado Vidriera.*

[18] *En ser*: tenerlas en su ser original, vale decir, tenerlas en su forma de barras de oro y de plata.

[19] *Muy pobre*: aunque tradicional, la pobreza de Extremadura ha sido muy real.

de todas las importunidades que los pobres suelen dar al rico que tienen por vecino, y más cuando no hay otro en el lugar a quien acudir con sus miserias. Quisiera tener a quien dejar sus bienes después de sus días, y con este deseo tomaba el pulso a su fortaleza, y parecíale que aun podía llevar la carga del matrimonio; y en viniéndole este pensamiento, le sobresaltaba un tan gran miedo, que así se le desbarataba y deshacía como hace a la niebla el viento; porque de su natural condición era el más celoso hombre del mundo, aun sin estar casado, pues con sólo la imaginación de serlo le comenzaban a ofender los celos, a fatigar las sospechas y a sobresaltar las imaginaciones, y esto con tanta eficacia y vehemencia, que de todo en todo propuso de no casarse.

Y estando resuelto en esto, y no lo estando en lo que había de hacer de su vida, quiso su suerte que pasando un día por una calle, alzase los ojos y viese a una ventana puesta una doncella, al parecer de edad de trece o catorce años, de tan agradable rostro y tan hermosa que, sin ser poderoso para defenderse, el buen viejo Carrizales rindió la flaqueza de sus muchos años a los pocos de Leonora, que así era el nombre de la hermosa doncella. Y luego, sin más detenerse, comenzó a hacer un gran montón de discursos, y hablando consigo mismo decía:

—Esta muchacha es hermosa, y a lo que muestra la presencia de esta casa, no debe de ser rica; ella es niña: sus pocos años pueden asegurar mis sospechas. Casarme he con ella; encerraréla y haréla a mis mañas, y con esto no tendrá otra condición que aquella que yo le enseñare. Y no soy tan viejo que pueda perder la esperanza de tener hijos que me hereden. De que tenga dote o no, no hay para qué hacer caso, pues el cielo me dio para todos, y los ricos no han de buscar en sus matrimonios hacienda, sino gusto: que el gusto alarga la vida y los disgustos entre los casados la acortan. Alto, pues: echada está la suerte, y ésta es la que el cielo quiere que yo tenga.

Y así hecho este soliloquio, no una vez, sino ciento, al cabo de algunos días habló con los padres de Leonora, y supo como, aunque pobres, eran nobles; y dándoles cuenta de su intención y de la calidad de su persona y hacienda, les rogó le diesen por mujer a su hija. Ellos le pidieron tiempo para informarse de lo que decía, y que él también le tendría para enterarse ser verdad lo que de su nobleza le habían dicho. Despidiéronse, informáronse las partes, y hallaron ser así lo que entrambos dijeron; y, finalmente, Leonora quedó por esposa de Carrizales, habiéndola dotado primero en veinte mil ducados: tal estaba de abrasado el pecho del celoso viejo. El cual apenas dio el sí de esposo, cuando de golpe le embistió un tropel de rabiosos celos, y comenzó sin causa alguna a temblar y a tener mayores cuidados que jamás había tenido. Y la primera muestra que dio de su condición celosa fue no querer que sastre alguno tomase la medida a su esposa de los muchos vestidos que pensaba hacerle, y así, anduvo mirando cuál otra mujer tendría, poco más o menos, el talle y cuerpo de Leonora, y halló una pobre, a cuya medida hizo hacer una ropa, y probándosela su esposa halló que le venía bien, y por aquella medida hizo los demás vestidos, que fueron tantos y tan ricos, que los padres de la desposada tuvieron por más dichosos en haber acertado [20] con tan buen yerno, para remedio suyo y de su hijo. La niña estaba asombrada de ver tantas galas, a causa que las que ella en su vida se había puesto no pasaban de una saya de raja y una ropilla de tafetán.

La segunda señal que dio Felipo [21] fue no querer juntarse con su esposa hasta tenerle puesta casa aparte, la cual aderezó en esta forma: compró una en doce mil ducados, en un barrio principal de la ciudad, que tenía agua de pie [22] y jardín con muchos naranjos; cerró todas las ventanas que miraban a la calle, y dióles vista al cielo, y lo mismo hizo de todas las otras de casa. En el portal de la

[20] *Haber acertado*: 1613, "auerla certado".
[21] *Felipo*: 1613, "Filipo".
[22] *Agua de pie*: "Lo mismo que agua corriente, u de fuente, a diferencia de la de los Pozos y Norias", *Dicc. Aut.*, s.v.

calle, que en Sevilla llaman *casapuerta,*[23] hizo una caballeriza para una mula, y encima de ella un pajar y apartamiento donde estuviese el que había de curar de ella, que fue un negro viejo y eunuco; levantó las paredes de las azoteas de tal manera que el que entraba en la casa había de mirar al cielo por línea recta, sin que pudiesen ver otra cosa; hizo torno que de la casapuerta respondía al patio. Compró un rico menaje para adornar la casa, de modo que por tapicerías, estrados y doseles ricos mostraba ser de un gran señor; compró, asimismo, cuatro esclavas blancas, y herrólas en el rostro, y otras dos negras bozales.[24] Concertóse con un despensero que le trajese y comprase de comer, con condición que no durmiese en casa ni entrase en ella sino hasta el torno, por el cual había de dar lo que trajese. Hecho esto, dio parte de su hacienda a censo,[25] situada en diversas y buenas partes, otra puso en el banco,[26] y quedóse con alguna, para lo que se le ofreciese. Hizo asimismo llave maestra para toda la casa, y encerró en ella todo lo que suele comprarse en junto y en sus sazones, para la provisión de todo el año; y teniéndolo todo así aderezado y compuesto, se fue a casa de sus suegros y pidió a su mujer, que se la entregaron no con pocas lágrimas, porque les pareció que la llevaban a la sepultura.

La tierna Leonora aún no sabía lo que la había acontecido, y así, llorando con sus padres, les pidió su bendición, y despidiéndose de ellos, rodeada de sus esclavas y criadas, asida de la mano de su marido, se vino a su casa, y en entrando en ella les hizo Carrizales un sermón a todas,

[23] *Casapuerta*: "Puerta de la calle", A. Alcalá Venceslada, *Vocabulario andaluz* (Madrid, 1951), s.v. Es curioso que añade Alcalá Venceslada: "Es voz de la prov. de Cádiz".

[24] *Negras bozales*: "Boçal. El negro que no sabe otra lengua que la suya", Covarrubias, s.v. Acerca de esclavas blancas en la Andalucía de Cervantes, v. Nicolás Cabrillana, "Esclavos moriscos en la Almería del siglo XVI", *Al-Andalus,* XL, 1975, 53-128.

[25] *Censo*: "Comúnmente llamamos censo el que tenemos cargado sobre algunos bienes raízes", Covarrubias, s.v.

[26] *Banco*: v. *La española inglesa,* nota 93.

encargándoles la guarda de Leonora y que por ninguna vía ni en ningún modo dejasen entrar a nadie de la segunda puerta adentro, aunque fuese al negro eunuco. Y a quien más encargó la guarda y regalo de Leonora fue a una dueña [27] de mucha prudencia y gravedad, que recibió como para aya de Leonora y para que fuese superintendente de todo lo que en la casa se hiciese y para que mandase a las esclavas y a otras dos doncellas de la misma edad de Leonora, que para que se entretuviese con las de sus mismos años asimismo había recibido.

Prometióles que las trataría y regalaría a todas de manera que no sintiesen su encerramiento, y que los días de fiesta, todos, sin faltar ninguno, irían a oír misa; pero tan de mañana, que apenas tuviese la luz lugar de verlas. Prometiéronle las criadas y esclavas de hacer todo aquello que les mandaba, sin pesadumbre, con pronta voluntad y buen ánimo. Y la nueva esposa, encogiendo los hombros, bajó la cabeza y dijo que ella no tenía otra voluntad que la de su esposo y señor, a quien estaba siempre obediente.

Hecha esta prevención y recogido el buen extremeño en su casa, comenzó a gozar como pudo los frutos del matrimonio, los cuales a Leonora, como no tenía experiencia de otros, ni eran gustosos ni desabridos; y así, pasaba el tiempo con su dueña, doncellas y esclavas, y ellas, por pasarle mejor, dieron en ser golosas, y pocos días se pasaban sin hacer mil cosas a quien la [28] miel y el azúcar hacen sabrosas. Sobrábales para esto en grande abundancia lo que habían menester, y no menos sobraba en su amo la voluntad de dárselo, pareciéndole que con ello las tenía entretenidas y ocupadas, sin tener lugar donde ponerse a pensar en su encerramiento.

Leonora andaba a lo igual con sus criadas, y se entretenía en lo mismo que ellas, y aun dio con su simplicidad en hacer muñecas y en otras niñerías, que mostraban la

[27] *Dueña*: las dueñas eran uno de los blancos favoritos de la sátira de la época, y Cervantes no es ninguna excepción, v. *El licenciado Vidriera,* nota 150.

[28] *La*: 1613, "le".

llaneza de su condición y la terneza de sus años; todo lo cual era de grandísima satisfacción para el celoso marido, pareciéndole que había acertado a escoger la vida mejor que se la supo imaginar y que por ninguna vía la industria ni la malicia humana podía perturbar su sosiego. Y así, sólo se desvelaba en traer regalos a su esposa y en acordarle le pidiese todos cuantos le viniesen al pensamiento, que de todos sería servida.

Los días que iba a misa, que, como está dicho, era entre dos luces, venían sus padres, y en la iglesia hablaban a su hija, delante de su marido, el cual les daba tantas dádivas que, aunque tenían lástima a su hija por la estrecheza en que vivía, la templaban con las muchas dádivas que Carrizales, su liberal yerno, les daba.

Levantábase de mañana y aguardaba a que el despensero viniese, a quien de la noche antes, por una cédula que ponían en el torno, le avisaban lo que había de traer otro día; [29] y en viniendo el despensero, salía de casa Carrizales, las más veces a pie, dejando cerradas las dos puertas, la de la calle y la de en medio, y entre las dos quedaba el negro.

Íbase a sus negocios, que eran pocos, y con brevedad daba la vuelta, y, encerrándose, se entretenía en regalar a su esposa y acariciar a sus criadas, que todas le querían bien, por ser de condición llana y agradable, y, sobre todo, por mostrarse tan liberal con todas.

De esta manera pasaron un año de noviciado, y hicieron profesión en aquella vida, [30] determinándose de llevarla hasta el fin de las suyas; y así fuera si el sagaz perturbador del género humano no lo estorbara, como ahora oireis. [31]

Dígame ahora el que se tuviere por más discreto y recatado qué más prevenciones para su seguridad podía

[29] *Otro día*: en español clásico "al día siguiente".
[30] *Aquella vida*: como si se tratase de un convento.
[31] *Ahora oiréis*: el novelista finge dialogar con su lector, de ahí estas fórmulas propias de la literatura oral, no de la escrita.

haber hecho el anciano Felipo, pues aun no consintió que dentro de su casa hubiese algún animal que fuese varón. A los ratones de ella jamás los persiguió gato, ni en ella se oyó ladrido de perro; todos eran del género femenino. De día pensaba, de noche no dormía; él era la ronda y centinela de su casa y el Argos [32] de lo que bien quería. Jamás entró hombre de la puerta adentro del patio. Con sus amigos negociaba en la calle. Las figuras de los paños que sus salas y cuadras adornaban, todas eran hembras, flores y boscajes. Toda su casa olía a honestidad, recogimiento y recato: aun hasta en las consejas que en las largas noches de invierno, en la chimenea, sus criadas contaban, por estar él presente, en ninguna ningún género de lascivia se descubría. La plata de las canas del viejo a los ojos de Leonora parecían cabellos de oro puro, porque el amor primero que las doncellas tienen se les imprime en el alma como el sello en la cera. Su demasiada guarda le parecía advertido recato; pensaba y creía que lo que ella pasaba pasaban todas las recién casadas. No se desmandaban sus pensamientos a salir de las paredes de su casa, ni su voluntad deseaba otra cosa más de aquella que la de su marido quería; sólo los días que iba a misa veía las calles, y esto era tan de mañana, que, si no era al volver de la iglesia, no había luz para mirarlas.

No se vio monasterio tan cerrado, ni monjas más recogidas, ni manzanas de oro [33] tan guardadas; y con todo esto, no pudo en ninguna manera prevenir ni excusar de caer en lo que recelaba; a lo menos, en pensar que había caído.

Hay en Sevilla un género de gente ociosa y holgazana, a quien comúnmente suelen llamar gente de barrio. [34] Estos

[32] *Argos*: v. *La gitanilla,* nota 18.

[33] *Manzanas de oro*: alusión a las manzanas de oro que crecían en el árbol del jardín de las Hespérides, custodiado por el dragón Ladon, uno de los trabajos de Hércules.

[34] *Gente de barrio*: bien poca simpatía demuestra Cervantes por toda esta clase social, sentimiento compartido por el novelista sevillano Mateo Alemán, *Guzmán de Alfarache,* II, i, 2, y II, iii, 6.

son los hijos de vecino de cada colación,[35] y de los más ricos de ella; gente baldía, atildada y meliflua, de la cual y de su traje y manera de vivir, de su condición y de las leyes que guardan entre sí, había mucho que decir; pero por buenos respetos se deja.

Uno de estos galanes, pues, que entre ellos es llamado *virote,*[36] mozo soltero, que a los recién casados llaman *mantones,*[37] asestó a mirar la casa del recatado Carrizales, y viéndola siempre cerrada, le tomó gana de saber quién vivía dentro; y con tanto ahinco y curiosidad hizo la diligencia que de todo vino a saber lo que deseaba.

Supo la condición del viejo, de la hermosura de su esposa y el modo que tenía en guardarla; todo lo cual le encendió el deseo de ver si sería posible expugnar, por fuerza o por industria, fortaleza tan guardada. Y comunicándolo con dos virotes y un mantón sus amigos, acordaron que se pusiese por obra, que nunca para tales obras faltan consejeros y ayudadores.

Dificultaban el modo que se tendría para intentar tan dificultosa hazaña; y habiendo entrado en bureo[38] muchas veces, convinieron en esto: que fingiendo Loaysa, que así se llamaba el virote, que iba fuera de la ciudad por algunos días, se quitase de los ojos de sus amigos, como lo hizo; y hecho esto, se puso unos calzones de lienzo limpio y camisa limpia; pero encima se puso unos vestidos tan rotos y remendados, que ningún pobre en toda la ciudad los traía tan astrosos. Quitóse un poco de barba que tenía, cubrióse un ojo con un parche, vendóse una pierna estrechamente, y arrimándose a dos muletas se convirtió en un

[35] *Colación*: "Colación, algunas vezes sinifica los vezinos que son de una mesma parrochia o tribu", Covarrubias, s.v.

[36] *Virote*: según Alcalá Venceslada (nota 23) todavía se usa, en el sentido de "Zascandil, correcalles".

[37] *Mantones*: recoge este vocablo Alonso Hernández, s.v., pero su única autoridad es la del texto.

[38] *Entrado en bureo*: "Bureo. La junta de los mayordomos de la casa real, para el govierno della", Covarrubias, s.v. Por extensión: "tratar de un asunto, entrar en consejo".

pobre tullido tal que el más verdadero estropeado no se le igualaba.

Con este talle se ponía cada noche a la oración a la puerta de la casa de Carrizales, que ya estaba cerrada, quedando el negro, que Luis se llamaba, cerrado entre las dos puertas. Puesto allí Loaysa, sacaba una guitarrilla algo grasienta y falta de algunas cuerdas, y como él era algo músico, comenzaba a tañer algunos sones alegres y regocijados, mudando la voz por no ser conocido. Con esto, se daba prisa a cantar romances de moros y moras, a la loquesca,[39] con tanta gracia, que cuantos pasaban por la calle se ponían a escucharle, y siempre, en tanto que cantaba, estaba rodeado de muchachos; y Luis el negro, poniendo los oídos por entre las puertas, estaba colgado de la música del virote, y diera un brazo por poder abrir la puerta y escucharle más a su placer; tal es la inclinación que los negros tienen a ser músicos. Y cuando Loaysa quería que los que le escuchaban le dejasen, dejaba de cantar y recogía su guitarra y, acogiéndose a sus muletas, se iba.

Cuatro o cinco veces había dado música al negro (que por solo él la daba), pareciéndole que por donde se había de comenzar a desmoronar aquel edificio había y debía ser por el negro; y no le salió vano su pensamiento, porque llegándose una noche, como solía, a la puerta, comenzó a templar su guitarra, y sintió que el negro estaba ya atento, y llegándose al quicio de la puerta, con voz baja dijo:

—¿Será posible, Luis, darme un poco de agua, que padezco de sed y no puedo cantar?

—No —dijo el negro—, porque no tengo la llave de esta puerta, ni hay agujero por donde pueda dárosla.

—Pues ¿quién tiene la llave? —preguntó Loaysa.

—Mi amo —respondió el negro—, que es el más celoso hombre del mundo. Y si él supiese que yo estoy ahora aquí

[39] *A la loquesca*: de romances de moros y moras hay abundantísima muestra en el *Romancero general* (Madrid, Luis Sánchez, 1600); en cuanto a romances a la loquesca, v. *La gitanilla,* nota 24.

hablando con nadie,[40], no sería más mi vida. Pero ¿quién sois vos que me pedís el agua?

—Yo —respondió Loaysa— soy un pobre estropeado de una pierna, que gano mi vida pidiendo por Dios a la buena gente; y juntamente con esto, enseño a tañer a algunos morenos y a otra gente pobre, y ya tengo tres negros, esclavos de tres veinticuatros,[41] a quien he enseñado de modo que pueden cantar y tañer en cualquier baile y en cualquier taberna, y me lo han pagado muy rebién.

—Harto mejor os lo pagara yo —dijo Luis —a tener lugar de tomar lección; pero no es posible, a causa que mi amo, en saliendo por la mañana, cierra la puerta de la calle, y cuando vuelve hace lo mismo, dejándome emparedado entre dos puertas.

—Por Dios, Luis —replicó Loaysa, que ya sabía el nombre del negro—, que si vos diésedes traza a que yo entrase algunas noches a daros lección, en menos de quince días os sacaría tan diestro en la guitarra que pudiésedes tañer sin vergüenza alguna en cualquiera esquina; porque os hago saber que tengo grandísima gracia en el enseñar, y más que he oído decir que vos teneis muy buena habilidad, y a lo que siento y puedo juzgar por el órgano de la voz, que es atiplada, debeis de cantar muy bien.

—No canto mal —respondió el negro—; pero ¿qué aprovecha, pues no sé tonada alguna si no es la de *La estrella de Venus*[42] y la de *Por un verde prado,*[43] y aquella que ahora se usa, que dice:

[40] *Nadie*: en el sentido de "alguien", vulgarismo aun usado hoy día.

[41] *Veinticuatros*: "Veintiquatro. Lo mismo que regidor en los Ayuntamientos de algunas Ciudades de la Andalucía. Llamáronse assí por constar de veintiquatro sugetos el Ayuntamiento", *Dicc. Aut.*, s.v.

[42] *La estrella de Venus*: la composición del Romancero Nuevo de mayor fama y casi seguramente obra de Lope de Vega, v. *La Dorotea,* segunda ed. revisada de Edwin S. Morby (Madrid, 1968), 141.

[43] *Por un verde prado*: Rodríguez Marín, NE, II, 114, dice que se trata de una "cancioncilla vieja", sin más identificación. Yo hallo estos versos como "exemplo de madrigales" en Miguel Sán-

A los hierros de una reja [44]
la turbada mano asida?

—Todas ésas son aire —dijo Loaysa— para las que yo os podría enseñar, porque sé todas las del moro Abindarráez, con las de su dama Jarifa, [45] y todas las que se cantan de la historia del gran sofí Tomunibeyo, [46] con las de la zarabanda a lo divino, [47] que son tales, que hacen pasmar a los mismos portugueses; [48] y esto enseño con tales modos y con tanta facilidad, que aunque no os deis prisa a aprender, apenas habreis comido tres o cuatro moyos [49] de sal cuando ya os veais músico corriente y moliente [50] en todo género de guitarra.

A esto suspiró el negro y dijo:

—¿Qué aprovecha todo eso, si no sé cómo meteros en casa?

---

chez de Lima. *Arte poética en romance castellano* (Alcalá de Henares, 1580), fo. 48v.

[44] *A los hierros de una reja*: versos de un romance de Abenámar que se recogió en el *Romancero de Barcelona,* ed. R. Foulché-Delbosc, *Revue Hispanique,* XXIX, 1913, 171.

[45] *Jarifa*: Diez de estos romances recogió Agustín Durán en su *Romancero general,* núms. 75-84, *Bib. Aut. Esp.*, X.

[46] *Tomunibeyo*: así en 1613, probablemente Tomumbeyo (Tumam Bey), a quien Vasco Díaz Tanco de Fregenal, *Libro intitulado Palinodia de la nephanda y fiera nación de los Turcos* (Orense, 1547), reed. facsím. de A. Rodríguez-Moñino (Valencia, 1947), lo identifica como "capitán mayor de Alejandría". Sus coplas, sin embargo, no se han hallado.

[47] *Zarabanda a lo divino*: "Çarabanda. Bayle bien conocido en estos tiempos, si no le huviera desprivado su prima la chacona. Es alegre y lascivo, porque se haze con meneos del cuerpo descompuestos", Covarrubias, s.v., cf F. Rodríguez Marín, *El Loaysa de 'El celoso extremeño'* (Sevilla, 1901), 257-275. Se difundió por toda Europa con el nombre *sarabande* y como un baile lento y grave. Entre otros, Purcell (m. 1695) y Handel (m. 1759) compusieron *sarabandes.* Por lo demás, no se ha encontrado la zarabanda a lo divino.

[48] *Portugueses*: en España los portugueses tradicionalmente han sido hipérbole de lo sentimental, lírico y romántico.

[49] *Moyos*: "Es un moyo cierta medida de trigo, y quando se mide en las eras haze colmo y tiene la forma que los mojones terminales", Covarrubias, s.v. *mojón.*

[50] *Corriente y moliente*: v. *La gitanilla,* nota 2.

—Buen remedio —dijo Loaysa—: procurad vos tomar las llaves a vuestro amo, y yo os daré un pedazo de cera, donde las imprimireis de manera que queden señaladas las guardas en la cera; que por la afición que os he tomado, yo haré que un cerrajero amigo mío haga las llaves, y así podré entrar dentro de noche y enseñaros mejor que al preste Juan de las Indias,[51] porque veo ser gran lástima que se pierda una tal voz como la vuestra, faltándole el arrimo de la guitarra; que quiero que sepais, hermano Luis, que la mejor voz del mundo pierde de sus quilates cuando no se acompaña con el instrumento, ora sea de guitarra o clavicímbano,[52] de órganos o de arpa; pero el que más a vuestra voz le conviene es el instrumento de la guitarra, por ser el más mañero y menos costoso de los instrumentos.

—Bien me parece eso —replicó el negro—; pero no puede ser, pues jamás entran las llaves en mi poder, ni mi amo las suelta de la mano de día, y de noche duermen debajo de su almohada.

—Pues haced otra cosa, Luis —dijo Loaysa—, si es que teneis gana de ser músico consumado; que si no la teneis, no hay para qué cansarme en aconsejaros.

—¿Y cómo si tengo gana? —replicó Luis—. Y tanta, que ninguna cosa dejaré de hacer, como sea posible salir con ella, a trueco de salir con ser músico.

—Pues así es —dijo el virote—, yo os daré por entre estas puertas, haciendo vos lugar quitando alguna tierra del quicio; digo que os daré unas tenazas y un martillo, con que podais de noche quitar los clavos de la cerradura de loba[53] con mucha facilidad, y con la misma volveremos a poner la chapa de modo que no se eche de ver que

[51] *Preste Juan de Las Indias*: personaje fabuloso y tradicional, que a Cervantes le sirve con frecuencia como punto hiperbólico de comparación, v. *Quijote,* I, xlvii, o bien *La ilustre fregona,* nota 155.

[52] *Clavicímbano*: clavecímbalo, clavicímbalo, clavicímbano, instrumento músico de cuerdas y teclado muy parecido al clavicordio.

[53] *Cerradura de loba*: "La que tiene los dientes de las guardas semejantes a los dientes del lobo", *Dicc. Aut.*, s.v. *loba.*

ha sido desclavada; y estando yo dentro, encerrado con vos en vuestro pajar, o adonde dormís, me daré tal prisa a lo que tengo de hacer, que vos veais aun más de lo que os he dicho, con aprovechamiento de mi persona y aumento de vuestra suficiencia. Y de lo que hubiéremos de comer no tengais cuidado, que yo llevaré matalotaje [54] para entrambos y para más de ocho días; que discípulos tengo yo y amigos que no me dejarán mal pasar.

—De la comida —replicó el negro— no habrá de qué temer, que con la ración que me da mi amo y con los relieves [55] que me dan las esclavas sobrará comida para otros dos. Venga ese martillo y tenazas que decís, que yo haré por junto a este quicio lugar por donde quepa, y le volveré a cubrir y tapar con barro; que puesto que dé algunos golpes en quitar la chapa, mi amo duerme tan lejos de esta puerta que será milagro, o gran desgracia nuestra, si los oye.

—Pues a la mano de Dios —dijo Loaysa—: que de aquí a dos días tendreis, Luis, todo lo necesario para poner en ejecución nuestro virtuoso propósito; y advertid en no comer cosas flemosas, [56] porque no hacen ningún provecho, sino mucho daño a la voz.

—Ninguna cosa me enronquece tanto —respondió el negro— como el vino; pero no me lo quitaré yo por todas cuantas voces tiene el suelo.

—No digo tal —dijo Loaysa—, ni Dios tal permita. Bebed, hijo Luis, bebed, y buen provecho os haga, que el vino que se bebe con medida jamás fue causa de daño alguno.

—Con medida lo bebo —replicó el negro—: aquí tengo un jarro que cabe una azumbre justa y cabal; éste me llenan las esclavas, sin que mi amo lo sepa, y el despensero,

[54] *Matalotaje*: *supra*, nota 8.

[55] *Relieves*: "Las sobras que se levantan de la mesa", Covarrubias, s.v.

[56] *Flemosas*: que producen flema, uno de los cuatro humores (junto con la sangre, la cólera y la melancolía) que constituyen el cuerpo humano, según la fisiología clásica, v. *El amante liberal*, nota 8a.

a solapo, me trae una botilla, que también cabe justas dos azumbres,[57] con que se suplen las faltas del jarro.

—Digo —dijo Loaysa— que tal sea mi vida como eso me parece, porque la seca garganta, ni gruñe ni canta.

—Andad con Dios —dijo el negro—; pero mirad que no dejeis de venir a cantar aquí las noches que tardáredes en traer lo que habeis de hacer para entrar acá dentro, que ya me comen los dedos por verlos puestos en la guitarra.

—Y ¡cómo si vendré! —replicó Loaysa—. Y aun con tonadicas nuevas.

—Eso pido —dijo Luis—; y ahora no me dejeis de cantar algo, porque me vaya a acostar con gusto; y en lo de la paga, entienda el señor pobre que le he de pagar mejor que un rico.

—No reparo en eso —dijo Loaysa—; que según yo os enseñaré, así me pagareis, y por ahora escuchad esta tonadilla, que cuando esté dentro vereis milagros.

—Sea en buen hora —respondió el negro.

Y acabado este largo coloquio, cantó Loaysa un romancito agudo,[58] con que dejó al negro tan contento y satisfecho, que ya no veía la hora de abrir la puerta.

Apenas se quitó Loaysa de la puerta, cuando, con más ligereza que el traer de sus muletas prometía, se fue a dar cuenta a sus consejeros de su buen comienzo, adivino del buen fin que por él esperaba. Hallólos, y contó lo que con el negro dejaba concertado, y otro día hallaron los instrumentos, tales, que rompían cualquier clavo como si fuera de palo.

No se descuidó el virote de volver a dar música al negro, ni menos tuvo descuido el negro en hacer el agujero por donde cupiese lo que su maestro le diese, cubriéndolo de manera que a no ser mirado con malicia y sospechosamente no se podía caer en el agujero.

[57] *Dos azumbres*: con la azumbre del jarro el negro Luis tenía a su disposición tres azumbres, y como ésta es un poco más de dos litros Luis tenía más de seis litros de vino para entonarse.

[58] *Romancito agudo*: un romance con asonantes en agudos.

La segunda noche le dio los instrumentos Loaysa, y Luis probó sus fuerzas, y casi sin poner alguna se halló rompidos [59] los clavos, y con la chapa de la cerradura en las manos, abrió la puerta, y recogió dentro a su Orfeo [60] y maestro, y cuando le vio con sus dos muletas, y tan andrajoso, y tan fajada su pierna, quedó admirado. No llevaba Loaysa el parche en el ojo, por no ser necesario, y así como entró, abrazó a su buen discípulo y le besó en el rostro, y luego le puso una gran bota de vino en las manos y una caja de conserva y otras cosas dulces, de que llevaba unas alforjas bien proveídas. Y dejando las muletas, como si no tuviera mal alguno, comenzó a hacer cabriolas, de lo cual se admiró más el negro, a quien Loaysa dijo:

—Sabed, hermano Luis, que mi cojera y estropeamiento no nace de enfermedad, sino de industria, con la cual gano de comer pidiendo por amor de Dios, y ayudándome de ella y de mi música paso la mejor vida del mundo, en el cual todos aquellos que no fueren industriosos y tracistas [61] morirán de hambre; y esto lo vereis en el discurso de nuestra amistad.

—Ello dirá —respondió el negro—; pero demos orden de volver esta chapa a su lugar, de modo que no se eche de ver su mudanza.

—En buen hora —dijo Loaysa.

Y sacando clavos de sus alforjas, asentaron la cerradura de suerte que estaba tan bien [62] como de antes, de lo cual quedó contentísimo el negro; y subiéndose Loaysa al aposento que en el pajar tenía el negro, se acomodó lo mejor que pudo.

[59] *Rompidos*: Cervantes usa, indistintamente, *rompido* y *roto*.

[60] *Orfeo*: "Un poeta o músico de Tracia, hijo de Apolo y de la ninfa Calíope, el qual dizen aver recibido la lyra de Mercurio, o según otros de su padre Apolo, con la qual pudo tanto que con tañerla movía las selvas y peñas, refrenava los ríos y amansava las fieras", Covarrubias, s.v.

[61] *Tracistas*: "Metaphóricamente se llama el que usa artificios o engaños para el logro del fin que desea", *Dicc. Aut.*, s.v.

[62] *Tan bien*: 1613, "también".

Encendió luego Luis un torzal[63] de cera y, sin más aguardar, sacó su guitarra Loaysa, y tocándola baja y suavemente, suspendió al pobre negro de manera que estaba fuera de sí escuchándole.[64] Habiendo tocado un poco, sacó de nuevo colación y diola a su discípulo, y, aunque con dulce, bebió con tan buen talante de la bota, que le dejó más fuera de sentido que la música. Pasado esto, ordenó que luego tomase lección Luis, y como el pobre negro tenía cuatro dedos de vino sobre los sesos, no acertaba traste; y con todo eso, le hizo creer Loaysa que ya sabía por lo menos dos tonadas; y era lo bueno que el negro se lo creía, y en toda la noche no hizo otra cosa que tañer con la guitarra destemplada y sin las cuerdas necesarias.

Durmieron lo poco que de la noche les quedaba, y a obra de[65] las seis de la mañana bajó Carrizales y abrió la puerta de en medio, y también la de la calle, y estuvo esperando al despensero, el cual vino de allí a un poco, y dando por el torno la comida se volvió a ir, y llamó al negro, que bajase a tomar cebada para la mula, y su ración; y en tomándola, se fue el viejo Carrizales, dejando cerradas ambas puertas, sin echar de ver lo que en la de la calle se había hecho, de que no poco se alegraron maestro y discípulo.

Apenas salió el amo de casa, cuando el negro arrebató la guitarra y comenzó a tocar de tal manera, que todas las criadas le oyeron, y por el torno le preguntaron:

—¿Qué es esto, Luis? ¿De cuándo acá tienes tú guitarra, o quién te la ha dado?

—¿Quién me la ha dado? —respondió Luis—. El mejor músico que hay en el mundo, y el que me ha de enseñar en menos de seis días más de seis mil sones.

—¿Y dónde está ese músico? —preguntó la dueña.

[63] *Torzal*: "Torcer. Es rebolver una cuerda o muchos hilos juntos, del verbo *torqueo, es,* que sinifica lo mesmo, y de allí se dixo torçal el ramal torcido de oro o seda", Covarrubias, s.v.

[64] *Escuchándole*: Loaysa, como Orfeo, ha amansado las fieras.

[65] *Obra de*: expresión adverbial para expresar un cálculo aproximado, v. *Quijote,* II, xxxviii.

—No está muy lejos de aquí —respondió el negro—; y si no fuera por vergüenza y por el temor que tengo a mi señor, quizá os le enseñara luego,[66] y a fe que os holgásedes de verle.

—¿Y adónde puede él estar que nosotras le podamos ver —replicó la dueña—, si en esta casa jamás entró otro hombre que nuestro dueño?

—Ahora bien —dijo el negro—, no os quiero decir nada hasta que veais lo que yo sé y él me ha enseñado en el breve tiempo que he dicho.

—Por cierto —dijo la dueña— que, si no es algún demonio el que te ha de enseñar, que yo no sé quién te pueda sacar músico con tanta brevedad.

—Andad —dijo el negro—, que lo oireis y lo vereis algún día.

—No puede ser eso —dijo otra doncella—, porque no tenemos ventanas a la calle para poder ver ni oír a nadie.

—Bien está —dijo el negro—; que para todo hay remedio si no es para excusar la muerte; y más si vosotras sabeis o quereis callar.

—¡Y cómo que callaremos, hermano Luis!— dijo una de las esclavas—. Callaremos más que si fuésemos mudas; porque te prometo, amigo, que me muero por oír una buena voz, que después que aquí nos emparedaron, ni aun el canto de los pájaros habemos oído.

Todas estas pláticas estaba escuchando Loaysa con grandísimo contento, pareciéndole que todas se encaminaban a la consecución de su gusto y que la buena suerte había tomado la mano en guiarlas a la medida de su voluntad.

Despidiéronse las criadas con prometerles el negro que cuando menos se pensasen las llamaría a oír una buena voz; y con temor que su amo volviese y le hallase hablando con ellas, las dejó y se recogió a su estancia y clausura.

66 *Luego*: "Al instante, sin dilación, prontamente", *Dicc. Aut.*, s.v.

Quisiera tomar lección, pero no se atrevió a tocar de día, por que su amo no le oyese; el cual vino de allí a poco espacio, y cerrando las puertas según su costumbre, se encerró en casa. Y al dar aquel día de comer por el torno al negro, dijo Luis a una negra, que se lo daba, que aquella noche, después de dormido el amo, bajasen todas al torno a oír la voz que les había prometido, sin falta alguna. Verdad es que antes que dijese esto había pedido con muchos ruegos a su maestro fuese contento de cantar y tañer aquella noche al torno, porque él pudiese cumplir la palabra que había dado de hacer oír a las criadas una voz extremada, asegurándole que sería en extremo regalado por todas ellas. Algo se hizo de rogar el maestro de hacer lo que él más deseaba; pero al fin dijo que haría lo que su buen discípulo pedía, sólo por darle gusto, sin otro interés alguno.

Abrazóle el negro y dióle un beso en el carrillo, en señal del contento que le había causado la merced prometida, y aquel día dio de comer a Loaysa tan bien[67] como si comiera en su casa, y aun quizá mejor, pues pudiera ser que en su casa le faltara.

Llegóse la noche, y en la mitad de ella, o poco menos, comenzaron a cecear[68] en el torno, y luego entendió Luis que era la cáfila,[69] que había llegado, y llamando a su maestro, bajaron del pajar, con la guitarra bien encordada y mejor templada. Preguntó Luis quién[70] y cuántas eran las que escuchaban. Respondiéronle que todas, sino su señora, que quedaba durmiendo con su marido, de que le pesó a Loaysa; pero con todo eso, quiso dar principio a su designio y contentar a su discípulo, y tocando mansamente la guitarra, tales sones hizo, que dejó admirado al

[67] *Tan bien*: 1613, "también".

[68] *Cecear*: "Sonar, cerrando los dientes, uniendo a ellos la lengua algo más a los de arriba, como un silvo a lo sordo, que regularmente sirve de seña para llamar, detener o intimar silencio", *Dicc. Aut.*, s.v.

[69] *Cáfila*: "Vale compañía de gente libre, que va de una parte a otra", Covarrubias, s.v., uso muy irónico en la ocasión.

[70] *Quién*: en su valor de plural, propio del español clásico.

negro y suspenso el rebaño de las mujeres que le escuchaba.

Pues ¿qué diré de lo que ellas sintieron cuando oyeron tocar el *Pésame de ello*[71] y acabar con el endemoniado son de la zarabanda, nuevo entonces en España? No quedó vieja por bailar, ni moza que no se hiciese pedazos, todo a la sorda y con silencio extraño, poniendo centinelas y espías si el viejo despertaba. Cantó asimismo Loaysa coplicas de la seguida,[72] con que acabó de echar el sello al gusto de las escuchantes, que ahincadamente pidieron al negro les dijese quién era tan milagroso músico. El negro les dijo que era un pobre mendigante, el más galán y gentil hombre que había en toda la pobrería de Sevilla.

Rogáronle que hiciese de suerte que ellas le viesen, y que no le dejase ir en quince días de casa, que ellas le regalarían muy bien y darían cuanto hubiese menester. Preguntáronle qué modo había tenido para meterle en casa. A esto no respondió palabra; a lo demás dijo que para poderle ver hiciesen un agujero pequeño en el torno, que después lo taparían con cera; y que a lo de tenerle en casa, que él lo procuraría.

Hablólas también Loaysa, ofreciéndoseles a su servicio, con tan buenas razones, que ellas echaron de ver que no salían de ingenio de pobre mendigante. Rogáronle que otra noche viniese al mismo puesto; que ellas harían con su señora que bajase a escucharle, a pesar del ligero sueño de su señor, cuya ligereza no nacía de sus muchos años, sino de sus muchos celos. A lo cual dijo Loaysa que si ellas gustaban de oírle sin sobresalto del viejo, que él les daría unos polvos que le echasen en el vino, que le harían dormir con pesado sueño más tiempo del ordinario.

—¡Jesús, valme —dijo una de las doncellas—, y si eso fuese verdad, qué buena ventura se nos habría entrado por las puertas, sin sentirlo y sin merecerlo! No serían

[71] *Pésame de ello*: Baile popular, como la zarabanda (v. nota 47), que recuerda Cervantes a finales de su entremés *El rufián viudo.*

[72] *Seguida,* seguidilla, v. *La gitanilla,* nota 7.

ellos polvos de sueño para él, sino polvos de vida para todas nosotras y para la pobre de mi señora Leonora, su mujer, que no la deja a sol ni a sombra ni la pierde de vista un solo momento. ¡Ay, señor mío de mi alma, traiga esos polvos, así Dios le dé todo el bien que desea! Vaya y no tarde; tráigalos, señor mío, que yo me ofrezco a mezclarlos en el vino y a ser la escanciadora; y pluguiese a Dios que durmiese el viejo tres días con sus noches, que otros tantos tendríamos nosotras de gloria.

—Pues yo los traeré [73] —dijo Loaysa—; y son tales, que no hacen otro mal ni daño a quien los toma si no es provocarle un sueño pesadísimo.

Todas le rogaron que los trajese [74] con brevedad, y quedando de hacer otra noche con una barrena el agujero en el torno y de traer a su señora para que le viese y oyese, se despidieron; y el negro, aunque era casi el alba, quiso tomar lección, [75] la cual le dio Loaysa, y le hizo entender que no había mejor oído que el suyo en cuantos discípulos tenía: ¡y no sabía el pobre negro, ni lo supo jamás, hacer un cruzado! [76]

Tenían los amigos de Loaysa cuidado de venir de noche a escuchar por entre las puertas de la calle y ver si su amigo les decía algo o si había menester alguna cosa; y haciendo una señal que dejaron concertada, conoció Loaysa que estaban a la puerta, y por el agujero del quicio les dio breve cuenta del buen término en que estaba su negocio, pidiéndoles encarecidamente buscasen alguna cosa que provocase a sueño, para dárselo a Carrizales, que él había oído decir que había unos polvos para este efecto. [77] Dijéronle que tenían un médico amigo que les daría el

[73] *Traeré*: 1613, "trayre".

[74] *Trajese*: 1613, "truxesse".

[75] *Lección*: 1613, "licion", como en todas las otras ocasiones en esta novela.

[76] *Cruzado*: "Es también una postura en la guitarra con que con los dedos índice y largo se pisan las cuerdas tercera y primera en el segundo traste, y con el anular la segunda en el tercer traste", *Dicc. Aut.*, s.v.

[77] *Efecto*: 1613, "efeto".

mejor remedio que supiese, si es que le había; y animándole a proseguir la empresa y prometiéndole de volver la noche siguiente con todo recaudo, aprisa [78] se despidieron.

Vino la noche, y la banda de las palomas acudió al reclamo de la guitarra. Con ellas vino la simple Leonora, temerosa y temblando de que no despertase su marido; que aunque ella, vencida de este temor, no había querido venir, tantas cosas le dijeron sus criadas, especialmente la dueña, de la suavidad de la música y de la gallarda disposición del músico pobre (que, sin haberle visto, le alababa y le subía sobre Absalón y sobre Orfeo), [79] que la pobre señora, convencida y persuadida de ellas, hubo de hacer lo que no tenía ni tuviera jamás en voluntad. Lo primero que hicieron fue barrenar el torno para ver al músico, el cual no estaba ya en hábitos de pobre, sino con unos calzones grandes de tafetán leonado, a la marineresca; [80] un jubón de lo mismo con trencillas de oro, y una montera de raso de la misma color, con cuello almidonado, con grandes puntas y encaje; que de todo vino proveído en las alforjas, imaginando que se había de ver en ocasión que le conviniese mudar de traje.

Era mozo y de gentil disposición y buen parecer; y como había tanto tiempo que todas tenían hecha la vista a mirar al viejo de su amo, parecióles que miraban a un ángel. Poníase una al agujero para verle, y luego otra; y por que le pudiesen ver mejor, andaba el negro paseándole el cuerpo de arriba abajo con el torzal [81] de cera encendido. Y después que todas le hubieron visto, hasta las negras bozales, [82] tomó Loaysa la guitarra, y cantó aquella noche tan extremadamente, que las acabó de dejar suspensas y

[78] *Aprisa*: 1613, "apriesa".

[79] *Absalón... Orfeo*: sobre Orfeo, v. nota 60; la comparación con Absalón es por su belleza viril: "Porro sicut Absalom, vir non erat pulcher in omni Israel, et decorus nimis: a vestigio pedis usque ad verticem non erat in eo ulla macula", II *Samuelis,* XIV, 25.

[80] *Marineresco*: marinesco, a lo marinero.

[81] *Torzal*: v. nota 63.

[82] *Negras bozales*: v. nota 24.

atónitas a todas, así a la vieja como a las mozas, y todas rogaron a Luis diese orden y traza como el señor su maestro entrase allá dentro, para oírle y verle de más cerca y no tan por brújula [83] como por el agujero, y sin el sobresalto de estar tan apartadas de su señor, que podía cogerlas de sobresalto y con el hurto en las manos, lo cual ni sucedería así si le tuviesen escondido dentro.

A esto contradijo su señora con muchas veras, diciendo que no se hiciese la tal cosa ni la tal entrada, porque le pesaría en el alma, pues desde allí le podían ver y oír a su salvo y sin peligro de su honra.

—¿Qué honra? —dijo la dueña—. El Rey tiene harta. [84] Estése vuesa merced encerrada con su Matusalén, y déjenos a nosotras holgar como pudiéremos. Cuanto más, que este señor parece tan honrado, que no querrá otra cosa de nosotras más de lo que nosotras quisiéremos.

—Yo, señoras mías —dijo a esto Loaysa—, no vine aquí sino con intención de servir a todas vuesas mercedes con el alma y con la vida, condolido de su no vista clausura y de los ratos que en este estrecho género de vida se pierden. Hombre soy yo, por vida de mi padre, tan sencillo, tan manso y de tan buena condición, y tan obediente, que no haré más que aquello que se me mandare; y si cualquiera de vuesas mercedes dijere: "Maestro, siéntese aquí; maestro, pásese allí; echaos acá, pasaos acullá", así lo haré como el más doméstico y enseñado perro que salta por el Rey de Francia. [85]

[83] *Por brújula*: "Brúxula. Propiamente es el agujerito de la puntería de la escopeta... En el arcabuz o escopeta que tiran a puntería, tienen este agujerito, y es menester mucho tiento y flema para encarar con él... Los jugadores de naypes, que muy de espacio van descubriendo las cartas y por sola la raya antes que pinte el naype discurren la que puede ser, dizen que miran por brúxula y que bruxulean", Covarrubias, s.v.

[84] *Harta*: "Por mucho: Fulano es harto honrado", Covarrubias, s.v. *harto.*

[85] *Rey de Francia*: "Hazerle saltar por el Rrei de Franzia. Apremiar mucho a uno. 'Haréle saltar por el Rrei de Franzia'. Tómase el símil de los perrillos ke traen los ziegos, enseñados a saltar

—Si eso ha de ser así —dijo la ignorante Leonora—, ¿qué medio se dará para que entre acá dentro el señor maestro? [86]

—Bueno —dijo Loaysa—; vuesas mercedes pugnen por sacar en cera la llave de esta puerta de en medio; que yo haré que mañana en la noche venga hecha otra tal, que nos pueda servir.

—En sacar esa llave —dijo una doncella— se sacan las de toda la casa, porque es llave maestra.

—No por eso será peor —replicó Loaysa.

—Así es verdad —dijo Leonora—: Pero ha de jurar este señor, primero, que no ha de hacer otra cosa cuando esté acá dentro sino cantar y tañer cuando se lo mandaren, y que ha de estar encerrado y quedito donde le pusiéremos.

—Sí juro —dijo Loaysa.

—No vale nada ese juramento —respondió Leonora—: que ha de jurar por vida de su padre, y ha de jurar la cruz, y besarla que lo veamos todas.

—Por vida de mi padre juro —dijo Loaysa—, y por esta señal de cruz, que la beso con mi boca sucia. [87]

Y haciendo la cruz con dos dedos, la besó tres veces. Esto hecho, dijo otra de las doncellas:

—Mire, señor, que no se le olvide aquello de los polvos, que es el *tuáutem* [88] de todo.

Con esto cesó la plática aquella noche, quedando todos muy contentos del concierto. Y la suerte, que de bien en mejor encaminaba los negocios de Loaysa, trajo [89] a aquellas horas, que eran las dos después de la medianoche, por la calle a sus amigos, los cuales, haciendo la

---

por un arkillo diziendo: 'Salta por el Rrei de Franzia', i salta; 'Salta por la mala tavernera', i no salta", Correas, 583b.

[86] *Maestro*: 1613, "maesso".

[87] *Boca sucia*: todos estos solemnes juramentos se derrumbarán estrepitosamente, lo que pinta en más mala luz aún a Loaysa.

[88] *Tuáutem*: v. *Rinconete y Cortadillo* (1613), nota 218.

[89] *Trajo*: 1613, "truxo".

señal acostumbrada, que era tocar una trompa de París,[90] Lóaysa lo[s] habló y les dio cuenta del término en que estaba su pretensión, y les pidió si traían los polvos, u otra[91] cosa, como se la había pedido, para que Carrizales durmiese.

Díjoles asimismo lo de la llave maestra. Ellos le dijeron que los polvos, o un ungüento, vendría la siguiente noche, de tal virtud que, untados los pulsos y las sienes con él, causaba un sueño profundo, sin que de él se pudiese despertar en dos días si no era lavándose con vinagre todas las partes que se habían untado; y que se les diese la llave en cera, que asimismo la harían hacer con facilidad. Con esto se despidieron, y Loaysa y su discípulo durmieron lo poco que de la noche les quedaba, esperando Loaysa con gran deseo la venidera, por ver si se le cumplía la palabra prometida de la llave. Y puesto que el tiempo parece tardío y perezoso a los que en él esperan, en fin, corre a las parejas con el mismo pensamiento, y llega el término que quiere, porque nunca para ni sosiega.

Vino, pues, la noche y la hora acostumbrada de acudir al torno, donde vinieron todas las criadas de casa, grandes y chicas, negras y blancas, porque todas estaban deseosas de ver dentro de su serrallo al señor músico; pero no vino Leonora, y preguntando Loaysa por ella, le respondieron que estaba acostada con su velado, el cual tenía cerrada la puerta del aposento donde dormía con llave, y después de haber cerrado se la ponía debajo de la almohada, y que su señora les había dicho que, en durmiéndose el viejo, haría por tomarle la llave maestra y sacarla en cera, que ya llevaba preparada y blanda, y que de allí a un poco habían de ir a requerirla por una gatera.

[90] *Trompa de París*: "También *trompa gallega,* se llamaba al pequeño instrumento músico con forma de herradura y lengüeta de acero que hoy nombramos *birimbao*", Baltasar Gracián, *El Criticón,* ed. M. Romera-Navarro, II (Filadelfia, 1939), 87.

[91] *U otra*: 1613, "o otra".

Maravillado quedó Loaysa del recato del viejo; pero no por esto se le desmayó el deseo; y estando en esto oyó la trompa de París. Acudió al puesto; halló a sus amigos, que le dieron un botecico de ungüento de la propiedad que le habían significado: tomólo Loaysa, y díjoles que esperasen un poco, que les daría la muestra de la llave. Volvióse al torno y dijo a la dueña, que era la que con más ahinco mostraba desear su entrada, que se lo llevase a la señora Leonora, diciéndole la propiedad que tenía y que procurase untar a su marido con tal tiento que no lo sintiese, y que vería maravillas. Hízolo así la dueña, y, llegándose a la gatera, halló que estaba Leonora esperando tendida en el suelo de largo a largo, puesto el rostro en la gatera. Llegó la dueña y, tendiéndose de la misma manera, puso su boca en el oído de su señora, y con voz baja le dijo que traía el ungüento [92] y de la manera que había de probar su virtud. Ella tomó el ungüento, y respondió a la dueña como en ninguna manera podía tomar la llave a su marido, porque no la tenía debajo de la almohada, como solía, sino entre los dos colchones y casi debajo de la mitad de su cuerpo; pero que dijese al maestro [93] que si el ungüento obraba como él decía, con facilidad sacarían la llave todas las veces que quisiesen, y así, no sería necesario sacarla en cera. Dijo que fuese a decirlo luego, y volvióse a ver lo que el ungüento obraba, porque luego luego [94] le pensaba untar a su velado.

Bajó la dueña a decirlo al maestro [95] Loaysa, y él despidió a sus amigos, que esperando la llave estaban. Temblando y pasito, y casi sin osar despedir el aliento de la boca, llegó Leonora a untar los pulsos del celoso marido, y asimismo le untó las ventanas de las narices, y cuando a ellas le llegó le parecía que se estremecía, y ella quedó mortal, pareciéndole que la había cogido en el hurto. En

[92] *El ungüento*: 1613, "el vn vnguento".
[93] *Maestro*: 1613, "maeso".
[94] *Luego luego*: v. nota 66.
[95] *Maestro*: 1613, "maeso".

efecto,[96] como mejor pudo le acabó de untar todos los lugares que le dijeron ser necesarios, que fue lo mismo que haberle embalsamado para la sepultura.

Poco espacio tardó el alopiado[97] ungüento en dar manifiestas señales de su virtud, porque luego comenzó a dar el viejo tan grandes ronquidos, que se pudieran oír en la calle; música a los oídos de su esposa más acordada que la del maestro[98] de su negro; y aun mal segura de lo que veía, se llegó a él y le estremeció un poco, y luego más, y luego otro poquito más, por ver si despertaba; y a tanto se atrevió, que le volvió de una parte a otra, sin que despertase. Como vio esto, se fue a la gatera de la puerta y, con voz no tan baja como la primera, llamó a la dueña, que allí la estaba esperando, y le dijo:

—Dame albricias, hermana, que Carrizales duerme más que un muerto.

—¿Pues a qué aguardas a tomar la llave, señora? —dijo la dueña—. Mira que está el músico aguardándola más ha de una hora.

—Espera, hermana, que ya voy por ella —respondió Leonora.

Y volviendo a la cama, metió la mano por entre los colchones y sacó la llave de en medio de ellos, sin que el viejo lo sintiese; y tomándola en sus manos, comenzó a dar brincos de contento, y sin más esperar abrió la puerta y la presentó a su dueña, que la recibió con la mayor alegría del mundo.

Mandó Leonora que fuese a abrir al músico y que le trajese[99] a los corredores, porque ella no osaba quitarse de allí, por lo que podía suceder; pero que ante todas cosas hiciese que de nuevo ratificase el juramento que había hecho de no hacer más de lo que ellas le ordenasen y que si no le quisiese confirmar y hacer de nuevo, en ninguna manera le abriesen.

[96] *Efecto*: 1613, "efeto".
[97] *Alopiado*: "opiado", italianismo, *alloppiato*.
[98] *Maestro*: 1613, "maeso".
[99] *Trajese*: 1613, "truxesse".

—Así será —dijo la dueña—; y a fe que no ha de entrar si primero no jura y rejura y besa la cruz seis veces.

—No le pongas tasa —dijo Leonora—; bésela él, y sean las veces que quisiere; pero mira que jure la vida de sus padres y por todo aquello que bien quiere, porque con esto estaremos seguras y nos hartaremos de oírle cantar y tañer, que en mi ánima que lo hace delica[da]mente. Y anda, no te detengas más, por que no se nos pase la noche en pláticas.

Alzóse las faldas la buena dueña,[100] y con no vista ligereza se puso en el torno, donde estaba toda la gente de casa esperándola; y habiéndoles mostrado la llave que traía, fue tanto el contento de todas, que la alzaron en peso, como a catedrático,[101] diciendo: "¡Viva, viva!", y más cuando les dijo que no había necesidad de contrahacer la llave, porque según el untado viejo dormía, bien se podían aprovechar de la de casa todas las veces que la quisiesen.

—¡Ea, pues, amiga —dijo una de las doncellas—, ábrase esa puerta y entre este señor, que ha mucho que aguarda, y démonos un verde de música[102] que no haya más que ver!

—Más ha de haber que ver —replicó la dueña—: que le hemos de tomar juramento, como la otra noche.

—Él es tan bueno —dijo una de las esclavas—, que no reparará en juramentos.

Abrió a esto la dueña la puerta, y teniéndola entreabierta llamó a Loaysa, que todo lo había estado escuchando por el agujero del torno; el cual, llegándose a la puerta, quiso entrarse de golpe; mas poniéndole la dueña la mano en el pecho, le dijo:

[100] *Dueña*: 1613, "duena". No deja de ser irónico llamarla "buena dueña" en estas circunstancias.

[101] *Catedrático*: 1613, "catredático", metátesis común en la época. Por lo demás, es alusión a una costumbre universitaria de entonces, de alzar en triunfo al catedrático victorioso en sus oposiciones.

[102] *Verde de música*: "Darse un verde, holgarse en vanquetes y placeres", Covarrubias, s.v. *verde.* Aquí *holgarse con música.*

—Sabrá vuesa merced, señor mío, que, en Dios y en mi conciencia todas las que estamos dentro de las puertas de esta casa somos doncellas como las madres que nos parieron, excepto mi señora; y aunque yo debo de parecer de cuarenta años, no teniendo treinta cumplidos, porque les faltan dos meses y medio, también lo soy, mal pecado; y si acaso parezco vieja, corrimientos, [103] trabajos y desabrimientos echan un cero a los años, y a veces dos, según se les antoja. Y siendo esto así, como lo es, no sería razón que a trueco de oír dos, o tres, o cuatro cantares nos pusiésemos a perder tanta virginidad como aquí se encierra; porque hasta esta negra, que se llama Guiomar, es doncella. Así que, señor de mi corazón, vuesa merced nos ha de hacer primero que entre en nuestro reino un muy solemne [104] juramento de que no ha de hacer más de lo que nosotras le ordenaremos; y si le parece que es mucho lo que se le pide, considere que es mucho más lo que se aventura. Y si es que vuesa merced viene con buena intención, poco le ha de doler el jurar, que al buen pagador no le duelen prendas.

—Bien y rebién ha dicho la señora Marialonso —dijo una de las doncellas—; en fin, como persona discreta y que está en las cosas como se debe; y si es que el señor no quiere jurar, no entre acá dentro.

A esto dijo Guiomar, la negra, que no era muy ladina: [105]

—Por mí, más que nunca jura, entre con todo diablo; que aunque más jura, si acá estás, todo olvida.

Oyó con gran sosiego Loaysa la arenga de la señora Marialonso, y con grave reposo y autoridad respondió:

—Por cierto, señoras hermanas y compañeras mías, que nunca mi intento fue, es, ni será otro que daros gusto y contento en cuanto mis fuerzas alcanzaren, y así, no se

[103] *Corrimientos*: "Corrido, el confuso y afrentado. Corrimiento, la tal confusión o vergüença", Covarrubias, s.v. *correr*.

[104] *Solemne*: 1613, "solene".

[105] *Ladina*: "Al morisco y al estrangero que aprendió nuestra lengua, con tanto cuidado que apenas le diferenciamos de nosotros, también le llamamos ladino", Covarrubias, s.v.

me hará cuesta arriba este juramento que me piden; pero quisiera yo que se fiara algo de mi palabra, porque dada de tal persona como yo soy, era lo mismo que hacer una obligación guarentigia; [106] y quiero hacer saber a vuesa merced que debajo del sayal hay ál, [107] y que debajo de mala capa suele estar un buen bebedor. Mas para que todas estén seguras de mi buen deseo, determino de jurar como católico y buen varón; y así, juro por la intemerata eficacia, donde más santa y largamente se contiene, y por las entradas y salidas del santo Líbano monte, y por todo aquello que en su proemio encierra la verdadera historia de Carlomagno, con la muerte del gigante Fierabrás, de no salir ni pasar del juramento hecho y del mandamiento de la más mínima y desechada de estas señoras, so pena que si otra cosa hiciere o quisiere hacer, desde ahora para entonces y desde entonces para ahora lo doy por nulo y no hecho ni valedero. [108]

Aquí llegaba con su juramento el buen Loaysa, cuando una de las dos doncellas, que con atención le había estado escuchando, dio una gran voz diciendo:

—¡Este sí que es juramento para enternecer las piedras! ¡Mal haya yo si más quiero que jures, pues con sólo lo jurado podías entrar en la misma sima de Cabra! [109]

Y asiéndole de los gregüescos, le metió dentro, y luego todas las demás se le pusieron a la redonda. Luego fue a dar las nuevas a su señora, la cual estaba haciendo centinela al sueño de su esposo, y cuando la mensajera le dijo que ya subía el músico se alegró y se turbó en un punto y preguntó si había jurado. Respondióle que sí, y con la más nueva forma de juramento que en su vida había visto.

[106] *Guarentigia*: derivado de "garante, garantía", "fiador".

[107] *Al*; "otra cosa", latín *aliud.*

[108] *Valedero*: este juramento es un gracioso adobo de fórmulas escribaniles y legales de la época con chuscadas de Loaysa, v. Ángel Rosenblat, *La lengua del 'Quijote'* (Madrid, 1971), 211.

[109] *Sima de Cabra*: el muy geográfico lugar donde descendió el Caballero del Bosque en obediencia de los deseos de Casildea de Vandalia, *Quijote,* II, xiv.

—Pues si ha jurado —dijo Leonora—, asido le tenemos. ¡Oh, qué avisada que anduve en hacerle que jurase!

En esto llegó toda la caterva junta, y el músico en medio, alumbrándolos el negro y Guiomar la negra. [110] Y viendo Loaysa a Leonora, hizo muestras de arrojársele a los pies para besarle las manos. Ella, callando y por señas, le hizo levantar, y todas estaban como mudas, sin osar hablar, temerosas que su señor las oyese; lo cual, considerado por Loaysa, les dijo que bien podían hablar alto, porque el ungüento con que estaba untado su señor tenía tal virtud que, fuera de quitar la vida, ponía a un hombre como muerto.

—Así lo creo yo —dijo Leonora—; que si así no fuera, ya él hubiera despertado veinte veces, según le hacen de sueño ligero sus muchas indisposiciones; pero después que le unté, ronca como un animal.

—Pues eso es así —dijo la dueña—, vámonos a aquella sala frontera, donde podremos oír cantar aquí al señor y regocijarnos un poco.

—Vamos —dijo Leonora—; pero quédese aquí Guiomar por guarda, que nos avise si Carrizales despierta.

A lo cual respondió Guiomar:

—¡Yo, negra, quedo; blancas, van: Dios perdone a todas!

Quedóse la negra; fuéronse a la sala, donde había un rico estrado, y cogiendo al señor [111] en medio, se sentaron todas. Y tomando la buena Marialonso una vela, comenzó a mirar de arriba abajo al bueno del músico, y una decía: "¡Ay, qué copete [112] que tiene tan lindo y tan rizado!" Otra: "¡Ay, qué blancura de dientes! ¡Mal año para piñones mondados que más blancos ni más lindos sean!" Otra: "¡Ay, qué ojos tan grandes y tan rasgados! Y por

[110] *La negra*: nuevo toque humorístico: los que dan *luz* son los *negros*.

[111] Sutil toque estilístico: Loaysa ya no es más el "maestro", sino el "señor".

[112] *Copete*: "El cabello que las damas traen levantado sobre la frente llamamos copete... Por nuestros pecados oy usan los hombres copete", Covarrubias, s.v.

el siglo de mi madre que son verdes, que no parecen sino que son de esmeraldas!" Ésta alababa la boca, aquélla los pies, y todas juntas hicieron de él una menuda anatomía y pepitoria. Sola Leonora callaba, y le miraba, y le iba pareciendo de mejor talle que su velado. En esto, la dueña tomó la guitarra, que tenía el negro, y se la puso en las manos de Loaysa, rogándole que la tocase y que cantase una coplillas que entonces andaban muy validas en Sevilla, que decían:

Madre, la mi madre,
guardas me poneis.[113]

Cumplióle Loaysa su deseo. Levantáronse todas, y se comenzaron a hacer pedazos bailando. Sabía la dueña las coplas, y cantólas con más gusto que buena voz, y fueron éstas:

Madre, la mi madre,
guardas me poneis,
que si yo no me guardo,
no me guardareis.

Dicen que está escrito,
y con gran razón,
ser la privación
causa de apetito;
crece en infinito
encerrado amor;
por eso es mejor
que no me encerreis;
que si yo, etc.

[113] *Madre, la mi madre*: estas coplas sí fueron favorecidísimas, y recoge múltiples ejemplos Eduardo M. Torner, *Lírica Hispánica. Relaciones entre lo popular y lo culto* (Madrid, 1966), 198-201, quien nos recuerda, entre otras cosas, que Cervantes usó el mismo cantar en la comedia *La entretenida* y que la glosa cervantina se halla también en el *Cancionero de la Biblioteca Brancacciana.* Claro está que la letra del cantar y su glosa son una sangrienta ironía a costillas de Carrizales.

Si la voluntad
por sí no se guarda,
no la harán guarda
miedo o calidad:
romperá, en verdad,
por la misma muerte,
hasta hallar la suerte
que vos no entendeis;
que si yo, etc.

Quien tiene costumbre
de ser amorosa,
como mariposa
se irá tras su lumbre,
aunque muchedumbre
de guardas le pongan,
y aunque más propongan
de hacer lo que haceis;
que si yo, etc.

Es de tal manera
la fuerza amorosa,
que a la más hermosa
la vuelve en quimera;
el pecho de cera,
de fuego la gana,
las manos de lana,
de fieltro los pies;
que si yo no me guardo,
mal me guardareis.

Al fin llegaban de su canto y baile el corro de las mozas, guiado por la buena dueña, cuando llegó Guiomar, la centinela, toda turbada, hiriendo de pie y de mano como si tuviera alferecía,[114] y, con voz entre ronca y baja, dijo:

[114] *Hiriendo... alferecía*: sobre *herir de pie y mano* y sobre *alferecía* v. *El licenciado Vidriera,* notas 60 y 61.

—¡Despierto señor, señora; y, señora, despierto señor, y levantas y viene!

Quien ha visto banda de palomas estar comiendo en el campo, sin miedo, lo que ajenas manos sembraron, que al furioso estrépito de disparada escopeta se azora y levanta, y olvidada del pasto, confusa y atónita cruza por los aires, tal se imagine que quedó la banda y corro de las bailadoras, pasmadas y temerosas, oyendo la no esperada nueva que Guiomar había traído; y procurando cada una su disculpa y todas juntas su remedio, cuál por una y cuál por otra parte, se fueron a esconder por los desvanes y rincones de la casa, dejando solo al músico, el cual, dejando la guitarra y el canto, lleno de turbación, no sabía qué hacerse.

Torcía Leonora sus hermosas manos; abofeteábase el rostro, aunque blandamente, [115] la señora Marialonso; en fin, todo era confusión, sobresalto y miedo. Pero la dueña, como más astuta y reportada, dio orden que Loaysa se entrase en un aposento suyo, y que ella y su señora se quedarían en la sala, que no faltaría excusa que dar a su señor si allí las hallase.

Escondióse luego Loaysa, y la dueña se puso atenta a escuchar si su amo venía, y no sintiendo rumor alguno, cobró ánimo, y poco a poco, paso ante paso, se fue llegando al aposento donde su señor dormía, y oyó que roncaba como primero, y asegurada de que dormía, alzó las faldas y volvió corriendo a pedir albricias a su señora del sueño de su amo, la cual se las mandó [116] de muy entera voluntad.

No quiso la buena dueña perder la coyuntura que la suerte le ofrecía de gozar, primero que todas, las gracias que ésta se imaginaba que debía tener el músico; y así, diciéndole a Leonora que esperase en la sala en tanto que

[115] *Blandamente*: fino detalle que acentúa la hipocresía de la dueña Marialonso.

[116] *Mandó*: "Mandar es ofrecer alguna cosa, como donación o legado de testamento, que llamamos manda", Covarrubias, s.v. mandar.

iba a llamarlo, la dejó y se entró donde él estaba, no menos confuso que pensativo, esperando las nuevas de lo que hacía el viejo untado. Maldecía la falsedad del ungüento y quejábase de la credulidad de sus amigos y del poco advertimiento que había tenido en no hacer primero la experiencia en otro antes de hacerla en Carrizales.

En esto llegó la dueña, y le [117] aseguró que el viejo dormía a más y mejor. Sosegó el pecho y estuvo atento a muchas palabras amorosas que Marialonso le dijo, de las cuales coligió la mala intención suya, y propuso en sí de ponerla por anzuelo para pescar a su señora. Y estando los dos en sus pláticas, las demás criadas, que estaban escondidas por diversas partes de la casa, una de aquí y otra de allí, volvieron a ver si era verdad que su amo había despertado; y viendo que todo estaba sepultado en silencio, llegaron a la sala donde habían dejado a su señora, de la cual supieron el sueño de su amo; y preguntándole por el músico y por la dueña, les dijo dónde estaban, y todas, con el mismo silencio que habían traído, se llegaron a escuchar por entre las puertas lo que entrambos trataban.

No faltó de la junta Guiomar, la negra; el negro sí, porque así como oyó que su amo había despertado, se abrazó con su guitarra y se fue a esconder en su pajar, y, cubierto con la manta de su pobre cama, sudaba y trasudaba de miedo; y con todo eso, no dejaba de tentar las cuerdas de la guitarra: tanta era (encomendado él sea a Satanás) la afición que tenía a la música.

Entreoyeron las mozas los requiebros de la vieja, y cada una le dijo el nombre de las Pascuas; [118] ninguna la llamó vieja que no fuese con su epíteto [119] y adjetivo de hechicera y de barbuda, de antojadiza y de otros que por buen respeto se callan; pero lo que más risa causara a

[117] *Le*; 1613, "se".

[118] *Pascuas*: "Dixéronse los nombres de las Paskuas. Esto es: los nombres grandes i solenes; llamáronse 'vellakas', 'putas', 'alkaguetas'", Correas, 691a.

[119] *Epíteto*: 1613, "epicteto".

quien entonces las oyera, eran las razones de Guiomar la negra, que, por ser portuguesa y no muy ladina,[120] era extraña la gracia con que la vituperaba. En efecto, la conclusión de la plática de los dos fue que él condescendería con la voluntad de ella cuando ella primero le entregase a toda su voluntad a su señora.

Cuesta arriba se le hizo a la dueña ofrecer lo que el músico pedía; pero a trueco de cumplir el deseo que ya se le había apoderado del alma y de los huesos y medulas[121] del cuerpo, le prometiera los imposibles que pudieran imaginarse. Dejóle, y salió a hablar a su señora; y como vio su puerta rodeada de todas las criadas, les dijo que se recogiesen a sus aposentos, que otra noche habría lugar para gozar con menos o con ningún sobresalto del músico, que ya aquella noche el alboroto les había aguado el gusto.

Bien entendieron todas que la vieja se quería quedar sola; pero no pudieron dejar de obedecerla, porque las mandaba a todas. Fuéronse las criadas, y ella acudió a la sala a persuadir a Leonora acudiese a la voluntad de Loaysa, con una larga y tan concertada arenga, que pareció que de muchos días la tenía estudiada. Encarecióle su gentileza, su valor, su donaire y sus muchas gracias. Pintóle de cuánto más gusto le serían los abrazos del amante mozo que los del marido viejo, asegurándole el secreto y la duración del deleite, con otras cosas semejantes a éstas, que el demonio le puso en la lengua, llenas de colores retóricos, tan demostrativos y eficaces, que movieran no sólo el corazón tierno y poco advertido de la simple e incauta Leonora, sino el de un endurecido mármol. ¡Oh dueñas,[122] nacidas y usadas en el mundo para perdición de mil recatadas y buenas intenciones! ¡Oh, luengas y repulgadas tocas, escogidas para autorizar las salas y los estrados de señoras principales, y cuán al re-

[120] *Ladina*: v. nota 105.
[121] *Medulas*: la voz debe ser grave, como que viene del latín *medulla*.
[122] *¡Oh, dueñas*: v. nota 27.

vés de lo que debíades usais de vuestro casi ya forzoso oficio! En fin, tanto dijo la dueña, tanto persuadió la dueña, que Leonora se rindió, Leonora se engañó y Leonora se perdió,[123] dando en tierra con todas las prevenciones del discreto Carrizales, que dormía el sueño de la muerte de su honra.

Tomó Marialonso por la mano a su señora, y casi por fuerza, preñados de lágrimas los ojos, la llevó donde Loaysa estaba, y echándoles la bendición con una risa falsa de demonio, cerrando tras sí la puerta, los dejó encerrados, y ella se puso a dormir en el estrado, o, por mejor decir, a esperar su contento de recudida. Pero como el desvelo de las pasadas noches la venciese, se quedó dormida en el estrado.

Bueno fuera en esta sazón preguntar a Carrizales, a no saber que dormía, que adónde estaban sus advertidos recatos, sus recelos, sus advertimientos, sus persuasiones, los altos muros de su casa, el no haber entrado en ella, ni aun en sombra, alguien que tuviese nombre de varón, el torno estrecho, las gruesas paredes, las ventanas sin luz, el encerramiento notable, la gran dote en que a Leonora había dotado, los regalos continuos que la hacía, el buen tratamiento de sus criadas y esclavas, el no faltar un punto a todo aquello que él imaginaba que habían menester, que podían desear. Pero ya queda dicho que no había para qué preguntárselo, porque dormía más de aquello que fuera menester; y si él lo oyera y acaso respondiera, no podía dar mejor respuesta que encoger los hombros y enarcar las cejas y decir: "¡Todo aqueso derribó por los fundamentos la astucia, a lo que yo creo, de un mozo holgazán y vicioso, y la malicia de una falsa dueña, con la inadvertencia de una muchacha rogada y persuadida!" Libre Dios a cada uno de tales enemigos, contra los cuales no hay escudo de prudencia que defienda ni espada de recato que corte.

[123] *Leonora se perdió*: perfecto ejemplo del estilo pleonástico, que a menudo usa Cervantes para destacar situaciones y que estudié en mis *Nuevos deslindes cervantinos* (Barcelona, 1975), 188.

Pero, con todo esto, el valor de Leonora fue tal, que en el tiempo que más le convenía, le mostró contra las fuerzas villanas de su astuto engañador, pues no fueron bastantes a vencerla, y él se cansó en balde, y ella quedó vencedora, y entrambos dormidos. Y, en esto, ordenó el cielo que, a pesar del ungüento, Carrizales despertase, y como tenía costumbre, tentó la cama por todas partes, y no hallando en ella a su querida esposa, saltó de la cama despavorido y atónito, con más ligereza y denuedo que sus muchos años prometían. Y cuando en el aposento no halló a su esposa, y le vio abierto y que le faltaba la llave de entre los colchones, pensó perder el juicio. Pero, reportándose un poco, salió al corredor, y de allí, andando pie ante pie por no ser sentido, llegó a la sala donde la dueña dormía, y viéndola sola, sin Leonora, fue al aposento de la dueña, y abriendo la puerta muy quedo vio lo que nunca quisiera haber visto, vio lo que diera por bien empleado no tener ojos para verlo. Vio a Leonora en brazos de Loaysa, durmiendo tan a sueño suelto como si en ellos obrara la virtud del ungüento y no en el celoso anciano.

Sin pulsos quedó Carrizales con la amarga vista de lo que miraba; la voz se le pegó a la garganta, los brazos se le cayeron de desmayo, y quedó hecho una estatua de mármol frío; y aunque la cólera hizo su natural oficio, avivándole los casi muertos espíritus, pudo tanto el dolor que no le dejó tomar aliento. Y, con todo eso, tomara la venganza que aquella grande maldad requería si se hallara con armas para poder tomarla; y así, determinó volverse a su aposento a tomar una daga, y volver a sacar las manchas de su honra con sangre de sus dos enemigos, y aun con toda aquella de toda la gente de su casa.[124] Con esta determinación honrosa y necesaria volvió, con el mismo silencio y recato que había venido, a su estancia, donde le apretó el corazón tanto el dolor y la angus-

[124] *De su casa*: en esto, precisamente, consiste la muy teatral venganza de *Los comendadores de Córdoba* de Lope de Vega.

tia que, sin ser poderoso a otra cosa, se dejó caer desmamayado sobre el lecho.

Llegóse en esto el día, y cogió a los nuevos adúlteros enlazados en la red de sus brazos. Despertó Marialonso, y quiso acudir por lo que, a su parecer, le tocaba; pero viendo que era tarde, quiso dejarlo para la venidera noche. Alborotóse Leonora viendo tan entrado el día, y maldijo su descuido y el de la maldita dueña, y las dos, con sobresaltados pasos, fueron donde estaba su esposo, rogando entre dientes al cielo que le hallasen todavía roncando; y cuando le vieron encima de la cama callando, creyeron que todavía obraba la untura, pues dormía, y con gran regocijo se abrazaron la una a la otra. Llegóse Leonora a su marido, y asiéndole de un brazo le volvió de un lado a otro, por ver si despertaba sin ponerles en necesidad de lavarle con vinagre, como decían era menester para que en sí volviese. Pero con el movimiento volvió Carrizales de su desmayo, y dando un profundo suspiro, con una voz lamentable y desmayada dijo:

—¡Desdichado de mí, y a qué tristes términos me ha traído mi fortuna!

No entendió bien Leonora lo que dijo su esposo; mas como le vio despierto y que hablaba, admirada de ver que la virtud del ungüento no duraba tanto como habían significado, se llegó a él, y poniendo su rostro con el suyo, teniéndole estrechamente abrazado, le dijo:

—¿Qué teneis, señor mío, que me parece que os estais quejando?

Oyó la voz de la dulce enemiga suya el desdichado viejo, y abriendo los ojos desencajadamente, [125] como atónito y embelesado, los puso en ella, y con grande ahinco, sin mover pestaña, la estuvo mirando una gran pieza, al cabo de la cual le dijo:

—Hacedme placer, señora, que luego luego [126] envieis a llamar a vuestros padres de mi parte, porque siento no sé qué en el corazón, que me da grandísima fatiga, y temo

[125] *Desencajadamente*: 1613, "desencasadamente".
[126] *Luego luego*: v. notas 66 y 94.

que brevemente me va a quitar la vida, y querríalos ver antes que me muriese.

Sin duda creyó Leonora ser verdad lo que su marido le decía, pensando antes que la fortaleza del ungüento, y no lo que había visto, le tenía en aquel trance; y respondiéndole que haría lo que la mandaba, mandó al negro que luego al punto fuese a llamar a sus padres, y abrazándose con su esposo, le hacía las mayores caricias que jamás le había hecho, preguntándole qué era lo que sentía, con tan tiernas y amorosas palabras como si fuera la cosa del mundo que más amaba. Él la miraba con el embelesamiento que se ha dicho, siéndole cada palabra o caricia que le hacía una lanzada [126b] que le atravesaba el alma.

Ya la dueña había dicho a la gente de casa y a Loaysa la enfermedad de su amo, encareciéndoles que debía de ser de momento, [127] pues se le había olvidado de mandar cerrar las puertas de la calle cuando el negro salió a llamar a los padres de su señora; de la cual embajada asimismo se admiraron, por no haber entrado ninguno de ellos en aquella casa después que casaron a su hija.

En fin, todos andaban callados y suspensos, no dando en la verdad de la causa de la indisposición de su amo, el cual de rato en rato, tan profunda y dolorosamente suspiraba, que con cada suspiro parecía arrancársele el alma.

Lloraba Leonora por verle de aquella suerte, y reíase él con una risa de persona que estaba fuera de sí, considerando la falsedad de sus lágrimas.

En esto llegaron los padres de Leonora, y como hallaron la puerta de la calle y la del patio abiertas y la casa sepultada en silencio y sola, quedaron admirados con no pequeño sobresalto. Fueron al aposento de su yerno, y halláronle, como se ha dicho, siempre clavados los ojos en su esposa, a la cual tenía asida de las manos, derra-

[126b] *Lanzada*: v. *La española inglesa,* nota 75.

[127] *De momento*: "Se toma también por importancia, entidad o peso, y así se dice: Cosa de poco momento", *Dicc. Aut.,* s.v.

mando los dos muchas lágrimas; ella, con no más ocasión de verlas derramar a su esposo; él, por ver cuán fingidamente ella las derramaba.

Así como sus padres entraron, habló Carrizales, y dijo:

—Siéntense aquí vuesas mercedes, y todos los demás dejen desocupado este aposento, y sólo quede la señora Marialonso.

Hiciéronlo así, y quedando solos los cinco, sin esperar que otro hablase, con sosegada voz, limpiándose los ojos, de esta manera dijo Carrizales:

—Bien seguro estoy, padres y señores míos, que no será menester traeros testigos para que me creais una verdad que quiero deciros. Bien se os debe acordar, que no es posible se os haya caído de la memoria, con cuánto amor, con cuán buenas entrañas, hace hoy un año, un mes, cinco días y nueve horas que me entregastes a vuestra querida hija por legítima mujer mía. También sabeis con cuánta liberalidad la doté, pues fue tal la dote que más de tres de su misma calidad se pudieran casar con opinión de ricas. Asimismo se os debe acordar la diligengencia que puse en vestirla y adornarla de todo aquello que ella se acertó a desear y yo alcancé a saber que le convenía. Ni más ni menos habeis visto, señores, cómo, llevado de mi natural condición y temeroso del mal de que, sin duda, he de morir, y experimentado por mi mucha edad en los extraños y varios acaecimientos del mundo, quise guardar esta joya, que yo escogí y vosotros me diste[i]s, con el mayor recato que me fue posible. Alcé las murallas de esta casa, quité la vista a las ventanas de la calle, doblé las cerraduras de las puertas, púsele torno, como a monasterio; desterré perpetuamente de ella todo aquello que sombra o nombre de varón tuviese. Dile criadas y esclavas que la sirviesen; ni les negué a ellas ni a ella cuanto quisieron pedirme; hícela mi igual; comuniquéle mis más secretos pensamientos; entreguéle toda mi hacienda. Todas éstas eran obras para que, si bien lo considerara, yo viviera seguro de gozar sin sobresalto lo que tanto me había costado y ella procurara no darme ocasión a que ningún género de temor celoso entrara en mi pensamiento. Mas como no se puede prevenir con diligencia humana el castigo que la voluntad divina quiere dar a los que en ella no ponen del todo en todo sus deseos y esperanzas, no es mucho que yo quede defraudado en las mías y que yo mismo haya sido el fabricador del veneno que me va quitando la vida. Pero porque veo la suspensión en que todos estais, colgados de las palabras de mi boca, quiero concluir los largos preámbulos de esta plática con deciros en una palabra lo que no es posible decirse en millares de ellas. Digo, pues, señores, que todo lo que he dicho y hecho ha parado en que esta madrugada hallé a ésta, nacida en el mundo para perdición de mi sosiego y fin de mi vida —y esto, señalando a su esposa—, en los brazos de un gallardo mancebo, que en la estancia de esta pestífera dueña ahora está encerrado.

Apenas acabó estas últimas palabras Carrizales cuando a Leonora se le cubrió el corazón, y en las mismas rodillas de su marido se cayó desmayada. Perdió la color Marialonso, y a las gargantas de los padres de Leonora se les atravesó un nudo que no les dejaba hablar palabra. Pero prosiguiendo adelante Carrizales, dijo:

—La venganza que pienso tomar de esta afrenta no es ni ha de ser de las que ordinariamente suelen tomarse, pues quiero que, así como yo fui extremado [128] en lo que hice, así sea la venganza que tomaré, tomándola de mí mismo como del más culpado en este delito; que debiera considerar que mal podían estar ni compadecerse en uno los quince años de esta muchacha con los casi ochenta míos. Yo fui el que, como el gusano de seda, me fabriqué la casa donde muriese, y a ti no te culpo, ¡oh niña mal aconsejada! —y diciendo esto se inclinó y besó el rostro de la desmayada Leonora—; no te culpo, digo, porque persuasiones de viejas taimadas y requiebros de mozos enamorados fácilmente vencen y triunfan del poco ingenio que los pocos años encierran. Mas porque todo el mundo vea el valor de los quilates de la voluntad y fe con que te quise, en este último trance de mi vida quiero

[128] *Extremado*: 1613, "estremado".

mostrarlo de modo que quede en el mundo por ejemplo, si no de bondad, al menos de simplicidad jamás oída ni vista; y así, quiero que se traiga luego aquí un escribano, para hacer de nuevo mi testamento, en el cual mandaré doblar la dote a Leonora y le rogaré que después de mis días, que serán bien breves, disponga su voluntad, pues lo podrá hacer sin fuerza, a casarse con aquel mozo, a quien nunca ofendieron las canas de este lastimado viejo; y así verá que, si viviendo, jamás salí un punto de lo que pude pensar ser su gusto, en la muerte hago lo mismo, y quiero que le tenga con el que ella debe de querer tanto. La demás hacienda mandaré a otras obras pías, y a vosotros, señores míos, dejaré con que podais vivir honradamente lo que de la vida os queda. La venida del escribano sea luego, porque la pasión que tengo me aprieta de manera, que a más andar me va acortando los pasos de la vida.

Esto dicho, le sobrevino un terrible desmayo, y se dejó caer tan junto de Leonora, que se juntaron los rostros: ¡extraño y triste espectáculo para los padres, que a su querida hija y a su amado yerno miraban! No quiso la mala dueña esperar a las reprehensiones que pensó le darían los padres de su señora, y así, se salió del aposento y fue a decir a Loaysa todo lo que pasaba, aconsejándole que luego al punto se fuese de aquella casa, que ella tendría cuidado de avisarle con el negro lo que sucediese, pues ya no había puertas ni llaves que lo impidiesen. Admiróse Loaysa con tales nuevas, y tomando el consejo, volvió a vestirse como pobre y fuese a dar cuenta a sus amigos del extraño y nunca visto suceso de sus amores.

En tanto, pues, que los dos estaban transportados, el padre de Leonora envió a llamar a un escribano amigo suyo, el cual vino a tiempo que ya habían vuelto hija y yerno en su acuerdo. Hizo Carrizales su testamento en la manera que había dicho, sin declarar el yerro de Leonora, más de que por buenos respetos [129] le pedía y rogaba se casase, si acaso él muriese, con aquel mancebo que él

[129] *Respetos*: 1613, "respectos".

la había dicho en secreto. Cuando esto oyó Leonora, se arrojó a los pies de su marido y, saltándole el corazón en el pecho, le dijo:

—Vivid vos muchos años, mi señor y mi bien todo, que puesto caso que no estais obligado a creerme ninguna cosa de las que os dijere, sabed que no os he ofendido sino con el pensamiento.

Y comenzando a disculparse y a contar por extenso la verdad del caso, no pudo mover la lengua, y volvió a desmayarse. Abrazóla así desmayada el lastimado viejo; abrazáronla sus padres; lloraron todos tan amargamente, que obligaron y aun forzaron a que en ellas les acompañase el escribano que hacía el testamento, en el cual dejó de comer a todas las criadas de casa, horras las esclavas [130] y el negro, y a la falsa de Marialonso no le mandó otra cosa que la paga de su salario; mas, sea lo que fuere, el dolor le apretó de manera, que al seteno día le llevaron a la sepultura.

Quedó Leonora viuda, llorosa y rica; y cuando Loaysa esperaba que cumpliese lo que ya él sabía que su marido en su testamento dejaba mandado, vio que dentro de una semana se entró monja en uno de los más recogidos monasterios de la ciudad. Él, despechado y casi corrido, se pasó a las Indias. [131] Quedaron los padres de Leonora tristísimos, aunque se consolaron con lo que su yerno les había dejado y mandado por su testamento. Las criadas se consolaron con lo mismo, y las esclavas y esclavos, con la libertad; y la malvada de la dueña, pobre y defraudada de todos sus malos pensamientos.

Y yo quedé con el deseo de llegar al fin de este suceso, ejemplo y espejo de lo poco que hay que fiar de llaves, tornos y paredes cuando queda la voluntad libre, y de lo menos que hay que confiar de verdes y pocos años, si les andan al oído exhortaciones de estas dueñas de monjil

[130] *Horras las esclavas*: "Horro. El que aviendo sido esclavo alcançó libertad de su señor", Covarrubias, s.v.

[131] *Las Indias*: v. nota 3.

[132] *Disculparse*: 1613, "desculparse".

negro y tendido y tocas blancas y luengas. Sólo no sé qué fue la causa que Leonora no puso más ahinco en disculparse y dar a entender a su celoso marido cuán limpia y sin ofensa había quedado en aquel suceso; pero la turbación le ató la lengua, y la prisa [133] que se dio a morir su marido no dio lugar a su disculpa.

[133] *Prisa*: 1613, "priesa".

NOVELA DEL ZELOSO ESTREMEÑO

Ms. Porras

Según la edición Bosarte

(1)

NOVELA

DEL ZELOSO ESTREMEÑO:

Que refiere quanto perjudica la ocasion.

No há muchos años que de un lugar de Estremadura salió un hidalgo, nacido de padres que lo eran, el qual, como otro pródigo, por diversas partes de España, Italia y Flandes anduvo gastando ási los años, como la hacienda, y al fin de muchas peregrinaciones, muertos ya sus padres, y él gastado su patrimonio, vino á parar á la gran ciudad de Sevilla, donde halló bastante ocasion para acabar de consumir lo poco que le quedaba. Viendose pues libre de padres, y falto de dineros, y no con muchos amigos, se acogió al remedio, á que otros muchos perdidos en aquella ciudad se acogen, que es pasarse á las Indias, refugio y amparo de los desesperados de España, Iglesia de los alzados, y salvo conducto de los homicidas, pala y cubier-

b 2 bier-

Primera página del *Zeloso estremeño,* versión de Bosarte, según el Ms. Porras, publicado en *Gabinete de lectura española,* IV, Madrid, 1793 (?).

NOVELA DEL ZELOSO ESTREMEÑO

que refiere quánto perjudica la ocasión.

No ha muchos años que, de un lugar de Estremadura, salió un hidalgo, nacido de padres que lo eran, el qual, como otro Pródigo, por diversas partes de España, Italia y Flandes anduvo gastando así los años como la hacienda, y al fin de muchas peregrinaciones, muertos ya sus padres, y él gastado su patrimonio, vino a parar a la gran ciudad de Sevilla, donde halló bastante ocasión para acabar de consumir lo poco que le quedaba. Viéndose, pues, libre de padres, y falto de dineros, y no con muchos amigos, se acogió al remedio a que otros muchos perdidos en aquella ciudad se acogen, que es pasarse a las Indias, refugio y amparo de los desesperados de España, iglesia de los alzados y salvoconducto de los homicidas, pala y cubierta de los jugadores a quien los que en esta arte son versados llaman *ciertos,* añagaza de mujeres libres, engaño general de muchos, y remedio particular de pocos.

En fin, llegado el tiempo en que una flota para Tierra Firme se partía, acomodándose con el almirante de ella, aderezando su matalotage con su mortaja de esparto, entró en la bahía de Cádiz en la almiranta, y echando su bendición a España, zarpando las anclas y dando a el viento las velas con general alegría, el qual era favorable, y soplaba, que en pocas horas les cubrió la tierra y les descubrió las espaciosas llanuras del mar Océano.

Iba nuestro pasajero pensativo, revolviendo en la memoria muchos y diversos peligros que en los años de su peregrinación había pasado, y el mal gobierno que todo el discurso de su vida había tenido; y sacaba de la cuenta que a sí mesmo se iba tomando, una firme resolución de mudar de vida y tener otro estilo, así en guardar la hacienda que Dios fuese servido de darle, como en el proceder con más recato en la amistad que con mugeres demasiadamente había tenido.

La flota estaba en calma quando pasaba consigo esta tormenta Filipo de Carrizales, que este es el nombre de aquel que ha dado materia a nuestra novela. Tornó a soplar el viento y a impeler las naves, con tanta fuerza, que con ella se sosegó la borrasca de su imaginación, dexándose llevar de solos los cuidados que el viage le ofrecía; el qual fue tan próspero, que sin revés ninguno pisó la arena (por no llamarla tierra) del puerto de Cartagena. Y por concluir con todo lo que no hace al caso a nuestro propósito, es de saber que la edad que Filipo tenía quando pasó a las Indias, sería quarenta y ocho años, y en veinte que en ellas estuvo, ayudado de su buena industria y diligencia, alcanzó más de ciento y cinquenta mil pesos de hacienda.

Viéndose, pues, rico y próspero, colgado del natural deseo que todos tienen de volver a su patria, pospuestos otros muchos intereses que se le ofrecieron, dexando el Perú, [1] donde había ganado tanto, se volvió a España con toda su hacienda en tejos [2] de oro y barras de plata. Registrada toda por quitar inconvenientes, desembarcó en Sant Lúcar y llegó a Sevilla tan lleno de años como de reales. Sacó sus partidas de la Contratación; [3] buscó sus amigos;

[1] *Perú*: v. 1613, nota 14. Es de sospechar que la forma *Perú* es contribución de Bosarte, porque en el siglo XVIII se había perdido la forma *Pirú*.

[2] *Tejos*: "Llaman también el pedazo de oro en pasta a distinción de la plata, que llaman barra", *Dicc. Aut.*, s.v.

[3] *Contratación*: "Casa de Contratación en Sevilla, donde concurren todos los negocios del tratado de las Indias", Covarrubias, s.v. *Contratación.*

hallólos todos muertos; quiso partirse a su tierra, donde ya había sabido que ningún pariente le había dexado con vida la muerte; y si, quando iba a Indias pobre y menesteroso, le iban combatiendo pensamientos, sin dexallo un punto, en medio del golfo del mar y de sus olas, no menos ahora en la firmeza y sosiego de la tierra lo combatían, aunque por diferente causa, porque entonces no dormía de pobre, y ahora no sosegaba de rico: tan pesada carga es la riqueza al que no está usado a tenerla, como es la pobreza al que siempre la tiene. Cuidados acarrea el oro, y cuidados la falta de él; pero los unos se remedian con alcanzar alguna pequeña cantidad de ellos, y los otros se aumentan mientras más partes alcanza.

Contemplaba Carrizales en sus barras, no por ser miserable, que en algunos años que fue soldado aprendió a ser liberal, sino en lo que había de hacer de ellas, porque tenellas en ser era cosa infructuosa: tener en casa cebo para los codiciosos y dispertador para los ladrones. Habíase muerto en él la gana de volver al inquieto trato de las mercancías, y parecíale que, conforme a los años que tenía, le sobraban dineros para pasar la vida. Quisiera pasarla en su tierra, y dar en ella su dinero a tributo, y pasar allí los años de la vejez con quietud y sosiego, dando a Dios lo que podía, pues había dado al mundo más de lo que debía. Por otra parte, hallaba que la estrecheza de su patria era mucha, y la gente de ella pobre, y que el irse a vivir a ella era ponerse por blanco de todas las importunidades que los pobres suelen dar al rico que tiene[n] por vecino, y más quando no hay otro en todo el lugar a quien acudir con sus miserias. Quisiera tener a quien dexar sus bienes después de sus días, y con este deseo tomaba el pulso a su fortaleza, y parecíale que aun podía llevar la carga del matrimonio; y en viniéndole este pensamiento, le sobresaltaba un miedo tan grande, que temblaba como la hoja al viento. Porque de su natural condición era el más zeloso hombre que jamás se halló, ni aun pudiera hallarse. Aun sin estar casado, ya le comenzaban a ofender los zelos, y [a] fatigar las sospechas, y a sobresaltar las imaginaciones; y esto con tanta eficacia y vehemencia, que de todo en todo propuso de no casarse.

Y estando en esto resuelto, y no lo estando en lo que había de hacer de su vida, quiso su suerte que, pasando un día por una calle, alzó los ojos y viese a la ventana una doncella, al parecer de hasta trece años, tan en estremo hermosa y de rostro tan agradable, que, sin ser poderoso para defenderse, el buen viejo Carrizales rindió la flaqueza de sus muchos años a los pocos de Isabela, [4] que así era el nombre de la hermosa doncella; y luego, sin más detenerse, comenzó a hacer una gran carrera de discursos, y, hablando consigo mesmo, se decía:

"Esta muchacha es hermosa, y, a lo que veo en la presencia de esta casa, no debe de ser rica; ella es niña: sus pocos años pueden asegurar mis sospechas; casaréme con ella, encerrarla he, y haréla a mis mañas, y no tendrá otra condición más de la que yo le enseñare; y no soy tan viejo que aun pueda perder la esperanza de tener hijos que me hereden. De que tenga dote o no, no hay para qué hacer caso, porque el Cielo me dio para todo, y los ricos no han de buscar en los matrimonios hacienda, sino gusto; y el gusto alarga la vida, y el disgusto en los casados la acorta. Alto, pues: echada está la suerte, y ésta es la que el Cielo quiere que yo tenga."

Y así hecho este soliloquio consigo, no una vez, sino ciento, al cabo de algunos días habló con los padres de Isabela, y hablando con ellos, y sabiendo que eran nobles, aunque pobres, y dándoles cuenta de su intención y de la calidad de su hacienda y persona, rogó que por su muger a su hija le diesen; pidiéndole los padres tiempo para informarse de lo que decía, y que él ansimesmo le tendría para saber la verdad de lo que ellos en su nobleza le aseguraban. Hecho esto, y pasado el término, y en él habiéndose informado las partes, sin ninguna dificultad se hizo el concierto, y Isabela quedó por esposa de Carrizales,

[4] *Isabela*: me he hecho cargo de este significativo cambio onomástico en el estudio preliminar.

habiéndola dotado primeramente en veinte mill ducados; tal estaba de abrasado el pecho del zeloso viejo. El qual, apenas dio el sí del concierto, quando de golpe le embistieron un tropel de trabajosos zelos, y comenzó sin causa alguna a temblar y tener los mayores cuidados que jamás había tenido; y lo primero con que comenzó a dar muestra de su zelosa condición, fue con no querer que ningún sastre tomase la medida a su esposa, sino que le anduvo mirando quál otra mujer tendría, poco más o menos, el cuerpo de Isabela; y halló a su parecer una pobre, a cuya medida hizo hacer una ropa, y embiósela a Isabela, y halló que le venía bien, y por aquella medida hizo todos los demás vestidos que fueron necesarios, con tanto gasto y riqueza, que los padres de la desposada se tuvieron en más que contentos y dichosos de haber acertado con tan buen remedio para su hija.

La niña Isabela estaba asombrada de ver tantas galas, porque las que ella en su vida más se había puesto, no pasaban de una saya de raja y una ropilla de tafetán. La segunda señal que dio Filipo, fue no quererse ajuntar a su esposa hasta tener una casa aderezada donde la llevase, la qual aderezó y compuso de esta manera. Compró una en doce mill ducados en un barrio principal de la ciudad, que tenía agua de pie, y jardín con muchos naranjos, con las ventanas que salían a la calle, y dioles vista al cielo, y lo mesmo hizo a todas las otras de la casa. En el portal de ella, que en Sevilla llaman casapuerta, hizo una caballeriza para una mula, y encima de ella acomodó un pajar, y un apartamiento para un negro que curase la mula. Hizo ansimesmo su torno, que salía al patio, y levantó las paredes de las azoteas, de tal manera, que los que entraban en la casa, si no era el cielo abierto, otra ninguna cosa podían ver. Adornó la casa con tapicería, y compró un rico menaje para ella. Compró quatro esclavas blancas y hermosas [5] en el rostro, y otras dos negras, y un negro viejo y eunuco, que cuidase la mula y tuviese cuenta con la puerta de la

[5] *Hermosas*: es preferible la lectura de 1613, "herrólas". Probablemente es mala lectura de Bosarte.

calle. Concertóse con un dispensero que le comprase y traxese todo lo que había menester en su casa, con condición que no durmiese ni entrase en ella, sino hasta el torno, por el qual había de dar lo que traxese. Hecho esto, dio parte de su hacienda a censo y tributo, y otra puso en el banco, y quedóse con alguna para el gasto ordinario. Hizo ansimesmo llave maestra a toda la casa, y quando la tuvo bien compuesta y acomodada, y encerrado en ella todo lo que se suele comprar en junto y a sus tiempos para la provisión de todo el año, se fue en casa de sus suegros, y pidiéndoles su muger, se la entregaron, no con pocas lágrimas, porque les parecía que la llevaba a la sepultura.

La tierna Isabela aun no sabía lo que le había acontecido, y así, llorando con sus padres, les pidió su bendición, y despidiéndose de ellos, tomándola por la mano su marido, rodeada de sus esclavas y negras, se volvió a su casa, y entrando en ella les hizo un sermón a todas, encargándoles la guarda de Isabela, y que por ninguna vía dexasen entrar a nadie de la segunda puerta adentro, aunque fuese el negro eunuco, prometiéndoles ansimesmo que las trataría y regalaría de manera, que no sintiesen su encerramiento, y que los días de fiesta, todas, sin faltar ninguna, irían a misa, pero que habían de ir muy de mañana y muy cubiertas: que para efecto de que misa no les faltase, quería fundar en la parroquia una capellanía, con cargo de decir todos los días de fiesta y domingos una misa, un poco después de amanecido, como lo hizo.

Prometiéronle las esclavas de hacer lo que les mandaba, y la nueva esposa, encogiendo los hombros, abaxó la cabeza, diciendo que ella no tenía otra voluntad sino la de su esposo y señor. Hecha esta prevención y recogido el buen estremeño en su casa, comenzó a gozar, como pudo, de los frutos del matrimonio, los quales a Isabela ni eran gustosos ni desabridos, porque no tenía de otros algunos experiencia. Pasaba el tiempo con sus esclavas, y ellas, por pasarle mejor, dieron en ser golosas, y pocos días se pasaban que no hiciesen buñuelos, y otras cien mill cosas que la miel hace sabrosas o, a lo menos, dulces. Sobrábales para esto en gran abundancia lo que habían menester, y no menos sobraba en su amo la voluntad de dárselo, pareciéndole que con ello las tendría entretenidas y no les daba lugar a que se pusiesen a pensar el encerramiento en que estaban; y no menos se entretenía en esto Isabela, antes, como si fuera igual a sus criadas, andaba y se regocijaba con ellas, y aun dio con su simplicidad en hacer muñecas, y otras niñerías, que demostraban la llaneza de su condición y la terneza de sus años. Todo esto era de grandísima satisfacción para el zeloso marido, pareciéndole que había acertado a escoger la vida como él la supo imaginar, y que por ninguna vía la industria ni la malicia humana podrían perturbar su sosiego, y así sólo se desvelaba en traer regalos a Isabela, y en acordarla que le pidiese quanto acertase a desear.

Los días de obligación iba con ella a misa, y con todas sus criadas, muy de mañana, y a aquella hora venían sus padres de Isabela, y en la iglesia la hablaban, delante de su marido, el qual les daba tantas dádivas que, aunque tenían lástima de la estrecheza en que su hija estaba, todo lo recompensaba la liberal mano de su yerno. Levantábase de mañana Filipo, y aguardaba a que el dispensero viniese, a quien de la noche antes, por una cédula que ponían en el torno, como cartuxos, las esclavas, había mandado lo que se había de traer otro día; y, en viniendo, salía de casa Filipo, las más veces a pie, y dexaba cerradas así las puertas del patio como la de la calle, y entre las dos puertas quedaba el negro eunuco. Íbase a sus negocios, que eran pocos o ningunos, y con brevedad daba la vuelta y, encerrándose en casa, se entretenía en regalar a Isabela, y entretener a sus esclavas, que todas le querían bien, por ser de agradable condición, fuera de los zelos, y, sobre todo, por mostrarse tan liberal con ellas. De esta manera pasaron un año de noviciado y hicieron profesión en aquella vida, determinándose de llevarla hasta la sepultura, y así fuera, si el sagaz perturbador del sosiego humano no lo estorvara, como ahora oireis.

Dígame, pues, el que se tuviere por más discreto y recatado, qué más prevenciones para su seguridad podía haber hecho el anciano Filipo, pues aun no consintió que dentro de casa estuviese ningún animal que fuese varón: que los ratones de ella jamás los persiguió gato, ni en ella se oyó ladrido de perro, y aun éstos vivían en perpetua continencia, y primero se murieran mill veces que tener generación. De día pensaba; de noche no dormía; él era la ronda de su casa, y el Argos de la que más quería. Jamás entró hombre de la puerta adentro del patio; con los amigos negociaba en la calle; las figuras de los paños que sus salas adornaban, todas eran de hembras, o de flores y boscajes; quanto en su casa se veía, todo era honestidad, recogimiento y recato; aun en las consejas que en las largas noches del invierno a la chimenea sus criadas contaban, por estar él presente a todo, ningún género de lascivia se descubría. A los ojos de Isabela parescía la plata de las canas de Felipo cabello de oro puro, porque el primer amor que las doncellas tienen se imprime en ellas como el sello en la cera, y así suelen guardarle en la memoria como el vaso nuevo el olor del licor primero con que le ocupan. Su demasiada guarda la parescía advertido recato, o, a lo menos, que lo mesmo debía de pasar por todos los recién casados. No se desmandaban sus pensamientos a salir de las paredes de su casa, y ni su voluntad otra cosa deseaba más de aquello que su esposo quería. Sólo los días que iba a misa veía las calles, y aun esto era tan de mañana, que si no era al volver de la iglesia, no había luz para mirarlas. En entrando en casa, no había mirar sino por línea recta el cielo. No se vio monasterio tan cerrado, ni monjas tan recogidas, ni manzanas de oro tan guardadas. Pues, con todo eso, sucedió lo que ahora oireis.

Hay un género de gente en Sevilla, a quien comúnmente suelen llamar *gente de barrio.* Estos son los hijos de vecinos de cada collación, y de los más ricos de ella, gente más holgazana, valdía y murmuradora, la qual, vestida de barrio, como ellos dicen, estienden los términos de su jurisdicción y alargan su parroquia a otras tres o quatro circunvecinas, y así casi se andan toda la ciudad, con media de seda de color, zapato justo, blanco o negro, según el tiempo, ropilla y calzones de jergueta o paño de mescla, cuello y mangas de telilla falsa, ya sin espada, y a veces con ella, empero dorada o plateada, cuello en todas maneras grande y almidonado, las mangas del jubón acañutadas, los zapatos que rebientan en el pie, y el sombrero apenas se les puede tener en la cabeza, el cuello de la camisa agorguerado, y con puntas que se descubren por debaxo del cuello, guantes de polvillo y mondadientes de lantisco, y, sobre todo, copete rizado, y alguna vez ungido con algalia. Júntanse las fiestas de verano, o ya en las casas de contratación del barrio (que siempre está proveído de tres o quatro), o ya en los portales de las iglesias, a la prima noche, y desde allí gobiernan el mundo, casan a las doncellas, descasan a las casadas, dicen su parecer de las viudas, acuérdanse de las solteras, y no perdonan a las religiosas; califican executorias, desentierran linages, resucitan rencores, entierran buenas opiniones y consumen casas de gula, fin y paradero de toda su plática. Espantan juntos, no admiran solos, ofrecen mucho, cumplen poco, pueden ser valientes y no lo parescen, y en esta parte los alabo, porque la valentía no consiste en la apariencia, sino en la obra. Cada parroquia o barrio tiene su título diferente, como las academias de Italia, y en una de ellas a los viejos ancianos y hombres maduros, que toman de asiento las sillas y se las clavan al cuerpo por no dexallas desde en acabando de comer hasta la noche, llaman *mantones*; a los recién casados, que aun tienen en los labios las condiciones y costumbres de los mozos solteros, llámanlos *socarrones*, porque, como digo, participan de la sagacidad de los antiguos casados y de la libertad de los mozos; a los mozos solteros llaman también *birotes*, porque ansí como los birotes se disparan a muchas partes, éstos no tienen asiento ninguno en ninguna, y andan vagando de barrio en barrio, como se ha dicho. Los de otra collación se llaman los *perfectos*; de otra los del *portalejo*; pero todos son unos en el trato, costumbre y conversación.

Uno, pues, de éstos, que era birote, acertó a mirar la casa de Carrizales y, viéndola siempre cerrada, le tomó gana de saber quién vivía dentro, y con tanto ahinco y curiosidad hizo esto, que de todo en todo vino a saber lo que deseaba. Supo la condición del viejo, la hermosura de Isabela y el modo que tenía de guardarla, todo lo qual le puso gana de ver si sería posible de expugnar tan guardada fuerza y dar un asalto a las murallas tan defendidas de Isabela; y comunicando este deseo con dos birotes y un montón de amigos suyos, acordaron que se pusiese por obra; que para semejantes empresas no faltan consejeros y ayudadores.

Dificultaban el modo que se tendría para tan dificultosa hazaña, y, tratando de esto muchas veces, convinieron en éste: que fue que, fingiendo Loaisa (que así se llamaba el birote) que iba fuera de la ciudad por algunos días, se escondiese y ausentase de los ojos de sus amigos, como lo hizo. Hecho esto, se puso unos calzones de lienzo y camisa limpia, y encima unos vestidos tan rotos y andrajosos, que ningún pobre en toda la ciudad los traía tales y tan astrosos. Quitóse un poco de barba que tenía, y púsose un parche en un ojo; vendóse una pierna muy apretadamente, y, con dos muletas, fingió tan bien ser pobre estropeado, que el más verdadero no le igualaba.

Con esta invención se ponía cada noche a la oración a la puerta de Carrizales, que ya estaba cerrada, y el negro Luis se quedaba entre las dos puertas encerrado, sin tener llave de ninguna. Puesto a ella Loaisa, sacaba una guitarrilla algo gracienta, con solas quatro o cinco cuerdas, y como él era algo músico, comenzaba a tañer algunos sones alegres, y a cantar (mudando la voz por no ser conocido) algunos romances de moros y moras, que no le faltaban, a la loquesca, con tanta gracia, que quantos pasaban por la calle se paraban a escuchalle, y estaba siempre cercado de muchachos, que no le dexaban. El buen negro Luis, por entre las puertas de la calle, ponía los oídos y estaba colgado de la música de nuestro birote, y diera él un brazo por poder abrir la puerta para escuchalle más a su salvo (tal es la inclinación que los negros tienen a ser músicos, como quiera que sea); y quando Loaisa quería que los que le escuchaban le dexasen y los muchachos se fuesen, dexaba de cantar y recogía su guitarra, y abrazaba sus muletas y íbase.

Quatro o cinco veces había dado la música al negro, que por él solo se daba, pareciéndole que por donde se había de comenzar a desmoronar aquel edificio, había de ser por aquel negro Luis; y no le salió vano su pensamiento, porque, llegándose una noche, como solía, a la puerta, comenzó a templar su guitarra y sintió que el negro estaba ya atento escuchando por entre las puertas, y llegándose a ellas, le dixo:

"¿Sería posible, hermano Luis, de darme un jarro de agua?"

"No", dixo el negro, "porque no tengo la llave de esta puerta, y no hay ventana ni agujero por donde dárosla."

"Pues ¿quién tiene la llave de esta puerta?", replicó Loaisa.

"Mi amo", dixo el negro, "que es el hombre más zeloso de todo el mundo; y si él supiese que yo estoy hablando ahora por aquí con vos, que no sé quien sois, me mataría."

"Yo", dixo Loaisa, "soy un pobre estropeado de una pierna, que gano mi vida a pedir por Dios y a enseñar a tañer a alguna gente pobre, y tengo yo tres negros de veinteyquatros, a quienes he sacado maestros, y me lo han pagado muy bien."

"Harto mejor os lo pagaría yo", dice Luis, "a tener lugar de tomar lección; pero no es pusible, porque mi amo, en saliendo por la mañana, cierra la puerta de la calle, y quando vuelve hace lo mismo, y siempre me dexa emparedado entre estas puertas, la de la calle y la del patio."

"Por Dios, Luis", dixo Loaisa, "que si vos diésedes traza para que yo entrase algunas noches a daros lección, que en menos de quince días os sacaría tan diestro en la guitarra, que pudiésedes tañer a qualquier hora en qualquier taberna o esquina de calle; porque os hago saber que tengo grandísima gracia en el enseñar, y más, que, según he oído decir, vos teneis muy buena habilidad, y a lo que siento por el órgano de vuestra voz, sin duda ninguna debeis de cantar muy bien."

"No canto mal", respondió el negro, "pero no sé tonada alguna, si no es *La Estrella de Venus,* y la de *Por un verde prado,* y una que se usa ahora en este pueblo, que dicen: *A los hierros de una reja.*

"Todas ésas son ayre", replicó Loaisa; "porque os enseñaré yo todas las de Abindarráes y Tarifa,[6] y las del gran Sofí, con las de la Zarabanda a lo divino, que son cosas que hacen pasmar a los portugueses mismos, y esto con tanta facilidad y presteza, que aunque os deis mucha priesa, no habreis comido dos moyos de sal primero que yo os saque maestro perito y aprobado en la guitarra."

A esto suspiró el negro, y dixo:

"¿Qué aprovecha todo eso, si yo no sé cómo meteros en casa?"

"Buen remedio", dixo Loaisa, "procurad vos tomar las llaves a vuestro amo, y yo os daré un poco de cera, y apretad la llave de la puerta entre ella, de modo que queden señaladas las guardas; que yo haré, por la afición que os he tomado, que un discípulo mío zerragero la haga de nuevo, y así podremos entrar dentro y enseñaros de noche."

"Bien me parece eso, pero tampoco puede ser", dixo el negro, "porque jamás entran las llaves en mi poder, ni mi amo las suelta de la mano."

"Pues haced una cosa", respondió Loaysa, "si es que teneis gana de ser músico; que si no, no hay para qué cansarme en aconsejaros."

"¿Cómo si tengo gana?", replicó Luis. "Y tanta, que ninguna cosa, por dificultosa que sea, dexaré de hacer, como pueda salir de ella, aunque me costase mucho."

"Pues yo os daré por entre este quicio de esta puerta unas tenazas y un martillo, con que podais de noche quitar los clavos a esa cerradura de loba con muncha facilidad, y con la mesma la podremos tornar a poner con otros clavos, sin que vuestro amo lo eche de ver por la mañana; y

[6] *Tarifa*: por Jarifa. Nuevamente sospecho mala lectura por parte de Bosarte.

estando yo dentro encerrado en vuestro aposento me daré tal priesa a lo que tengo de hacer, que vos veais todo lo dicho con mucha brevedad y aprovechamiento de música y de vuestra suficiencia; y de lo que hubiéremos de comer no tengais pena; que yo llevaré para todos matalotage para más de ocho días; que discípulos tengo que no me dexan mal pasar, y esto lo hago sólo por mi gusto y vuestro aprovechamiento."

"De la comida", replicó el negro, "no habrá que tener cuidado, porque ración me da mi amo y regalos las criadas, que habrá suficientemente para entrambos, y aun para otros dos. Venga lo que decís, que yo quitaré de este quicio alguna tierra, y haré lugar por donde entren esos instrumentos, que puesto dé algunos golpes en esta chapa, mi amo duerme lejos de aquí, y no me podrá oir nadie en toda la casa."

"Pues a la mano de Dios", replicó Loaisa; "de aquí a dos días tendreis todo lo necesario."

"Así lo habeis de hacer, señor, pero no por eso habeis de dexar de venir a tañer", replicó el negro, "como soleis, estas dos noches, o las que tardáredes en estar acá dentro."

"¡Cómo si vendré", dixo Loaisa, "y aun con tonadicas nuevas, porque os pienso cantar la del conde de Irlos,[7] que es ahora nuevamente impresa, y es cosa del otro mundo."

"Eso pido", dixo Luis, "y ahora no me dexeis de decir algo, por que me vaya a acostar con gusto, y en lo de la paga, creed que os he de pagar como un príncipe, porque esta casa de mi amo, fuera del ser zeloso, no la hay más abundante en toda Sevilla, y a mí me sobra, fuera de la libertad, todo lo que quiero."

"No repare en eso", dixo Loaisa, "que según yo os enseñare, así me pagareis, y por ahora echad de ver esta

[7] *Conde de Irlos*: esto es una chuscada de Loaisa, porque el "Romance del conde Dirlos" ("Estábase el conde Dirlos sobrino de don Beltrane") corría impreso ya desde el *Cancionero de romances* (Amberes, s.a., pero 1547-48).

tonadilla; que, como digo, después de mañana os traeré lo que os he dicho y, una vez dentro, vereis milagros."

"Sea norabuena", dixo el negro; y acabado este largo coloquio, cantó el birote un romance agudo, con que dexó al negro tan embelesado y tan contento, que no cabía en sí de gozo, y ya se le hacían mill siglos los días que tardaba en venir el martillo, tenazas y demás instrumentos.

Apenas se quitó Loaisa de Luis, y los muchachos que le escuchaban lo dexaron, quando, con más ligereza que sus dos muletas le aseguraban, se fue a buscar sus consejeros y a darles cuenta de su buen comienzo, que es adivino del suceso que por él esperaba. Hallólos, díxoselo, y encomendóles la hechura de los instrumentos, los quales fueron hechos y entregados al birote de allí a dos días, tan buenos y tan suficientes, que con sólo entrar un agudo hierro por entre la chapa, así cortaba los clavos con que estaba clavada, como si fueran de palo. No se le olvidó a Loaisa de dar aquellas dos noches su acostumbrado solaz al negro, ni aun a él se le olvidaba de preguntarle quándo vendrían los aderezos que tanto deseaba, pues para recibirlos había hecho aquellas dos noches una concavidad por debaxo de la puerta, por donde pudo tomarlos sin dificultad, y así lo hizo, tornando a cerrar el agujero.

La media noche se iba, quando Luis probó su faena, y respondiéndole conforme a su deseo, abrió la puerta y recogió dentro a su maestro, que quando él le vió con sus dos muletas y su faja de pierna y rotos vestidos, quedó admirado. Verdad es que ya no llevaba el parche en el ojo, por parecerle que no era necesario, y así como entró, abrazó a el buen discípulo y [le] besó en su negro rostro, y luego le puso una gran bota de vino en las manos, una caxa de conserva y otras cosas dulces, de que llevaba unas alforjas bien proveídas; y dexando las muletas, como si no tuviera mal alguno, comenzó a andar y decir:

"Sabed, hermano Luis, que mi cojera no nace de enfermedad, sino de industria, con la qual gano de comer pidiendo por Dios, y, ayuándome de ella y de la música, paso la mejor vida del mundo, como lo verás en el discurso de nuestra amistad."

"Ello dirá", dixo el negro, "pero, por ahora, demos orden de clavar esta cerradura, de modo que mi amo no eche de ver en ello."

"En buen hora", dixo Loaisa; y luego, sacando clavos de las alforjas, en un momento volvieron a poner la chapa tan bien como estaba de antes, de que quedó muy satisfecho el discípulo, y subiéndose al aposento que estaba encima de la caballeriza, donde el negro dormía, se acomodó lo mejor que pudo con unas mantas del negro, y encendiendo luego un toral [8] de cera, sin más aguardar, sacó su guitarra y, tocándola baxa y suavemente, suspendió al pobre negro de manera, que estaba fuera de sí. Habiendo tañido un poco, sacó luego de la colación y dio a su discípulo, y, aunque con dulce, bebió con tan buena gana de la bota, que quedó más fuera de sentido que con la música pasada. Esto hecho, luego comenzó a tomar lición, y como el pobre del negro tenía dos dedos de moho y de vino sobre los sesos, no acertaba traste, y con todo eso le hizo creer Loaisa que ya sabía, por lo menos, dos tonadas, y el negro se lo creía, que toda la noche no hizo sino tañer con la guitarra destemplada y sin cuerdas, o, a lo menos sin las necesarias.

Durmieron lo poco que les quedaba de la noche y, obra de las seis de la mañana, baxó Carrizales y abrió la puerta de en medio y la de la calle; estuvo esperando al dispensero que traxese la comida; de allí a poco vino, y dándola por el torno, se tornó a ir; hizo que el negro baxase a tomar su ración y, en tomándola, se fué, cerrando tras sí la puerta de la calle y del patio; y llevándose las llaves, dexó al negro emparedado, como solía, sin echar de ver la obra que se había hecho en la puerta aquella noche, de que no poco se alegraron maestro y discípulo.

Apenas había salido Carrizales, quando el negro, cogiendo su guitarra, comenzó a darle de manera, que las criadas de adentro lo oyeron, y por el torno le dixeron:

"¿Qué es esto, Luis? ¿De quándo o dónde tienes guitarra, o quién te la ha dado?"

[8] *Toral*: "torzal". ¿Error de Bosarte?

"¿Quién?", dixo el negro. "El mejor músico que hay en el mundo, y el que me ha de enseñar dentro de seis días más de mil sones."

"Y ¿dónde está ese músico?", dixo una dueña.

"No está muy lexos de aquí", dixo el negro; "antes tan cerca, que si no fuese por vergüenza, y por el temor que tengo a mi amo, yo os lo enseñara luego, y a fe que os holgásedes de vello."

"Y ¿adónde puede él estar que nosotras le podamos ver", replicó la dueña, "si en esta casa jamás entró otro hombre que mi amo?"

"Ahora bien", dixo el negro, "no os quiero decir nada, hasta que veais lo que yo sé, y lo que él me ha mostrado en este tiempo que he dicho."

"Por cierto", dixo la dueña, "que si no es algún demonio el que te ha de enseñar, que yo no sé quién te pueda sacar músico con tanta brevedad."

"Andad", dixo el negro, "que podría ser que vos le viésedes algún día y le oyésedes."

"Tampoco puede ser eso", dixo otra doncella, "porque aun no tenemos ventanas a la calle para que podamos oír a nadie."

"Bien está", dixo el negro. "Para todo habrá remedio; si es que vosotras sabeis callar."

"Y ¡cómo que callaremos!" dixo otra criada. "Y más que si fuésemos mudas; que yo te prometo, Luis, que me muero por oír una buena voz; que después que aquí nos encerraron, ni aun el canto de las aves habemos oído."

Todas estas buenas pláticas estaba escuchando Loaisa con grandísimo contento, porque le parecía que todas se encaminaban a su gusto, y que la buena suerte había tomado la mano en su negocio a medida de su gusto y deseo.

Acabóse la plática del negro y las criadas, con prometerles que, quando menos lo pensasen, las llamaría para oír una muy buena voz; y temeroso de que su amo no lo viese, se recogió a su aposento, y ellas se quitaron del torno, deseosas de que Luis les cumpliese su palabra, que ellas tenían por imposible: tal era su encerramiento y clausura. Quisiera luego tomar lición Luis, pero no se atrevió a tocar la guitarra de día, por el temor ya dicho de que su amo no viniese, el qual de allí a poco vino, y encerrándose en casa, dexó cerradas las puertas de la calle y del patio, y al dar que dieron de comer por el torno a Luis, dixo a una negra que se lo daba que aquella noche, después de dormido su amo, baxasen todas juntas allí al torno, a oír la música que les había dicho, sin falta alguna. Verdad es que, antes de hacer esta promesa, había pedido a su maestro, con muchos ruegos, que fuese contento de cantar y tañer aquella noche al torno, porque él pudiese cumplir su palabra, asegurándole que sería muy regalado de todas las de la casa, si aquella merced les hiciese. Algo se hizo de rogar el maestro, escusándose de hacer lo que más en deseo tenía; pero, al fin, dixo que lo haría por darle gusto. Abrazóle el negro, y dióle un beso en el carrillo, por el contento de la merced prometida, y dióle de comer aquel día tan bien como si estuviera Loaisa en su casa, y aun quizá mejor, porque pudiera ser que en ella le faltara.

Llegóse a esto la noche, y a la mitad de ella, o poco menos, comenzaron a cecear en el torno, y luego entendió Luis que era la cáfila que había llegado, y, llamando a su maestro, baxaron abaxo con la guitarra; y preguntando quiénes eran las que habían llegado, dixeron que todas las de casa, sino su señora Isabela, que quedaba durmiendo con su marido, de que le pesó a Loaisa; pero, con todo eso, quiso dar principio a su disignio y contentar a su discípulo, y tocando mansamente la guitarra, tales sones hizo, que dexó admirado al negro, y tenía suspensa a la manada de mugeres que le escuchaban. Pues ¿qué diré de lo que ellas sintieron quando le oyeron tocar el *Pésame de ello, hermana Juana,* y acabar con el endemoniado son de la zarabanda, nuevo entonces en la tierra? No quedó vieja por baylar, ni moza que no se hiciese pedazos, todo callando y a la sorda, poniendo sus centinelas y espías, por ver si el viejo dispertaba. Cantó asimesmo Loaisa coplillas de las seguidas, con que acabó de echar el sello a su gusto, y rogaron ahincadamente al negro que les dixese quién era tan milagroso músico; él les dixo que era un pobre, el más galán y gentil hombre que había en toda la provincia de Sevilla. Pidiéronle que hiciese de manera que ellas le viesen, y que no le dexase ir en quince días de casa, que ellas les darían quanto hubiesen menester. Asimesmo le preguntaron qué modo había tenido para meterlo en casa. A esto no les respondió nada; pero a lo demás les dixo que, para poderle ver, hiciesen un agujero pequeño en el torno, que después lo taparían con cera, de manera que no se pareciese, y que a lo de tenelle en casa, que él lo procuraría.

Hablóles también Loaisa, ofreciéndoseles a su servicio con tan buenas razones, que bien pudieron echar de ver que no salían de ingenio pobre. Ellas quedaron satisfechas y contentas, y con determinación que otra noche habían de trabajar por traer a su señora Isabela consigo, sino que temían que tenía ligero sueño su amo, no tanto por viejo, aunque lo era muncho, quanto por ser zeloso. A lo qual respondió Loaisa que, si ellas gustaban de eso, les daría unos polvos que le echasen en el vino, que le harían dormir más de lo ordinario, y con pesado sueño, de manera, que seguramente se pudiesen holgar.

"¡Jesús y válame!", dixo una de las doncellas; "y si eso fuera verdad, ¡qué buen día había entrado por nuestras puertas! No serían ellos polvos de sueño para él, sino de vida para nosotras y para la pobre de mi señora Isabela, que no la dexa ni a sol ni a sombra."

"Pues yo los traeré, sin duda", dixo Loaisa, "y tales, que no hacen otro mal ni daño sino provocar sueño pesado."

Rogáronle todas que así lo hiciese, y quedando de hacer otra noche el agujero en el torno, [y] de traer a su señora a oírle y verle, se despidieron; y el negro, aunque era casi el alva, quiso tomar su lección, la qual le dio el maestro, y le hizo entender que no había mejor oído que el suyo en quantos discípulos tenía, y no sabía el pobre negro, ni supo jamás, hacer un cruzado.

Tenían los amigos de Loaisa buen cuidado de venir cada noche a escuchar por entre las puertas de la calle, y ver si su amigo les decía algo, o si había menester alguna cosa, y la noche siguiente vinieron, y haciendo la señal que entre ellos quedó concertada, llegó Loaisa por el agujero del quicio, y les dio brevemente cuenta de todo, y el buen término en que estaba su negocio, pidiéndoles encarecidamente que buscasen alguna cosa que diesen de beber a Cañizales[9] para hacerle dormir; que él había oído decir que se hacían unos polvos para este efecto. Ellos dixeron que tenían un médico amigo que les daría todo remedio, si era verdad que le había en la medicina. Quedaron de volver otra noche con el recaudo, y animándole a la honrosa empresa, se despidieron.

Vino la siguiente noche, y acudió a el reclamo de la guitarra la vanda de las palomas, y con ella vino la buena Isabela, temerosa y temblando de que no dispertase su anciano marido, porque aunque ella no quería venir, vencida de este temor, tales cosas le dixeron sus criadas de la suavidad de la música, de la gallardía y discreción del pobre músico (que, sin haberle visto, le alabaron más que a un Absalón y más que a un Orfeo), que la pobre señora, persuadida y convencida de ellas, hubo de hacer lo que no tenía ni tuviera jamás en la voluntad.

Lo primero que hicieron, fue hacer un agujero en el torno, por donde viesen al músico, el qual no estaba ya en hábitos de pobre, sino con unos calzones grandes de tafetán leonado, y un jubón de lo mismo con trencilla de oro, y una montera de raso de la misma color, con un cuello almidonado de grandes puntas y encaxes: que de todo vino proveído en las alforjas, imaginando que se había de ver en ocasión que le convendría mudar los andrajosos hábitos de pobre. Era mozo y de buen parecer; y como había tanto tiempo que todas tenían hecha la vista a mirar al viejo de Cañizales, paecióles que miraban a un ángel, y confirmóles esta opinión quando le oyeron cantar,

[9] *Cañizales*: esto debe ser error de Bosarte o del impresor, ya que se le ha venido llamando *Carrizales*, como en 1613. Algún otro *Cañizales* que surge más abajo se debe atribuir a lo mismo.

que lo hizo aquella noche por estremo, dexándolas tan vencidas, así a las mozas como a las viejas, que rogaron al negro diese orden como su maestro entrase en casa, para que allá de más cerca le pudiesen oír, y no con el sobresalto de estar tan apartadas de su amo. A esto contradixo Isabela con muchas veras, diciendo que no se hiciese tal cosa, porque le pesaría en el alma; porque desde allí le podían escuchar y ver a su salvo, sin peligro de su honra.

"¿Qué honra?", dixo una de las dueñas. "El rey tiene harta. Estése Vmd. encerrada con su Matusalén, y déxenos acá holgar como pudiéremos; quanto y más que este señor parece tan honrado, que no querrá otra cosa más de lo que nosotras quisiéramos."

"Señoras mías", dixo Loaisa, "no vine aquí sino con intención de servir a todas vuesas mercedes con el alma y con la vida, condolido de su clausura y de los ratos que en esta estrecheza de vida se pierden. Hombre soy, por la vida de mi padre, tan sencillo, manso y de buena condición, que no haré más de lo que se me mandare; y si qualquiera de vuesas mercedes me dixere: "Maestro, sentaos aquí, pasaos allí, echaos acá, volveos acullá", así lo haré como el más enseñado podenco por el rey de Francia."

"Si eso ha de ser ansí", dixo la simple Isabela, "¿qué medio ha de tener para entrar acá dentro?"

"Bueno", dixo Loaisa; "Vmd. haga por sacar en cera la llave de esta puerta del patio, que yo haré que mañana en la noche venga hecha de modo que nos pueda servir."

"Para eso mejor sería", dixo otra doncella, "que saque la de la llave maestra, que sirve para toda la casa."

"Verdad decís", dixo Isabela, "pero ha de jurar este señor, primero, que no ha de hacer otra cosa más de cantar y tañer quando se lo mandáremos, y que ha de estar cerrado donde le pusiésemos."

"Sí juro", dixo Loaisa.

"No vale ese juramento", dixo Isabela, "que ha de jurar por vida de su padre, y ha de jurar la cruz y besalla, que lo veamos todas."

"Por vida de mi padre juro", dixo Loaisa, "y por esta señal de la cruz, que la beso con mi boca sucia."

Y haciendo la cruz con los dedos, la besó tres veces. Hecho esto, dixo otra de las criadas:

"Mire que no se le olvide lo de los polvos, porque es el *tuáutem* de todo."

Con esto cesó la plática de aquella noche, quedando todos muy contentos del concierto; pero, aunque era pasada más de la media noche, no consintió Luis que acabase de pasar sin que se le diese leción, como se la dio Loaisa, haciéndole entender que había aprendido más en tres noches que otros en un año; y la suerte, que de bien en mejor encaminaba los negocios de Loaisa, truxo aquella hora por la calle sus avisados amigos, los quales se llegaron al quicio de la puerta, y, haciendo una seña que entre ellos estaba concertada, que era tañer junto a la puerta una trompa de París, luego que entendió Loaisa lo que era, baxó a hablarles y a darles cuenta de todo lo que pasaba y del término en que estaba su pretensión, encargándoles que buscasen algunos polvos o conserva, o otra cosa alguna que tuviese fuerza y propiedad para hacer dormir; y asimesmo lo de la llave maestra, que otra noche se la daría señalada en cera. Respondió el amigo que en lo de los polvos descuidase, porque un cuñado suyo era médico y sabía mucho de aquel menester, y que le traería remedio suficiente, y ni más ni menos la llave. Despidióse, quedando de volver otra noche por la llave y traer lo del sueño, si fuese posible que tan presto se hiciese.

Durmió Loaisa lo que aquella noche quedaba, que era bien poco, esperando con grandísimo deseo la venidera, por ver si se le cumplía la palabra de la llave prometida; y puesto que el tiempo parece tardío y perezoso a los que en él esperan, en fin, corre las parejas con el pensamiento y llega adonde quiere, porque nunca para ni sosiega.

Vino la noche y la hora acostumbrada de venir al torno, y vinieron todas las mozas de casa, grandes y chicas, negras y blancas, porque todas estaban deseosas de ver dentro al señor músico; pero no vino Isabela. Preguntando por ella Loaisa, le respondieron que estaba acostada con su velado, el qual tenía cerrada la puerta por de dentro con la llave, que se la ponía, después de haber cerrado, debaxo de la almohada, tanto era el cuidado con que hacía la guarda de Isabela; la qual quedó que, en durmiendo el viejo, había de tomar la llave maestra y sacarla en cera, que ella llevaba preparada y blanda para el efecto, y que de allí a un poco había de ir agazapada por un[a] gatera que la puerta tenía. Maravillado quedó Loaisa del recato del viejo, pero no por eso se le desmayó el deseo; y, estando en esto, oyó la trompa de París a la puerta de la calle, y llegándose por el quicio, le dió su amigo un botecillo pequeño de vidrio, y le dixo que allí iba ungüento de tal virtud y propiedad, que untando con él los pulsos y las narizes causaba tal sueño, que en dos días no dispertaba, si no era lavándose con vinagre. Tomólo Loaisa con grandísimo contento, diciéndole que por qué no le daba a la llave entrada. Volvióse a el torno y dixo a una dueña, que era la que con más ahinco mostraba desear su entrada, que allí traía el ungüento y que se lo llevase a Isabela, y que procurase dárselo por la gatera que decía, y que dixese que luego hiciese la experiencia de su virtud, untando a su marido los pulsos y las sienes y las narizes con el mayor tiento que pudiese. Hízolo ansí la dueña: llegándose a la gatera, halló que estaba Isabela tendida en el suelo de largo en largo, puesto el rostro en la gatera, esperando a que alguna llegase para dar las nuevas de lo que había hecho. Llegó la dueña y abajóse y, puestos los labios de Isabela en los oídos de la dueña, casi sin moverlos y sin respirar, dixo como no había podido sacar la llave, porque la tenía su esposo metida debaxo de las espaldas, y que no se atrevía a meter la mano tan adentro, de temor no dispertase. La dueña le dixo lo del ungüento que allí traía y lo demás que Loaisa dixo que se hiciese y, dándoselo, la encargó que hiciese luego la prueba. Tomóla Isabela el vaso, y besólo como si besara alguna reliquia, y dixo a la dueña que no se quitase de allí hasta que volviese con las nuevas de la virtud del ungüento. Temblando, pasito, llegó Isabela a untar los pulsos del zeloso marido, y blandamente le comenzó a untar, y asimesmo las ventanas de las narizes, y quando a ellas llegaba, parece que el viejo se estremeció un poco, y ella quedó mortal, pensando que ya era cogida en el hurto.

En efecto, le acabó de untar, que fue lo mesmo que haberle embalsamado para la sepultura. No tardó mucho, quando el ungüento empezó a obrar de tal manera, que el viejo daba ronquidos que se oyeran en la calle; que a los oídos de Isabela no había música acordada que mejor le pareciese; y aun no segura de lo que veía, se llegó a él y lo estremeció un poco, y luego otro poco más, por ver si dispertaba, y tanto se atrevió, que le volvió de una parte a otra, sin que el pobre dormido dispertase. Como ella vio esto, se fue a la gatera y, con voz un poco más alta, llamó a la dueña, que allí le estaba esperando, y le dixo:

"Dame albricias, hermana, que Carrizales duerme más que un muerto."

"Pues ¿a qué aguardas, señora, a tomarle la llave?", dixo la dueña. "Mira que está el músico aguardando más de un hora."

"Espera, pues, que ahora ahora la traigo", respondió Isabela.

Y tornándose a la cama, halló que el marido roncaba con más alivio, y así, segura del todo y sin temor, metió la mano por entre los colchones, y de en medio de ellos sacó la llave maestra, y tomándola en sus manos, comenzó a dar saltos de contento, y sin más esperar, abrió la puerta, y se presentó ante la dueña, que la recibió con la mayor alegría del mundo; a la qual dixo Isabela que fuese a abrir al músico, y que lo traxese a los corredores, porque ella no se osaba quitar de allí, por lo que podía suceder; pero que, ante todas cosas, hiciese que de nuevo retificase el juramento que había hecho de no hacer más de lo que ellas le ordenasen, y que si no lo quisiese hacer, no le abriese.

"Ansi será", dixo la dueña, "que acá no ha de entrar si no besa la cruz seis veces."

"No le pongas tasa", dixo Isabela; "haz, hermana, que la bese veinte, y que jure por su padre y por su madre, y por todo aquello que bien quisiere, porque con esto estaremos seguras, y nos hartaremos de oirle cantar y tañer, que en mi ánima que lo hace delicadamente; y anda, no te detengas más, porque no se nos pase la noche en valde."

Alzóse las faldas la dueña, y, con ligereza no vista, se puso en el torno, donde halló toda la gente de casa esperándola; y habiéndoles mostrado la llave que traía, fue tanto el contento de todas, que la alzaron en peso, como a catedrático, y más quando les dixo que no había necesidad de contrahacer la llave, porque, según el untado dormía, bien se podían aprovechar de la suya todas las veces que quisieren.

"Ea, pues, ábrase esta puerta, y entre ese señor, que ha muncho que aguarda, y démonos un verde de música, que no haya más que ver."

"Más ha de haber que ver", replicó la dueña.

"Y ¿qué, hermana?", dixeron ellas.

"Qué jurará todo lo que nosotras quisiéramos."

Abrió en esto la dueña la puerta, y teniendo la puerta abierta, llamó a Loaisa, que todo lo había estado escuchando por el agujero del torno, el que llegádose había a la puerta, quiso entrar sin más ni más, y poniéndole la mano en los pechos, le dixo:

"Sabrá Vmd., señor mío, que en Dios y en mi conciencia, todas las que estamos en esta casa somos doncellas, fuera de mi señora; y que yo, aunque debo de parescer de cinquenta años, apenas tengo treinta cabales; sino que los trabajos hacen parescer las edades más de lo que son, y que, con todo esto, estoy como el día en que nascí; y siendo esto ansí, como lo es, no será razón que, a trueco de oír tres o quatro cantares, nos pusiésemos en riesgo de perder tantas virginidades: porque hasta esta negra, que se llama Guiomar, es virgen; así que, señor de mi corazón, Vmd. nos ha de hacer, primero que entre en mi reyno, un muy solemne juramento: que no ha de hacer más de lo que nosotras le ordenáremos, y si le paresce que es muncho lo que se pide, considere que es muncho más lo que se aventura; y que si es que Vmd. viene con sana intención, poco le ha de doler el jurar, porque al buen pagador no le duelen prendas."

"Bien y rebién ha dicho la señora González", dixeron las mozas; "que, al fin, es persona discreta, y ha apuntado muy bien en lo que pide; y si es que el señor no quiere jurar, no hay para qué entre acá dentro."

A lo qual dixo la negra Guiomar, que no era muy ladina:

"Por mí, más que nunca jure, entre con todo el diablo."

Oyó con gran sosiego Loaisa la arenga de la señora González, y, con mayor sosiego y autoridad, le respondió:

"Por cierto, señoras mías y hermanas, y aun ya compañeras, nunca mi intento fue, es, ni será otro, que daros gusto en quanto mis fuerzas alcanzaren, y así no se me hace cuesta arriba hacer el juramento que me pedís; quanto y más, que bastaba la palabra dada de semejante persona que yo soy; porque hago saber a Vmds. que debaxo del sayal hay ál, y tanto quanto lo verán algún día.[10] Mas para que todas estén seguras y satisfechas de mi deseo, determino de jurar como católico y fidelísimo varón; y así juro de haberme en esta entrada como tal, por las entradas y salidas del sancto Líbano monte, y por el espejo de la Magdalena, y por todo aquello que en sí encierra la felicísima historia del emperador Carlo Magno, y por las barbas de Pilato, con la muerte del gigante Fierabrás, y por la intemerata eficacia, donde más larga y santamente se contiene, de [no] salir ni pasar del mandamiento de la más mínima de Vmds., so pena que si otra cosa hiciere o quisiere hacer, desde agora para entonces y desde entonces para agora la doy por no hecha, firme ni valedera y de ningún efecto."

Aquí llegaba de su juramento el buen mancebo, quando una de las doncellas, dando una gran voz, dixo:

"Este sí que es juramento para enternecer las piedras; mal haya yo si más quiero que jure."

Y, asiéndolo de la falda de la ropilla, lo metió allá dentro, donde y quando todas las demás se le pusieron en torno y lo rodearon, y, subiendo una delante, fue a dar las

[10] *Algún día*: ésta es una forma guasona e irónica de adelantar el adulterio inminente.

nuevas a su señora, la qual estaba con el ungüento dentro del aposento de su marido, por ver si el viejo dispertaba; un ojo tenía en el aposento y otro en el patio, para ver lo que pasaba, y quando la mensagera le dixo que ya subía el músico, se alegró en grande manera y le preguntó si había jurado; respondióle que sí, y con la más nueva forma y solemnidad de juramento que en su vida había oído.

"Eso sí", dixo Isabela; "asido le tenemos; bien avisada anduve yo en hacerle que jurase."

En esto llegó toda la caterva junta, y el galán en medio, el qual, como vido a Isabela, le hizo muestras de arrojarse a los pies para besalle las manos; la qual, callando y por señas, lo hizo levantar. Todas estaban como mudas, hasta que Loaisa les dixo que bien podían hablar algo más recio, porque sin dubda el ungüento con que estaba untado su señor era de maravillosa virtud para hacer dormir.

"Así lo creo yo", dixo Isabela; "porque si así no fuera, ya hubiera dispertado veinte veces; porque tiene el sueño ligero, y con sus munchas y graves indisposiciones duerme poco y sobresaltado; mas después que le unté, ronca de la manera que oís."

Y puestas a escuchar, vieron que decía verdad. Aseguradas, pues, con lo que vían, aconsejaron a Isabela se fuesen todas a una sala frontero, donde podían oír cantar a aquel señor y holgarse, con que idas, quedase una de guarda por sus horas, por sí o por no. A todas pareció bien el dicho; y, dexando una muchacha a la puerta de la recámara donde el viejo dormía, se fueron a una gran sala, donde estaba un estrado muy rico con muchas almohadas, sobre el qual se asentaron todas, y el señor en medio; y tomando la señora González una vela en la mano, le paseó con ella todo el cuerpo y faciones, desde los pies a la cabeza, y la una decía:

"¡Ay, qué copete tiene tan lindo y tan enrizado!"

La otra:

"¡Ay, qué blancura de dientes y qué sangre viva vierte de aquellos labios! Mal año para piñones entre grana que tan lindos sean."

Otra le alababa los ojos de negros y adormecidos, otra las manos y los dedos como unas candelas; otra los pies con mill encarecimientos, haciendo una solemne pepitoria de todos sus miembros; sola Isabela callaba y le miraba, y le iba pareciendo de mejor talle y hechura que no [11] su velado.

En esto la señora González tomó la guitarra que Luis el negro traía, que a todo estaba presente, y rogó a Loaisa que la tocase y que cantase un cantar que entonces andaba muy valido en el pueblo y hacía mucho al caso para lo que entonces allí les pasaba; [12] el qual era aquel que dice: *Madre, la mi madre, guardas me poneis.* No se hizo de rogar Loaisa, que luego, tocando la guitarra, comenzó a cantar, y las mozas se levantaron, y al son de ella, como si estuviesen en el campo, baylaron; y la que decía las coplas era la buena de la dueña, que eran éstas (tanta era la seguridad que les había puesto el sueño de su amo):

Madre, la mi madre,
guardas me poneis;
que, si yo no me guardo,
mal me guardareis.

Dicen que está escrito,
y con gran razón,
que la privación
engendra apetito;
crece en infinito
encerrado amor;
por eso es mejor
que no me encerreis:
Que si yo no me guardo,
mal me guardareis.

[11] *Que no*: este *no,* superfluo hoy en día, es propio del castellano clásico.

[12] *Les pasaba*: es evidente que para 1613 Cervantes prefiere velar un poco la intención del cantar, dado que quita toda esta explicación.

Si la voluntad
por si no se guarda,
jamás le harán guarda
miedo o calidad;
romperá, en verdad,
por la misma muerte,
hasta hallar la suerte
que vos no entendeis:
Que si yo no me guardo,
mal me guardareis.

Quien tiene costumbre
de ser amorosa,
como mariposa
se irá tras la lumbre;
y aunque más deslumbre
y guardas les pongan,
o aunque más propongan
de hacer lo que haceis:
Que si yo no me guardo,
mal me guardareis.

Y es de tal manera
la fuerza amorosa,
que a la más hermosa
la vuelve en quimera;
el pecho de cera,
de fuego la gana,
la mano de lana,
de ciervo los pies: [13]
Que si yo no me guardo,
mal me guardareis.

Al fin llegaba de su canto y bayle el corro de las mozas, guiadas por la buena vieja, quando llegó la muchacha que

[13] *De ciervo los pies*: hay varios ajustes de vocabulario entre la versión de Porras de la glosa y la de 1613. No he llamado la atención sobre ellos para no extender más estas notas; ya los puede precisar y estudiar el interesado.

de centinela había quedado descolorida y turbada, hiriendo de pies y mano, como si tuviera alferecía, y con voz interrota [14] y baxa, dixo:

"¡Ay, señora mía, que mi señor está dispierto, y creo que se levanta de la cama y viene a buscarnos!"

Quien ha visto vanda de palomas estar comiendo sin miedo lo que agenas manos sembraron, que al furioso estripo [15] del disparado arcabuz se azoran y levantan, y olvidadas del pasto, vuelan por los ayres, confusas y atónitas, tal se imagine que quedó la vanda y corro de las mozas, pasmadas y temerosas, oyendo la no esperada nueva; y procurando cada una su remedio o su disculpa, quál por una parte y quál por otra, se fueron a esconder por los desvanes y rincones de la casa, dexando solo al buen músico; el qual, dexando la guitarra y el canto, lleno de turbación, no sabía qué hacerse. Torcía Isabela sus blancas manos; abofeteábase, aunque blandamente, la señora González; en fin, todo en todos era confusión, miedo y espanto; pero la dueña, como más astuta y reportada, dio orden como Loaisa se entrase en un aposento suyo, y que ella y su señora se quedasen en aquella sala, donde no faltaría escusa que dar a su señor, si allí las hallase.

Escondióse luego Loaisa, y la dueña se puso atenta al corredor a escuchar si su amo venía, y no sintiendo ni viendo a nadie, tomó ánimo, y poco a poco se llegó hasta el aposento donde el viejo dormía, y oyó que roncaba primero, y asigurada viendo que dormía, soltó los chapines, y alzó las faldas, y, corriendo como un gamo, volvió a pedir albricias a su ama de lo que había visto, la qual se las mandó de muy entera voluntad. No pensó González de perder la coyuntura que la suerte le ofrecía gozar primero que todas las otras; que ella se imaginaba querida del músico; y así, diciéndole a Isabela que esperase en la sala mientras que ella iba a llamarlo, la dexó, y se entró

[14] *Interrota*: hace más sentido 1613, "entre ronca". ¿Nuevo error de Bosarte?, ¿del impresor?

[15] *Estripo*: esto sí es clara errata por *estrépito,* culpa de algún intermediario de la versión Porras.

donde estaba, no menos confuso que todas, esperando las nuevas de lo que hacía el desdichado viejo; pero como le aseguró la señora González que dormía a más y mejor, sosegó el pecho, y atendió a mill palabras amorosas que la buena dueña le decía, de las quales coligió luego la intención suya, y propuso ansí de ponerla por anzuelo para pescar a Isabela.

Y estando los dos en sus pláticas, las demás mozas, que estaban huidas y escondidas por diversas partes de la casa, cada una volvió a ver y a sentir si era verdad que había dispertado su señor, y con pasos quedos y atentos oídos y ojos alertos, quál por una parte, quál por otra, escuchaban por ver lo que pasaba; y viendo que todo estaba sepultado en silencio, se fueron llegando a la sala donde habían dexado a Isabela, y hallándola sola y sabiendo de ella que aun dormía su amo, le preguntaron por González y por el músico, la qual les dixo dónde estaban, y todas, con mayor silencio que habían venido, se llegaron a mirar por entre las puertas lo que González con el músico hacía, y no faltó de la junta Guiomar la negra; el negro sí, porque así como oyó que su amo se había dispertado, se abrazó con su guitarra y se fue a esconder en su pajar, cerrando tras sí la puerta, que no le sacaran de allí, como suele decirse, con perros y hurones; y con estar con más miedo del que había menester, no dexaba de templar su guitarra: tanta era (encomendado él sea a Satanás) la afición, como otra vez se ha dicho, que él tenía a la música.

Como vieron las mozas que acechaban por la puerta del aposento donde González y el músico estaban, que ella le decía palabras tiernas, y de quando en quando le tomaba las manos, y aun procuraba llegar su rostro con el del mozo, perdieron la paciencia, y cada una de por sí la comenzó a maldecir, y a decille el nombre de las Pasquas. Lo menos era llamarle vieja, porque aunque se lo llamaron muchas veces, ninguna fué sin puta, con otros epitectos que entraban más en hondo, y que por honestos respectos se callan. Pero lo que más risa causaba a quien entonces le oía, eran las razones que Guiomar la negra decía en respecto de la dueña, por ser portuguesa, y no muy ladina. Era de ver la gracia con que la vituperaba. En efecto, la conclusión de la larga plática de Loaisa y de la dueña fué que él condescendería con la voluntad que ella había significado, con presupuesto que ella le había de entregar a toda su voluntad a Isabela; y que si esto hiciese, podía hacer dél todo aquello que más fuese de su gusto. Cuesta arriba se le hizo a González ofrecer lo que Loaisa pedía; pero a trueco de cumplir con el deseo que ya se le había apoderado del alma, y de los huesos y medulas del cuerpo, le prometiera todos los imposibles que imaginar se pueden.

Dexóle con esto, y salióse a hablar a Isabela, y como vio la puerta rodeada de todas las mozas, criadas y doncellas de casa, no gustó muncho de ello; mas, como aquella que las mandaba a todas, les dixo que se recogiesen a sus aposentos, que ya era hora de dormir, y que sería bien estar con recato, por si su amo dispertase. Bien entendieron todas por qué lo decía, mas no por eso dexaron de obedecerla todas, si no fue Guiomar, que dixo que ella se quería quedar allí con su señora, y que no se iría a dormir si la matasen. Todo esto decía la negra por dar pesadumbre a la vieja, pero su ama la rogó que se fuese, y así quedó sola con González, la qual, con una larga y concertada arenga, la comenzó a persuadir y a rogar condescendiese con la voluntad del músico, encareciéndole de quánto más gusto le serían los abrazos del amante mozo que los del viejo marido, asigurándole el secreto y la duración del deleyte, y de otras cosas semejantes a éstas, dichas con tantos colores y dichos de aquella maldita vieja, que moviera, no sólo el corazón tierno y poco advertido de la incauta Isabela, sino de un endurecido mármol. ¡Oh dueñas, nacidas y usadas en el mundo para perdición de mill recatadas intenciones! ¡Oh viejas y repulgadas tocas, escogidas para autorizar salas y entradas de principales señoras, y quán al revés de lo que debíais usais de vuestro compuesto y casi perezoso oficio! En fin, tanto dixo González, que Isabela se rindió, Isabela se engañó, Isabela se perdió, dando en tierra con todas las prevenciones de Carrizales, que, untado y seguro, dormía el sueño de su muerte y de su honra. [16] Tomó González por la mano a Isabela, y casi por fuerza y medio arrastrando, preñados de lágrimas los ojos, la llevó al aposento donde Loaisa estaba; y dándoles la bendición con una falsa risa de mono, les cerró tras sí la puerta, y los dexó solos, y ella se puso a dormir en el estrado, o por mejor decir, a esperar de recudida su contento; pero, con el cansancio de la no dormida noche, la venció el sueño y se quedó dormida en el estrado.

Bueno fuera a esta sazón preguntar a Carrizales, si no durmiera tanto, adónde estaban sus advertidos recelos, sus prevenciones, los altos muros de su casa, el no haber entrado en ella sombra de varón de ninguna cosa viviente, el torno, las paredes sin ventanas, el encerramiento y clausura, los veinte mill ducados con que a Isabela había dotado, los regalos que de continuo la hacía, el buen tratamiento de las criadas, el no faltar un punto a todo aquello que él imaginaba que podían haber menester. Pero ya he dicho que no había para qué preguntárselo, porque dormía con más silencio que fuera necesario, y si él lo oyera, y acaso respondiera, sé que no podía dar mejor respuesta que encoger los hombros y decir: "Todo aqueso derribó por los fundamentos la astucia de un mozo holgazán y vicioso, y la malicia de una falsa dueña, con la inadvertencia de una muchacha rogada y persuadida." Libre Dios a cada uno de tales enemigos, contra los quales no hay escudo de pendencia que defienda, ni espada de recato que corte.

No estaba ya tan llorosa Isabela en los brazos de Loaisa, a lo que creerse puede, ni se estendía tanto el alopiado ungüento del untado marido, que le hiciese dormir tanto como ellos pensaban, porque el cielo, que muchas veces permite el mal de algunos por el bien y beneficio de otros, hizo que Carrizales dispertase ya casi al amanecer, y, como se tenía de costumbre, tentó la cama por una y otra parte

[16] *Su honra*: probable errata de algún intermediario, porque es decididamente preferible la lección de 1613: "el sueño de la muerte de su honra".

y, no hallando en ella a su cara y amada Isabela, no así como el impío Bireno, que se fué huyendo del lecho donde dexaba sola a la sin ventura y engañada Olimpia, [17] sino con la rabia que el zeloso Vulcano [18] buscaba a su querida, dexó las odiosas plumas y, con más ligereza que su edad le concedía, saltó de la cama y buscó por todo el aposento a su esposa, y quando en él no la halló, y vio que le faltaba la llave maestra y que la puerta del aposento estaba abierta, pensó perder el seso, pero, reportándose un poco, salió al corredor, y de allí, andando con maravilloso silencio, llegó a la sala donde la dueña dormía, y no hallando allí a Isabela, se fue a el aposento donde la dueña tenía su estancia, y, abriéndole queditamente, vio lo que nunca quisiera haber visto. Vio a Isabela en brazos de Loaisa, durmiendo entrambos tan a sueño suelto, como si a ellos se hubiera pegado la virtud del ungüento con que él había dormido.

Sin pulsos quedó el viejo de la amarga vista de lo que miraba; la voz se le pegó a la garganta; secósele la lengua; los brazos se le cayeron de desmayado, y quedó como una estatua de mármol frío. Aunque la cólera hizo su natural oficio, avivándole los espíritus, pudo tanto el dolor, que no le dexaba tomar aliento; y, aunque tan turbado y tan sin sentido estaba, todavía tomara la justa venganza que tanta maldad merecía, si se hallara con armas para poder tomarla, y así determinó de volverse a su aposento a tomar una daga y hacer con sangre de sus enemigos limpia su honra, y aun con quantos en la casa había satisfacer su agravio; y con el mismo silencio y pasos volvió las espaldas y llegó a su lecho, donde le apretó tanto el dolor y la angustia, que, sin ser poderoso a otra cosa, se tendió desmayado y sin sentido alguno.

[17] *Olimpia*: los amores dramáticos y violentamente agitados de Olimpia y Bireno se narran en el *Orlando Furioso* de Ariosto, canto IX, en particular.

[18] *Vulcano*: en la mitología griega Hefaistos (Vulcano) está casado con Afrodite (Venus), y ésta lo engaña con Ares (Marte).

Llegóse a esto el día, y cogió a los adúlteros abrazados. Dispertóles el sol, y González quiso acudir por el diezmo siquiera de aquel beneficio que ella había fundado; pero viendo que era tan tarde, dexólo para la noche, donde pensaba desquitarse de manera que no le quedasen a deber nada. Alborotóse Isabela de ver que era tan entrado el día, y maldixo su descuido y el de la maldita dueña, y con sobresalto y temor fueron donde estaba su esposo, rogando entre dientes al cielo que lo hallasen todavía roncando; mas quando le vieron encima de la cama callando, sin duda creyeron que dormía, y con gran regocijo se abrazó la una a la otra. Llegándose a su esposo y trabándole de un brazo, le volvió de un lado a otro, a cuyo movimiento volvió de su desmayo dando un profundo suspiro, diciendo con una voz lamentable:

"¡Desdichado de mí, y a qué tristes términos me ha conducido mi fortuna!"

No entendió bien Isabela lo que su esposo dixo; mas como le vió dispierto y que hablaba, no sin admiración de ver que la virtud del ungüento no duraba tanto como le habían dicho, se llegó a él y, abrazándole estrechamente y poniéndole su rostro con el suyo, le dixo:

"¿Qué teneis, señor mío, que parece que estais quexándoos?"

Oyó la voz de la dulce enemiga el miserable viejo y, abriendo los ojos como hombre atónito, encaradamente los puso en ella, y con gran ahinco, sin mover pestaña, le estuvo mirando una gran pieza, al cabo de la qual le dixo:

"Hacedme placer, señora, que luego luego embieis con alguna persona a llamar a vuestros padres, porque siento no sé qué en el corazón, que me da grandísima fatiga, y temo que ha de llegar tanto, que me ha de quitar la vida en breve, y queríales ver antes que me muriese."

Sin duda creyó Isabela que era verdad lo que su esposo decía, y pensó que el ungüento y la fortaleza dél le tenía de aquella manera, y respondió que sí haría. Mandó a González que luego inviase el negro a llamar a sus padres, y, abrazándose con su marido, le hacía las mayores caricias que jamás le había hecho, preguntándole qué era lo que sentía, con tan tiernas y amorosas palabras, como si él fuera la cosa que en este mundo más amara. Él la miraba con el ahincamiento que he dicho, siéndole cada palabra una lanzada que le atravesaba el alma.

Había ya dicho González a la demás gente de casa, y a Loaisa ni más ni menos, la indisposición de su amo, encareciéndoles que debía de ser de momento, pues se le había olvidado de mandar cerrar las puertas de la calle quando el negro, que había ido a llamar a sus padres de Isabela, salió; de la qual embaxada asimesmo se admiraron, por no haber entrado alguno de ellos, después que a la hija casaron, en aquella casa. En fin, todos callaron, o andaban callados en la casa, y no daban en la verdad y causa de la indisposición de su amo, el qual, de rato en rato, tan profunda y dolorosamente suspiraba, que con cada suspiro parescía salírsele el alma. Lloraba Isabela por verle de aquella suerte, y reíase Carrizales con cierta risa falsa y de persona loca y fuera de juicio, por haberla visto de la sobredicha manera.

En esto llegaron los padres de Isabela, y, como hallaron las puertas de la calle y del patio abiertas, y la casa llena de silencio, quedaron admirados y, no con pequeño sobresalto, fueron al aposento donde su yerno estaba de la forma dicha, mirando de hito en hito a Isabela, a la qual tenía asida de las manos, derramando lágrimas de sus ojos, ella, por no más causa que por verlas derramar a su marido; él, por ver quán fingidamente las derramaba su muger. Al fin, callando sus padres, habló Carrizales y dixo:

"Siéntense aquí Vmds. y todos los demás se salgan allá fuera, si no fuere Isabela y González."

Hecho así, y quedando los cinco solos, sosegándose y limpiándose los ojos, comenzó Carrizales a decir las siguientes razones:

"Bien seguro estoy yo que no será necesario traer aquí testigos para acreditar una verdad, padres y señores míos, que deciros quiero: bien se os debe acordar (que no es posible que se os haya caído de la memoria) con quánto amor, con quán nobles entrañas hace hoy un año, un mes y cinco días y nueve horas que me entregasteis a vuestra querida hija por legítima muger mía; también sabeis con quánta liberalidad yo la doté, y que fue tal la dote, que más de seis de su misma calidad se pudieran casar más que medianamente con ello. Asimesmo se os debe acordar la diligencia que yo puse en vestilla y adornalla de todo aquello que ella se quiso sacar y yo supe que la convenía. Ni más ni menos entendeis que, llevado de mi condición y temeroso del mal que sin duda he de morir y de los varios y estraños acaecimientos del mundo, estimando esto joya que presente tengo y vosotros me disteis, la quise guardar con el mayor recato que me fue posible. Alcé las murallas de esta casa, quité las ventanas de la calle, doblé las cerraduras de las puertas, púsele torno como monasterio, desterré perpetuamente de ella todo aquello que sombra de varón tuviese, dila criadas que la sirvieran, a mi parecer honestas y bien criadas; no las negué a ellas ni a ella quanto quisiesen pedirme; hízela mi igual; comuniquéla mis más secretos pensamientos; entreguéla como señora absoluta en toda mi hacienda, que pasa de los términos de la demasía. Todas éstas eran obras para que, si bien lo considerais, yo viviera seguro de gozar sin sobresalto lo que tanto me había costado, y ella no procurara darme ocasión que ningún género de temor en mi pensamiento cupiera. Mas como no se puede entrar [19] ni prevenir con diligencia humana el castigo que la divina voluntad quiere dar a los que de todo en todo no ponen en ella sus deseos y esperanzas, no es mucho que yo me haya engañado en las mías; que yo mismo haya sido el fabricador del veneno que me ha quitado la vida. Pero porque veo la suspensión con que todos estais, colgados de las palabras de mi boca, quiero concluir con los largos preámbulos de mi plática, y decir en una palabra lo que mal podría decir en millares de ellas. Digo, señores, que todo lo que he dicho y hecho ha parado en que esta madrugada hallé a esta niña (nacida en el mundo para

[19] *Entrar*: ¿errata por *evitar*?

perdición de mi sosiego y fin de mi vida) en brazos de un gallardo mancebo, que en el aposento de esta pestífera vieja (señalando a González) está encerrado."

Apenas acabó de decir Carrizales estas palabras, quando a Isabela se le cubrió el corazón y en las mismas rodillas de su marido se cayó desmayada; perdió la color González; púso[se]les un puño en la garganta de los padres de Isabela, y no acertaron ni pudieron decir palabra alguna. Pero con todo eso, prosiguió Carrizales diciendo:

"La venganza que yo pienso tomar, señores, de esta afrenta y injuria, no es de las que suelen tomar; que quiero que así como yo fui estremado en hacer lo que hice, así sea la venganza que tomaré, pues ha de ser de mí mesmo, como el más culpado en este caso: pues debía considerar que mal podrían estar en uno ni compadecerse bien los quince años de esta muchacha con los setenta y siete míos; que yo fui el gusano de la seda, que me fabriqué la casa donde muriese; yo fénix[20] que busqué y junté la leña con que me abrasase, y así no te culpo, ¡oh niña, mal aconsejada sin duda! (Y diciendo esto, besó el descolorido rostro de la desmayada Isabela.) No te culpo, digo, porque persuaciones de taymadas viejas y presencias de mozos importunos fácilmente vencen el ingenio y poco valor que encierran tan pocos años como los tuyos; mas porque el mundo vea de quánto poder y fuerza fue la voluntad con que te quise y aun te adoré, en esta última que en fin de mis días tengo, lo mostraré de suerte, que quede a el mundo por exemplo, ya de bondad nunca vista, o ya de simplicidad jamás oída. Y así digo que luego se traiga aquí un escribano, para hacer de nuevo mi testamento, en el qual mandaré doblar el dote de Isabela, y la rogaré que, después de mis días, que serán bien breves, disponga su voluntad, pues no será muy dificultosa en disponerle ella, a casarse con aquel mozo que he dicho, para que vea

[20] *Fénix*: Plinio, en su *Historia naturalis*, X, 2, nos cuenta largamente como el ave fénix, natural de Arabia, vivía por 660 años, y al sentir cerca su muerte armaba una pira de leña en la cual se dejaba arder hasta la muerte.

que, si viviendo yo jamás salí de lo que pude pensar ser gusto suyo, después de muerto le sigo, y quiero que le tenga con quien tanto quiere. La demás de mi hacienda mandaré distribuir en obras pías, y a vosotros, señores, os dexaré con que vivais honradamente lo que de la vida os quedare. La venida del escribano sea luego, porque la pasión que tengo me aprieta de manera, que a más andar me va tomando los pasos de la vida."

Esto dicho, le sobrevino un terrible desmayo, y se dexó caer junto a Isabela, de suerte que tenían los rostros juntos: estraño espectáculo para los padres, que de tal modo a su querida hija y a su buen yerno miraban. No quiso la mala vieja de González esperar las reprehensiones que pensó que le dieran sus viejos amos, sino salióse luego del aposento y fue a contar a Loaisa todo lo que pasaba, diciendo que se fuese luego de casa; que ella le avisaría cada hora de lo que más sucediese. ¿Quién duda sino que se admiró Loaisa de lo que la vieja le dixo? Pero, con todo eso, sin ponerse a hacer más discursos, se salió de casa y fué a contar a sus amigos el estraño y jamás visto suceso de sus amores.

En tanto que los dos estaban transportados, el padre de Isabela invió a llamar un escribano amigo suyo, el qual vino a tiempo que ya estaban vueltos en su acuerdo Isabela y su marido, y luego hizo testamento de la misma manera que antes había dicho, sin declarar el yerro de Isabela, más de que por buenos respetos le mandaba que se casase después de sus días con aquel mozo que le había dicho en secreto. Quando esto oyó Isabela, se arrojó delante de los pies de su marido, y llenos los ojos de lágrimas, y saltándole el corazón en el pecho, le dixo:

"Vivid vos muchos años, mi señor y todo mi bien; que, puesto caso que no esteis obligado a creerme ninguna cosa de las que os dixere, por las malas obras que me habeis visto, yo os prometo y os juro por todo aquello que jurar puedo, que si permite el cielo que yo os alcance de días, que yo acabe los que me quedaren en perpetuo encerramiento y clausura, y desde aquí prometo, sin vos, de hacer profesión en una religión de las más ásperas que hubiere."

Abrazáronla los padres, llorando todos, y acompañándoles en sus lágrimas el escribano que el testamento hacía, en el qual dexó de comer a todas las criadas de casa, si no fue a la falsa González, que sólo mandó que se le pagase lo que de sus soldadas se le debía. Con esto parece que quedó algo satisfecho, y con el voto de Isabela; mas sea lo que fuere, el dolor le apretó de manera, que al seteno día le llevaron a la sepultura.

Quedó Isabela llorosa, viuda y rica; y quando Loaisa esperaba que ella cumpliese lo que ya sabía que en el testamento su marido le había dexado mandado, vio que dentro de una semana se metió monja en un monasterio de los más recogidos de la ciudad. Él, desesperado y corrido, dicen que se fué a una famosa jornada que entonces contra infieles España hacía, donde se tuvo por nueva cierta que lo mató [21] un arcabuz que se le rebentó en las manos, que ya fue castigo de su suelta vida; y quedaron los padres de Isabela, aunque tristes, ricos; las criadas de Carrizales, con qué comer y cenar, sin merecerlo; González, pobre y defraudada de sus malos pensamientos; y todos los que oyeren este caso es razón que escarmienten en él y no se fíen de torno ni criadas, si se han de fiar de dueñas de tocas largas.

El qual caso, aunque parece fingido y fabuloso, fue verdadero. [22]

[21] *Lo mató*: quedan algunas consideraciones acerca de este final tan distinto entre Porras y 1613 en el estudio preliminar.

[22] *Fue verdadero*: esta fórmula no la usa Cervantes en ninguna de las novelas de 1613. Es demasiado simplista para tener mayores ínfulas de historicidad.

ÍNDICE DE LÁMINAS

Todas las ilustraciones que aparecen en este volumen pertenecen a la edición de las *Novelas ejemplares,* de Antonio de Sancha, 1783.

ESTE LIBRO
SE TERMINÓ DE IMPRIMIR
EL DÍA 1 DE SEPTIEMBRE DE 1992

ÚLTIMOS TÍTULOS PUBLICADOS

55 / Lope de Vega
EL PEREGRINO EN SU PATRIA
Edición, introducción y notas de Juan Bautista Avalle-Arce.

56 / Manuel Altolaguirre
LAS ISLAS INVITADAS
Edición, introducción y notas de Margarita Smerdou Altolaguirre.

57 / Miguel de Cervantes
VIAJE DEL PARNASO. POESÍAS COMPLETAS, I
Edición, introducción y notas de Vicente Gaos.

58 / LA VIDA DE LAZARILLO DE TORMES Y DE SUS FORTUNAS Y ADVERSIDADES
Edición, introducción y notas de Alberto Blecua.

59 / Azorín
LOS PUEBLOS. LA ANDALUCÍA TRÁGICA Y OTROS ARTÍCULOS (1904-1905)
Edición, introducción y notas de José María Valverde.

60 / Francisco de Quevedo
POEMAS ESCOGIDOS
Selección, introducción y notas de José Manuel Blecua.

61 / Alfonso Sastre
ESCUADRA HACIA LA MUERTE LA MORDAZA
Edición, introducción y notas de Farris Anderson.

62 / Juan del Encina
POESÍA LÍRICA Y CANCIONERO MUSICAL
Edición, introducción y notas de R. O. Jones y Carolyn R. Lee.

63 / Lope de Vega
LA ARCADIA
Edición, introducción y notas de Edwin S. Morby.

64 / Marqués de Santillana
POESÍAS COMPLETAS, I.
Serranillas, cantares y decires. Sonetos fechos al itálico modo
Edición, introducción y notas de Manuel Durán.

65 / POESÍA DEL SIGLO XVIII
Selección, introducción y notas de John H. R. Polt.

66 / Juan Rodríguez del Padrón
SIERVO LIBRE DE AMOR
Edición, introducción y notas de Antonio Prieto.

67 / Francisco de Quevedo
LA HORA DE TODOS
Edición, introducción y notas de Luisa López-Grigera.

68 / Lope de Vega
SERVIR A SEÑOR DISCRETO
Edición, introducción y notas de Frida Weber de Kurlat.

69 / Leopoldo Alas, Clarín
TERESA. AVECILLA. EL HOMBRE DE LOS

ESTRENOS
Edición, introducción y notas de Leonardo Romero.

70 / Mariano José de Larra
ARTÍCULOS VARIOS
Edición, introducción y notas de Evaristo Correa Calderón.

71 / Vicente Aleixandre
SOMBRA DEL PARAÍSO
Edición, introducción y notas de Leopoldo de Luis.

72 / Lucas Fernández
FARSAS Y ÉGLOGAS
Edición, introducción y notas de M.ª Josefa Canellada.

73 / Dionisio Ridruejo
PRIMER LIBRO DE AMOR. POESÍA EN ARMAS. SONETOS
Edición, introducción y notas de Dionisio Ridruejo.

74 / Gustavo Adolfo Bécquer
RIMAS
Edición, introducción y notas de José Carlos de Torres.

75 / POEMA DE MIO CID
Edición, introducción y notas de Ian Michael.

76 / Guillén de Castro
LOS MAL CASADOS DE VALENCIA
Edición, introducción y notas de Luciano García Lorenzo.

77 / Miguel de Cervantes
DON QUIJOTE DE LA MANCHA, Parte I (1605)
Edición, introducción y notas de Luis Andrés Murillo.

78 / Miguel de Cervantes
DON QUIJOTE DE LA MANCHA, Parte II (1615)
Edición, introducción y notas de Luis Andrés Murillo.

79 / Luis Andrés Murillo
BIBLIOGRAFÍA FUNDAMENTAL SOBRE «DON QUIJOTE DE LA MANCHA» DE MIGUEL DE CERVANTES

80 / Miguel Mihura
TRES SOMBREROS DE COPA. MARIBEL Y LA EXTRAÑA FAMILIA
Edición, introducción y notas de Miguel Mihura.

81 / José de Espronceda
EL ESTUDIANTE DE SALAMANCA. EL DIABLO MUNDO
Edición, introducción y notas de Robert Marrast.

82 / Pedro Calderón de la Barca
EL ALCALDE DE ZALAMEA
Edición, introducción y notas de José M.ª Díez Borque.

83 / Tomás de Iriarte
EL SEÑORITO MIMADO. LA SEÑORITA MALCRIADA
Edición, introducción y notas de Russell P. Sebold.

84 / Tirso de Molina
EL BANDOLERO
Edición, introducción y notas de André Nougué.

85 / José Zorrilla
EL ZAPATERO Y EL REY
Edición, introducción y notas de Jean Louis Picoche.

86 / VIDA Y HECHOS DE ESTEBANILLO GONZÁLEZ. Tomo I
Edición, introducción y notas de N. Spadaccini y Anthony N. Zahareas.

87 / VIDA Y HECHOS DE ESTEBANILLO GONZÁLEZ. Tomo II
Edición, introducción y notas de N. Spadaccini y Anthony N. Zahareas.

88 / Fernán Caballero
LA FAMILIA DE ALVAREDA
Edición, introducción y notas de Julio Rodríguez Luis.

89 / Emilio Prados
LA PIEDRA ESCRITA
Edición, introducción y notas de José Sanchis-Banús.

90 / Rosalía de Castro
EN LAS ORILLAS DEL SAR
Edición, introducción y notas de Marina Mayoral Díaz.

91 / Alonso de Ercilla
LA ARAUCANA. Tomo I
Edición, introducción y notas de Marcos A. Morínigo e Isaías Lerner.

92 / Alonso de Ercilla
LA ARAUCANA. Tomo II
Edición, introducción y notas de Marcos A. Morínigo e Isaías Lerner.

93 / José María de Pereda
LA PUCHERA
Edición, introducción y notas de Laureano Bonet.

94 / Marqués de Santillana
POESÍAS COMPLETAS. Tomo II
Edición, introducción y notas de Manuel Durán.

95 / Fernán Caballero
LA GAVIOTA
Edición, introducción y notas de Carmen Bravo-Villasante.

96 / Gonzalo de Berceo
SIGNOS QUE APARECERÁN ANTES DEL JUICIO FINAL. DUELO DE LA VIRGEN. MARTIRIO DE SAN LORENZO
Edición, introducción y notas de Arturo Ramoneda.

97 / Sebastián de Horozco
REPRESENTACIONES
Edición, introducción y notas de F. González Ollé.

98 / Diego de San Pedro
PASIÓN TROVADA. POESÍAS MENORES. DESPRECIO DE LA FORTUNA
Edición, introducción y notas de Keith Whinnom y Dorothy S. Severin.

99 / Ausias March
OBRA POÉTICA COMPLETA. Tomo I
Edición, introducción y notas de Rafael Ferreres.

100 / Ausias March
OBRA POÉTICA COMPLETA. Tomo II
Edición, introducción y notas de Rafael Ferreres.

101 / Luis de Góngora
LETRILLAS
Edición, introducción y notas de Robert Jammes.

102 / Lope de Vega
LA DOROTEA
Edición, introducción y notas de Edwin S. Morby.

103 / Ramón Pérez de Ayala
TIGRE JUAN Y EL CURANDERO DE SU HONRA
Edición, introducción y notas de Andrés Amorós.

104 / Lope de Vega
LÍRICA
Selección, introducción y notas de José Manuel Blecua.

105 / Miguel de Cervantes
POESÍAS COMPLETAS, II
Edición, introducción y notas de Vicente Gaos.

106 / Dionisio Ridruejo
CUADERNOS DE RUSIA. EN LA SOLEDAD DEL TIEMPO. CANCIONERO EN RONDA. ELEGÍAS
Edición, introducción y notas de Manuel A. Penella.

107 / Gonzalo de Berceo
POEMA DE SANTA ORIA
Edición, introducción y notas de Isabel Uría Maqua.

108 / Juan Meléndez Valdés
POESÍAS SELECTAS
Edición, introducción y notas de J. H. R. Polt y Georges Demerson.

109 / Diego Duque de Estrada
COMENTARIOS
Edición, introducción y notas de Henry Ettinghausen.

110 / Leopoldo Alas, Clarín
LA REGENTA, I
Edición, introducción y notas de Gonzalo Sobejano.

111 / Leopoldo Alas, Clarín
LA REGENTA, II
Edición, introducción y notas de Gonzalo Sobejano.

112 / P. Calderón de la Barca
EL MÉDICO DE SU HONRA
Edición, introducción y notas de D. W. Cruickshank.

113 / Francisco de Quevedo
OBRAS FESTIVAS
Edición, introducción y notas de Pablo Jauralde.

114 / POESÍA CRÍTICA Y SATÍRICA DEL SIGLO XV
Selección, edición, introducción y notas de Julio Rodríguez-Puértolas.

115 / EL LIBRO DEL CABALLERO ZIFAR
Edición, introducción y notas de Joaquín González Muela.

116 / P. Calderón de la Barca
ENTREMESES, JÁCARAS Y MOJIGANGAS
Edición, introducción y notas de E. Rodríguez y A. Tordera.

117 / Sor Juana Inés de la Cruz
INUNDACIÓN CASTÁLIDA
Edición, introducción y notas de Georgina Sabat de Rivers.

118 / José Cadalso
SOLAYA O LOS CIRCASIANOS
Edición, introducción y notas de F. Aguilar Piñal.

119 / P. Calderón de la Barca
LA CISMA DE INGLATERRA
Edición, introducción y notas de F. Ruiz Ramón.

120 / Miguel de Cervantes
NOVELAS EJEMPLARES, I
Edición, introducción y notas de J. B. Avalle-Arce.

121 / Miguel de Cervantes
NOVELAS EJEMPLARES, II
Edición, introducción y notas de J. B. Avalle-Arce.

122 / Miguel de Cervantes
NOVELAS EJEMPLARES, III
Edición, introducción y notas de J. B. Avalle-Arce.

123 / POESÍA DE LA EDAD DE ORO, I. RENACIMIENTO
Edición, introducción y notas de José Manuel Blecua.

124 / Ramón de la Cruz
SAINETES, I
Edición, introducción y notas de John Dowling.

125 / Luis Cernuda
LA REALIDAD Y EL DESEO
Edición, introducción y notas de Miguel J. Flys.

126 / Joan Maragall
OBRA POÉTICA
Edición, introducción y notas de Antoni Comas.
Edición bilingüe, traducción al castellano de J. Vidal Jové.

127 / Joan Maragall
OBRA POÉTICA
Edición, introducción y notas de Antoni Comas.
Edición bilingüe, traducción al castellano de J. Vidal Jové.

128 / Tirso de Molina
LA HUERTA DE JUAN FERNÁNDEZ
Edición, introducción y notas de Berta Pallarés.

129 / Antonio de Torquemada
JARDÍN DE FLORES CURIOSAS
Edición, introducción y notas de Giovanni Allegra.

130 / Juan de Zabaleta
EL DÍA DE FIESTA POR LA MAÑANA Y POR LA TARDE
Edición, introducción y notas de Cristóbal Cuevas.

131 / Lope de Vega
LA GATOMAQUIA
Edición, introducción y notas de Celina Sabor de Cortázar.

132 / Rubén Darío
PROSAS PROFANAS
Edición, introducción y notas de Ignacio de Zuleta.

133 / LIBRO DE CALILA E DIMNA
Edición, introducción y notas de María Jesús Lacarra y José Manuel Cacho Blecua.

134 / Alfonso X
LAS CANTIGAS
Edición, introducción y notas de W. Mettman.

135 / Tirso de Molina
LA VILLANA DE LA SAGRA
Edición, introducción y notas de Berta Pallarés.

136 / POESÍA DE LA EDAD DE ORO, II: BARROCO
Edición, introducción y notas de José Manuel Blecua.

137 / Luis de Góngora
LAS FIRMEZAS DE ISABELA
Edición, introducción y notas de Robert Jammes.

138 / Gustavo Adolfo Bécquer
DESDE MI CELDA
Edición, introducción y notas de Darío Villanueva.

139 / Castillo Solórzano
LAS HARPÍAS DE MADRID
Edición, introducción y notas de Pablo Jauralde.

140 / Camilo José Cela
LA COLMENA
Edición, introducción y notas de Raquel Asún.

141 / Juan Valera
JUANITA LA LARGA
Edición, introducción y notas de Enrique Rubio.

142 / Miguel de Unamuno
ABEL SÁNCHEZ
Edición, introducción y notas de José Luis Abellán.

143 / Lope de Vega
CARTAS
Edición, introducción y notas de Nicolás Marín.

144 / Fray Toribio de Motolinía
HISTORIA DE LOS INDIOS DE LA NUEVA ESPAÑA
Edición, introducción y notas de Georges Baudot

145 / Gerardo Diego
ÁNGELES DE COMPOSTELA. ALONDRA DE VERDAD
Edición, introducción y notas de Francisco Javier Díez de Revenga

146 / Duque de Rivas
DON ÁLVARO O LA FUERZA DEL SINO
Edición, introducción y notas de Donald L. Shaw.

147 / Benito Jerónimo Feijoo
TEATRO CRÍTICO UNIVERSAL
Edición, introducción y notas de Giovanni Stiffoni.

148 / Ramón J. Sender
MISTER WITT EN EL CANTÓN
Edición, introducción y notas de José María Jover Zamora.

149 / Sem Tob
PROVERBIOS MORALES
Edición, introducción y notas de Sanford Shepard.

150 / Cristóbal de Castillejo
DIÁLOGO DE MUJERES
Edición, introducción y notas de Rogelio Reyes Cano.

151 / Emilia Pardo Bazán
LOS PAZOS DE ULLOA
Edición, introducción y notas de Marina Mayoral.

152 / Dámaso Alonso
HIJOS DE LA IRA
Edición, introducción y notas de Miguel J. Flys.

153 / Enrique Gil y Carrasco
EL SEÑOR DE BEMBIBRE
Edición, introducción y notas de J. L. Picoche

154 / Santa Teresa de Jesús
LIBRO DE LA VIDA
Edición, introducción y notas de Otger Steggink

155 / NOVELAS AMOROSAS DE DIVERSOS INGENIOS
Edición, introducción y notas de E. Rodríguez

156 / Pero López de Ayala
RIMADO DE PALACIO
Edición, introducción y notas de G. de Orduna

157 / LIBRO DE APOLONIO
Edición, introducción y notas de Carmen Monedero.

158 / Juan Ramón Jiménez
SELECCIÓN DE POEMAS
Edición, introducción y notas de Gilbert Azam.

159 / César Vallejo
POEMAS HUMANOS. ESPAÑA. APARTA DE MÍ ESTE CÁLIZ
Edición, introducción y notas de Francisco Martínez García

160 / Pablo Neruda
VEINTE POEMAS DE AMOR Y UNA CANCIÓN DESESPERADA
Edición, introducción y notas de Hugo Montes

161 / Juan Ruiz, Arcipreste de Hita
LIBRO DE BUEN AMOR
Edición, introducción y notas de G. B. Gybbon-Monypenny.

162 / Gaspar Gil Polo
LA DIANA ENAMORADA
Edición, introducción y notas de Francisco López Estrada.

163 / Antonio Gala
LOS BUENOS DÍAS PERDIDOS. ANILLOS PARA UNA DAMA
Edición, introducción y notas de Andrés Amorós.

164 / Juan de Salinas
POESÍAS HUMANAS
Edición, introducción y notas de Henry Bonneville.

165 / José Cadalso
AUTOBIOGRAFÍA. NOCHES LÚGUBRES
Edición, introducción y notas de Manuel Camarero

166 / Gabriel Miró
NIÑO Y GRANDE
Edición, introducción y notas de Carlos Ruiz Silva

167 / José Ortega y Gasset
TEXTOS SOBRE LA LITERATURA Y EL ARTE
Edición, introducción y notas de E. Inman Fox.

168 / Leopoldo Lugones
CUENTOS FANTÁSTICOS
Edición, introducción y notas de Pedro Luis Barcia.

169 / Miguel de Unamuno
TEATRO. LA ESFINGE. LA VENDA. FEDRA
Edición, introducción y notas de José Paulino Ayuso.

170 / Luis Vélez de Guevara
EL DIABLO COJUELO
Edición, introducción y notas de Ángel R. Fernández González e Ignacio Arellano.

171 / Fedrico García Lorca
PRIMER ROMANCERO GITANO. LLANTO POR IGNACIO SÁNCHEZ MEJÍAS
Edición, introducción y notas de Miguel García-Posada.

172 / Alfonso X (vol. II)
LAS CANTIGAS
Edición, introducción y notas de W. Mettmann.

173 / CÓDICE DE AUTOS VIEJOS
Selección
Edición, introducción y notas de Miguel Ángel Priego.

174 / Juan García Hortelano
TORMENTA DE VERANO
Edición, introducción y notas de Antonio Gómez Yebra.

175 / Vicente Aleixandre
AMBITO
Edición, introducción y notas de Alejandro Duque Amusco.

176 / Jorge Guillén
FINAL
Edición, introducción y notas de Antonio Piedra.

177 / Francisco de Quevedo
EL BUSCÓN
Edición, introducción y notas de Pablo Jaural de Pou.

178 / Alfonso X, el sabio
CANTIGAS DE SANTA MARÍA (cantigas 261 a 427), III
Edición, introducción y notas de Walter Mettmann.

179 / Vicente Huidobro
ANTOLOGÍA POÉTICA
Edición, introducción y notas de Hugo Montes.

180 / CUENTOS MODERNISTAS HISPANOAMERICANOS
Edición, introducción y notas de Enrique Marini-Palmieri.

181 / San Juan de la Cruz
POESÍAS
Edición, introducción y notas de Paola Elía.

182 / Luis Carrillo y Sotomayor
OBRAS
Edición, introducción y notas de Rosa Navarro Durán.

183 / Ricardo Güiraldes
DON SEGUNDO SOMBRA
Edición, introducción y notas de Ángela B. Dellepiane

184 / Adolfo Bioy Casares
LA TRAMA CELESTE
Edición, introducción y notas de Pedro Luis Barcia

185 / Horacio Quiroga
LOS DESTERRADOS Y OTROS TEXTOS
Edición, introducción y notas de Jorge Lafforgue

186 / Enrique Jardiel Poncela
USTED TIENE OJOS DE MUJER FATAL. ANGELINA O EL HONOR DE UN BRIGADIER
Edición, introducción y notas de Antonio A. Gómez Yebra

187 / Tirso de Molina
DON GIL DE LAS CALZAS VERDES
Edición, introducción y notas de Alonso Zamora Vicente

188 / Carlos Bousoño
ODA EN LA CENIZA.
LAS MONEDAS CONTRA LA LOSA
Edición, introducción y notas de Irma Emiliozzi

189 / Armando Palacio Valdés
LA ESPUMA
Edición, introducción y notas de Guadalupe Gómez-Ferrer Morant

190 / CANCIONERO TRADICIONAL
Edición, introducción y notas de José María Alín.

191 / Fernando de Rojas
COMEDIA O TRAGICOMEDIA DE CALISTO Y MELIBEA
Edición, introducción y notas de Peter E. Russell.

192 / Don Juan Manuel
EL LIBRO DE LOS ESTADOS
Edición, introducción y notas de Ian R. Macpherson y Robert Brian Tate.

193 / Benito Pérez Galdós
LA VUELTA AL MUNDO EN LA NUMANCIA
Edición, introducción y notas de Carlos García Barrón